第二次世界大戦の発火点

独ソ対ポーランドの死闘

山崎雅弘

朝日文庫

本書は二〇一〇年四月、学習研究社より刊行された
『ポーランド電撃戦』を改題し、大幅に加筆しました。

まえがき

あなたは、第二次世界大戦がどのようにして始まったか、ご存知でしょうか？

一九三九年九月一日、独裁者アドルフ・ヒトラーの命令でドイツ軍が隣国ポーランドに侵攻し、第二次世界大戦が勃発しました。

第二次世界大戦を「いつ」「誰が」「どこで」始めたのかについては、歴史の教科書や一般的な第二次世界大戦関連の書物に記されているので、常識として知っておられる方も多いかと思います。

ですが、「なぜ」「どのようにして」第二次世界大戦が始まったのかについては、知られているようで、実はあまり知られていないことも多いようです。

例えば、第二次世界大戦が勃発するわずか半年前まで、ドイツとポーランドは「蜜月」と呼んでも差し支えないほど、関係の深い友好国であったこと。

ヒトラーは当初、西のイギリスやフランスとの戦争を念頭に置き、背後の東で安全を確保するためにポーランドとの領土問題（ダンツィヒとポーランド回廊）を解消しようと考えており、最初からポーランドを侵略の標的にしていたわけではなかったこと。

ドイツ軍のポーランド侵略に先立ち、ヨーロッパでは数か月にわたって、ドイツ、ポーランド、イギリス、フランス、イタリア、ソ連の政府首脳と外交官による複雑に入り組んだ外交交渉が展開されており、単純な「ヒトラーの領土的野心や思いつき」だけでドイツ軍のポーランド侵攻が決定されたのではなかったこと。

その外交交渉の過程では、他国の動きを読み誤ったり疑心暗鬼《ぎしんあんき》に陥ったりして、危機の収束とは正反対の動きを意図せずしてとってしまうことも少なくなかったこと。

そして、ヒトラー自身も開戦の数日前までは戦争を躊躇《ちゅうちょ》し、当初の構想とは逆に、ドイツとポーランドの戦争にイギリスが参戦しないことを望んでいたこと。

また、一九三九年九月にポーランドで繰り広げられた戦いが、具体的にどのようなものであったのかという軍事的な詳細も、日本では周知されているとは言えません。

当時の歴史的事実を仔細《しさい》に読み解くと、第二次世界大戦という歴史的な大事件の発生に行き着くまでに、数多くの「小さい出来事の積み重ね」があったことに気づきます。

一つ一つの外交交渉や市民レベルでの出来事は、当時の人にとっては「ささいなこと」だったのかもしれませんが、それが誰も予想しない形で積み上がった時、あたかも枯葉の山に火がついて大火災へと燃え広がるような事態へと発展していきました。

こうした経過を振り返ることは、現代に生きる我々にとっても大きな意味を持つように思います。将来における新たな戦争の勃発を回避《かいひ》するには、過去の戦争が「なぜ」「どのように」して起きたのか、どういう経過で何が「発火点」となったのかについての理解を深め、社会全体で広く共有しておくことが不可欠だと考えるからです。

一人一人の市民が、国や民族の対立を煽《あお》るような暴言を「ささいなこと」と見なして軽視したり、関係が悪化した相手国の脅威を政府が誇大に宣伝することに無頓着であれば、それと気づかぬうちに、新しい戦争を引き寄せる結果にもなり得ます。

ビジネスなどの分野では、的確な合理的判断を行うための思考プロセスとして、状況と物事を「５Ｗ１Ｈ」という観点で理解することが推奨されます。

この５Ｗ１Ｈとは、英単語の「Ｗｈｅｎ（いつ）」「Ｗｈｅｒｅ（どこで）」「Ｗｈｏ（誰が）」「Ｗｈａｔ（何を）」「Ｗｈｙ（なぜ）」「Ｈｏｗ（どのように）」の頭文字を集めたものです。

先に指摘したように、第二次世界大戦の「始まり」について、いつ、どこで、誰が、何をの「４Ｗ」はよく知られている反面、なぜ、どのようにして、という「１Ｗ１Ｈ」に関しては、専門的な学術書を別にすれば、語られることは多くありません。

誰でも気軽に手に取れる文庫本で、その空白を少しでも埋めることができたら、というのが、本書の主要な執筆動機です。

全九章で構成される本書は、第二次世界大戦という歴史的な事件の「発火点」に至る経緯とその後の展開について、５Ｗ１Ｈの観点で改めて読み直す試みです。

第一章では、ドイツとポーランドが戦争に至る発端となった、ポーランド領土の一部割譲要求の内容と、ヒトラーがなぜそのような要求を行ったのかという歴史的背景を、主にドイツ側の視点から解説しています。

第二章においては、一方の主役であるポーランドという国家の、誕生から一九三〇年代後半に至るまでの歩みを振り返り、歴史的に周辺の大国によって翻弄《ほんろう》され続けたポーランドの「宿命」とも言える境遇と、一九三〇年代の同国内の政治的状況を概観します。

ポーランド政府はなぜ、見方によっては「控え目」とも言えるヒトラーの領土要求を、敢然と拒絶しなくてはならなかったのか。その決断の背景には、過去の苦難の歴史に起因する、国の領土を失うことへの強い恐怖心が存在していました。

第三章では、一九三八年十月から翌一九三九年四月までの、ドイツ・ポーランド両国およびイギリス・フランスの各国政府間における政治的駆け引きや、それぞれの国内における世論や軍部の動向などについて、全体の流れを理解しやすい形で記述しました。

第四章では、ドイツとポーランドの関係が「友好」から「敵対」に転じた一九三九年四月以降の両国関係と、ヨーロッパの外交舞台へのソ連の登場、そしてポーランドの命運を決することになる「独ソ不可侵条約」の締結に至る経緯を説明した後、ドイツ軍のポーランド侵攻開始を挟んだ八日間（一九三九年八月二十七日から九月三日）に独ポ英仏伊ソの六か国が繰り広げた「瀬戸際《せとぎわ》」の外交交渉を、丁寧《ていねい》に追跡しました。

第五章では、ドイツとポーランド両国の軍備や戦争準備、両軍部隊の編制内容などを比較した上で、一九三九年九月一日から九月十六日までのポーランド戦前半の推移（主に軍事的側面）を、戦況図を織り交ぜながら記述しました。

　欧州有数の軍事力を保有していると考えられていたポーランドがなぜ、わずか一か月で敗北したのか。ドイツとポーランドの両国が持つ軍事力の質的な違いと、当時のポーランド軍が選ばざるを得なかった「戦略方針」の中に、その理由を見ることができます。

　第六章では、九月十七日のソ連軍によるポーランド戦への介入から、十月五日の終結までの独ソ＝ポーランド戦後半の推移、そしてドイツと英仏両国による「第二次世界大戦」の継続が確定するまでの軍事的・政治的経緯を、詳しく解説しています。

　第七章では、一九三九年秋にドイツとソ連に分割併合されたのち、一九四一年六月の独ソ戦開始で東部地域もドイツ支配下となった旧ポーランド領が、どのように統治されたのかについて説明します。第二次世界大戦中に起きた人類史上空前の蛮行として知られる、ナチス・ドイツによるユダヤ人大量虐殺（いわゆるホロコースト）が組織的に行われたのは、ドイツの親衛隊が旧ポーランド領内に建設し運用した「絶滅収容所」でした。

　第八章では、ポーランドがドイツとソ連に征服されたあと、国内と国外に分かれて戦いを続けたポーランド人の足跡を詳しくたどります。亡命ポーランド軍人は、やがて親英仏派と親ソ連派の二系統に分裂し、その対立と競合は戦後のポーランドにも影を落としました。また、国内で抵抗を続けたポーランド人が一九四四年八月に起こした「ワルシャワ蜂起」についても、そこに至るまでの紆《う》余曲折《よきょくせつ》と共に経過を記します。

　そして第九章では、戦後の東西冷戦期から民主化に至るまでのポーランドの歩みに光を当て、第二次世界大戦とその結果が同国の戦後史に及ぼした影響に目を向けます。

現在のロシア軍によるウクライナ侵攻に対し、ポーランドが隣国ウクライナへの支援をさまざまな形で行う理由についても、過去の歴史における両国の因縁を踏まえて見れば、腑《ふ》に落ちる点がいくつもあるように思います。

数多くの書物が刊行され、もう語り尽くされたかに見える第二次世界大戦の歴史について、読者に新たな視座を提供することができれば幸いです。

第二次世界大戦の発火点●目次

第二部　ポーランドと第二次世界大戦

第五章　ドイツ軍に蹂躙されたポーランド——243

第六章　独ソ両国によるポーランドの分割併合――289

第三部　ポーランドの戦後から現在に至る道

地図・図版制作　山崎雅弘

第二次世界大戦の発火点

第一部

第二次世界大戦への道

第一章
膨張し続けるヒトラーの野望

《ポーランドとの新たな条約締結を求めたドイツ》

◆ドイツがポーランドに提示した条約草案

地獄への道の入り口は、一通の条約草案だった。

第二次世界大戦の勃発から約十か月前の一九三八年十月二十四日、ドイツの外務大臣ヨアヒム・フォン・リッベントロップは、ドイツ駐在のポーランド大使ユゼフ・リプスキとドイツ南部のベルヒテスガーデンで秘密裡《ひみつり》に面会し、全八項目から成る条約の草案を提示した。

そこには、次のような内容が列記されていた。

一、現在、国際連盟の管理下にある自由都市ダンツィヒ（ポーランド側の呼称はグダニスク）の主権は、ドイツに返還される。

二、ドイツは、ダンツィヒおよび東プロイセンとドイツ本国を結ぶ、高速道路および複線鉄道を、ポーランド領内に建設し、この交通路における治外法権を有する。

三、ポーランドは、ドイツ主権下のダンツィヒにおいて、治外法権を有する道路、高速道路および鉄道を特例的に保有し、自由に使用可能な港湾も保持できる。

四、ポーランドは、ドイツ主権下のダンツィヒにおいて、自国の商品のための市場を保障される。
五、ドイツとポーランドの両国は、共通の国境線および領土保全を相互に承認する。
六、ドイツとポーランドの両国間で締結された不可侵条約の期限は、現在の一〇年から二五年に延長される。
七、ポーランドは、日独伊防共協定に参加する。
八、本条約には、さらに一定の協議条項が附属する。

この八項目のうち、最初の四つは、第一次世界大戦終了後に敗戦国ドイツから取り上げられ、以後は国際連盟（国家間の紛争を調停する国際機関で、一九二〇年に設立）の管理下に置かれていた（特定の国家に帰属していない）自由都市ダンツィヒの地位変更と、それに対する「代償《だいしょう》」に関するものだった。

そして、続く二つは、ドイツとポーランドの同盟関係の確認および延長を扱っており、七つ目には東の大国ソ連を仮想敵とする日独伊の枢軸陣営に、ポーランドも加わらないかという勧誘の意図が込められていた。

◆ドイツ側提案を秘密にしたポーランド外相ベック

リプスキ大使から条約草案の内容を伝えられた、ポーランドの外務大臣ユゼフ・ベックは、慎重に考えを巡らせた後、当面はこの草案内容について、ポーランド内閣にも国民にも知らせずにおくことに決めた。

ベックは、ポーランド独立回復の父と称される民族的英雄ユゼフ・ピウスツキの後押しで、一九三二年十一月二日に外相の地位に就いて以来、ポーランド政府から外交の全権を委任されており、彼が国益上必要と判断すれば、その内容を一定期間にわたり秘密にした上で、特定の国家との外交交渉を行うことも許されていた。

ドイツ側の提案を、しばらく秘密にすると彼が判断した最大の理由は、もしこの文面がポーランド国民の目に触れれば、ポーランド国内で激しい「反ドイツ感情」が沸き起こる可能性が高いと考えられたからだった。一九三八年十月当時のポーランド国内の世論は、西の隣国ドイツに対しては比較的好意的な傾向にあり、それは一か月前に世界を驚かせた「ミュンヘン会談」（後述）によっても変わらなかった。

その一方で、ポーランド人はバルト海沿岸の港湾都市グダニスク（ダンツィヒ）を、本来ならばポーランドが主権を持ち、ポーランド領に併合すべき土地だと考えており、また自国の領土内で他国に「治外法権」を付与するような決定も、ポーランド国民が受諾する可能性はきわめて低かった。

そのため、ベックは自分の裁量権の範囲内で、この問題を穏便に処理しようと考えた。リッベントロップの草案が提示された一九三八年十月当時、ポーランドとドイツの外交関係は良好だったことから、水面下で地道に外交交渉を行えば、双方が受け入れ可能な「落としどころ」を見つけられると、彼は理解していたのである。

実際、同年一月には、ベック自身がベルリンを訪問して、総統アドルフ・ヒトラーおよびドイツ政府のナンバー・ツーであるヘルマン・ゲーリングと親密な雰囲気の中で会談を行い、ヒトラーがポーランドに対して友好的な感情を抱いていることを感じ取っていた。その経験を踏まえて、ベックは自分がドイツを再訪してヒトラーとじっくり話し合えば、ダンツィヒをめぐる問題も解決できるだろうと楽観視していた。

言い換えれば、ベックはこの時点ではまだ、ポーランドとドイツの間に存在する懸案事項を平和裡に解決する目的で作成されたこの条約草案が、後にヨーロッパ全土を戦火で覆《おお》う「第二次世界大戦」の火種になるとは、まったく予想していなかったのである。

だが、ヒトラーはベックの認識とはまったく異なる思惑《おもわく》を抱いて、ポーランドとの新たな条約の締結を望んでいた。

ダンツィヒのドイツへの復帰は、ヒトラーとドイツ国民にとって、第一次世界大戦における敗北の屈辱を払拭《ふっしょく》するための、最後の「仕上げ」に他ならなかった。そして、東の隣国ポーランドとの同盟関係の強化は、ドイツが近い将来に西方で開始する予定の「対英仏戦争」遂行に不可欠な、後顧《こうこ》の憂いを取り除くための重要な方策だったからである。

《ドイツの再軍備宣言と失地回復》

◆「屈辱の非武装地帯」ラインラントへの進駐

リッベントロップの条約草案提示から三年七か月前の一九三五年三月十六日、ヒトラーは第一次世界大戦の講和条約（通称ヴェルサイユ条約）の破棄《はき》と、戦勝国から固く禁じられていたドイツの再軍備を、内外に向けて宣言した。

この日以降、ヒトラーは同条約により旧ドイツ帝国から近隣国へと「奪い取られた領土」の回復を、重要な対外政策の一つに位置づけ、段階的にその実現を図っていった。

その始まりは、一九三六年三月に実施された、ドイツ西部の「ラインラント」へのドイツ軍部隊の進駐だった。

ラインラントとは、アルプスから北海へと北に流れる大河ライン川沿岸とその西のドイツ領に、帯のように設定された地域で、将来において国力を回復したドイツが、再び西方のフランスやベルギーなどに侵攻することのないよう、いわば「緩衝地《かんしょうち》」として設けられた非武装地帯だった。ヴェルサイユ条約を受け入れた敗戦国ドイツは、自国領であるにもかかわらず、この西部国境沿いの一帯に、武装兵力を駐留させることを厳禁されてきた。

総統ヒトラーから、ラインラントに部隊を駐留させるとの意向を伝えられたドイツ陸軍

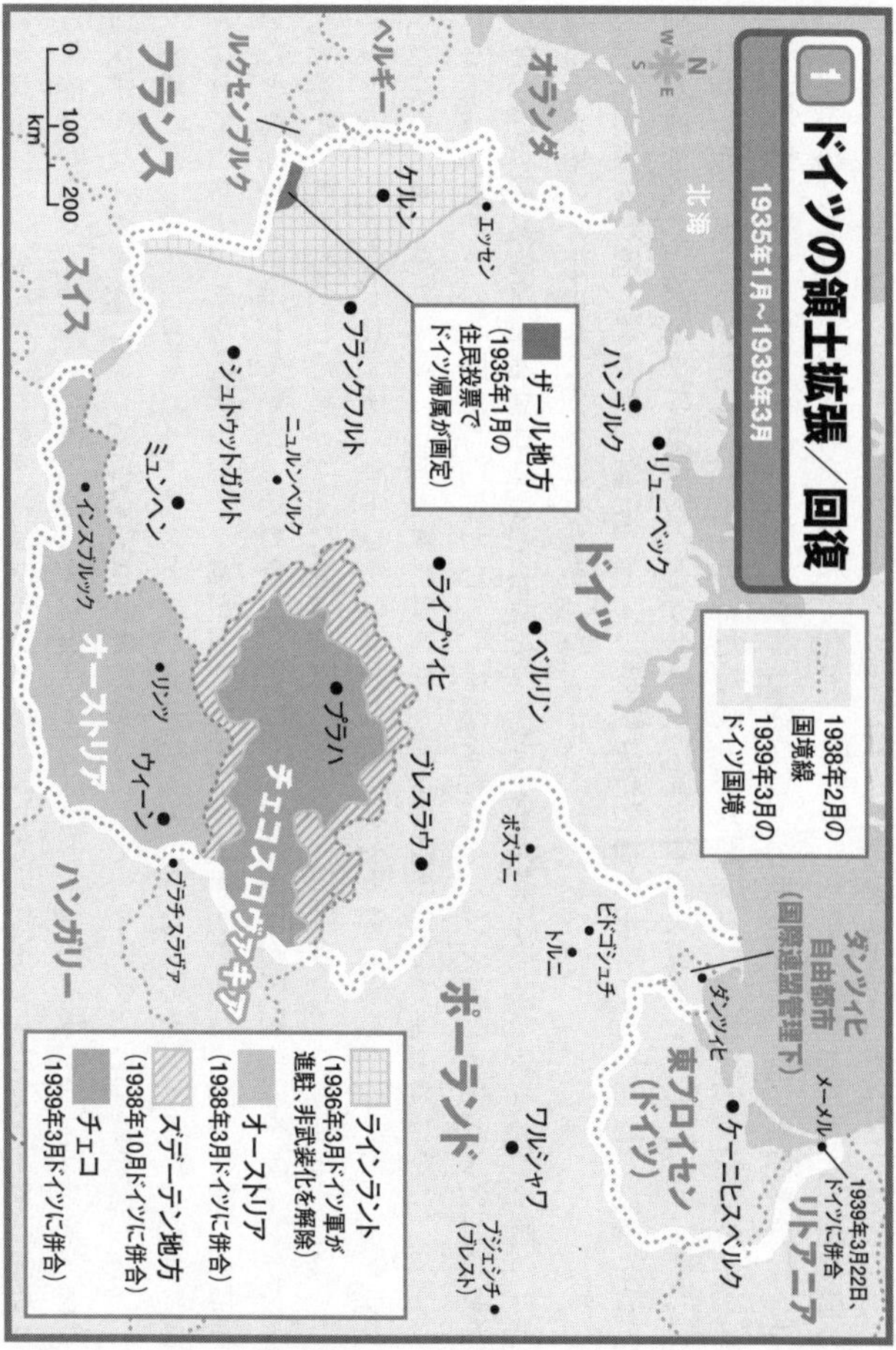

1 ドイツの領土拡張／回復
1935年1月～1939年3月
1938年2月の国境線
1939年3月のドイツ国境
N S E W
北海
オランダ
ベルギー
ルクセンブルク
フランス
スイス
●エッセン
ケルン●
●ハンブルク
●リューベック
ドイツ
●ベルリン
●フランクフルト
●シュトゥットガルト
ニュルンベルク
ミュンヘン
●インスブルック
●ライプツィヒ
●プラハ
ブレスラウ●
●リンツ
ウィーン●
オーストリア
チェコスロヴァキア
●ブラチスラヴァ
ハンガリー
ポズナニ
ビドゴシュチ
トルニ
ポーランド
ダンツィヒ
ダンツィヒ自由都市（国際連盟管理下）
東プロイセン（ドイツ）
●ケーニヒスベルク
メーメル●
1939年3月22日、ドイツに併合
リトアニア
ワルシャワ
ブジェシチ●（ブレスト）
ザール地方（1935年1月の住民投票でドイツ帰属が確定）
ラインラント（1936年3月ドイツ軍が進駐、非武装化を解除）
オーストリア（1938年3月ドイツに併合）
ズデーテン地方（1938年10月ドイツに併合）
チェコ（1939年3月ドイツに併合）
0 100 200 km

の参謀本部は、そんなことをすればフランスは激怒して大規模な兵力をドイツに侵攻させる可能性が高く、せっかく再軍備による復活を遂げたドイツの軍隊が、フランスとその同盟国イギリスの軍隊によって再び潰《つぶ》されてしまうとして、ヒトラーに翻意を促した。

実際、ヒトラー自身も、イギリスとフランスがどのような反応を見せるか、完全には読み切れておらず、また現状のドイツ軍が、英仏両軍と正面から戦って勝てる能力を持たないことも充分に理解していた。そのため、彼はもし英仏両国が戦闘部隊をラインラントに送り込む気配を察知したら、すぐに駐留部隊を東に引き揚げさせるつもりだった。

一九三六年三月七日未明、ヒトラーは軽装備の歩兵一九個大隊を、静かにラインラントへと進めさせ、そのうちの三個大隊には、ライン川の西岸にまで進出させた。

ヒトラーはそれから四八時間にわたり、固唾《かたず》を呑んでフランスとイギリスの対応を注視した。だが、英仏両国は意外にも、明白なヴェルサイユ条約違反であるドイツ側の行動を、軍事力を用いて阻止《そし》しようとはしなかった。

英仏両国の政府と軍の上層部は、ドイツ空軍が新鋭機を用いて行っていた派手な宣伝活動に幻惑《げんわく》されて、ドイツの軍事力、とりわけ航空兵力を過大評価していた。

そのため、現時点で英仏とドイツの新たな戦争が勃発すれば、自国の工業地帯がドイツ空軍の爆撃を受けて壊滅する可能性も無視できないとの判断から、英仏両国政府は「ラインラントの将来はドイツ政府を信頼して任せ、ヒトラー政権との間で新たな平和機構の樹立を目指すのが最善の道だ」という、いわば妥協《だきょう》的な結論を共有していたのである。

◆ヒトラーの母国オーストリアのドイツへの併合

それから一年八か月後の一九三七年十一月五日、ヒトラーは陸海空三軍の総司令官と当時の外相コンスタンティン・フォン・ノイラートが列席する会議の席で、ドイツの「生存圏（レーベンスラウム）」を東方に確保するための一環として、隣国オーストリアとチェコスロヴァキアを、近い将来に併合する意向であると宣言した。

第一次世界大戦の終結と共に、中欧の巨大帝国オーストリア＝ハンガリーから分離して誕生したオーストリアは、総人口六〇〇万人のほとんどをドイツ系住民が占める「ゲルマン人国家」であり、ヒトラー自身も実はオーストリアの出身者（生誕地はドイツのバイエルン地方に隣接するオーストリアのブラウナウ・アム・イン）だった。

ヒトラーは、青年時代にオーストリアからバイエルンの中心都市ミュンヘンに移住し、ドイツ帝国陸軍の兵士として第一次世界大戦に従軍したあと、上等兵として退役した。だが、この時点ではドイツ国籍を持たず、彼が正式にドイツ国籍を取得したのは、ドイツの首相に就任するわずか一年前の一九三二年二月二十五日だった。

一九三八年二月十二日、ヒトラーはオーストリアのクルト・フォン・シュシュニク首相をベルヒテスガーデンに招き、軍事力の行使をほのめかして相手を威嚇《いかく》しながら、次のような要求を高飛車《たかびしゃ》に突きつけた。

「貴国の外交や軍事政策は、ドイツの外交および軍事政策と、完全な共同歩調をとると誓約してもらいたい」

この要求は、実質的に独立国としての主権を放棄せよと恫喝《どうかつ》しているのに等しかった。シュシュニク首相は、ドイツへの屈服を回避するためには緊急で国民投票を行うしかないと考え、三月九日のラジオ演説で「選挙日を三月十三日とする」と宣言した。

これを知ったヒトラーは、三月十一日の夜にオーストリアへの武力侵攻を命令し、翌三月十二日にはドイツ軍の戦闘部隊が、国境を越えてオーストリア領内へと入った。

この時点では、ヒトラーはオーストリア全域の完全な併合ではなく、ドイツの属領として一定の自治権を与える意志を持っていた。しかし、隣国に「侵攻」したはずのドイツ軍の部隊が、オーストリア軍による抵抗ではなく、人々の歓喜の声援と花束によって好意的に迎えられているとの報告を受けたヒトラーは、方針を急遽《きゅうきょ》変更してオーストリア全域をドイツへと併合する法律を両国政府に作成させ、三月十三日付で公布した。

暫定《ざんてい》のオーストリア新首相には、ヒトラーの信任が厚いオーストリア・ナチ党員のアルトゥル・ザイス＝インクヴァルトが就任し、四月十日には、オーストリア国民の九九・七五パーセントが国民投票で「ドイツへの併合」を支持したとの選挙結果が発表された。

ヒトラーは、またしても危険な「賭《か》け」に勝ったのである。

◆ズデーテン地方の割譲要求

一九三三年一月三十日の首相就任からわずか五年で、ラインラントの（軍事的）主権回復とオーストリアの併合という成果をドイツにもたらしたヒトラーは、併合されたオーストリア領を含むドイツ全土で英雄として讃えられ、彼の威信は急激に高まった。

そして、先のラインラント進駐やオーストリア併合、そして同じ時期にドイツとイタリアが行った、スペイン内戦（一九三六年〜一九三九年）への義勇軍派遣といった出来事に対して、英仏両国がことごとく消極的な対応しかとらなかったのを見て、ヒトラーは「もはやイギリスやフランスの意向を過大に恐れる必要はなくなった」との認識を強め、ヴェルサイユ条約で失った領土の回復とは別の、ドイツの国益に直結した「生存圏」を獲得するための「領土拡張政策」を、本格的にスタートさせた。

この新たな戦略を進める上で、ヒトラーが最初の獲物としてまず目をつけたのは、南東の隣国チェコスロヴァキアだった。

オーストリアと同じく、第一次世界大戦後にオーストリア＝ハンガリー帝国から生まれた新国家の一つであるチェコスロヴァキアは、約七二五万人のチェコ人が多数派を占める西部のチェコと、約二〇〇万人のスロヴァキア人が住む東部のスロヴァキアから成る連邦国家だった。だが、チェコには約三二五万人のドイツ系住民（ズデーテン・ドイツ人）も居住しており、国全体では二番目に多い民族であるにもかかわらず、それに見合った地位を得ていないとして、ドイツ系チェコ人の不満は燻《くすぶ》り続けていた。

こうした状況に着目したヒトラーは、将来におけるチェコスロヴァキア併合を見越した第一歩として、ズデーテン地方のドイツ系住民とチェコ人の間に民族意識のくさびを打ち込み、同地方のドイツへの実質的な割譲を公然と要求する態度を見せた。

彼がチェコスロヴァキアの併合を望んだ理由の一つは、同国が兵器産業の分野で、ヨーロッパの大国にも遜色《そんしょく》ないほどの、高い技術力と生産力を保有していることだった。当時のチェコスロヴァキアには、一八六八年に創業したシュコダ社や、一八七一年創業のChKD社をはじめ、いくつもの軍需工場が操業しており、一九三〇年には軍需物資の輸出で世界第四位の座を占めていた。

ドイツのように、ヴェルサイユ条約による兵器開発の足枷《あしかせ》をはめられることのなかった同国は、戦車開発の分野でも大きな成果を挙げており、主力戦車35年式とこの後継として開発された38年式は、共にドイツのI号戦車やII号戦車を凌駕《りょうが》する性能を備えていた。

ヒトラーは、チェコスロヴァキアを併合すれば、これらの兵器とその生産設備、そして新兵器の開発で力を発揮するノウハウを丸ごと手に入れられると考えたのである。

《平和のための宥和策・ミュンヘン会談》

◆チェコスロヴァキア大統領ベネシュの誤算

チェコスロヴァキアの大統領エドヴァルド・ベネシュは、最初のうちヒトラーの恫喝に屈せず、ズデーテン地方の併合には応じない姿勢を示していた。

ヨーロッパのほぼ中心部に位置するチェコスロヴァキアは、ドイツとポーランド両国のいわば「脇腹」を圧迫するような形で国境を接していた。西の大国フランスと東の大国ソ連は、自国の潜在的脅威であるドイツに対する牽制《けんせい》の意味を込めて、それぞれ一九二四年一月二十五日と一九三五年五月十六日に、チェコスロヴァキアとの間で安全保障面での相互援助条約を締結していた。

そのため、ベネシュはヒトラーが自国に対する攻撃を軽々しく行う可能性は低いと判断し、もし仮にドイツ軍のチェコスロヴァキア侵攻が実施されても、頑強に構築された国境の要塞線でしばらくの間持ちこたえれば、やがてフランス軍とソ連軍が救援に駆けつけ、ドイツ軍を粉砕してくれるだろうと考えていた。

しかし、一九三八年四月十日にフランスの新首相に就任したエドゥアール・ダラディエと仏外相ジョルジュ・ボネは、前年の一九三七年五月二十八日にイギリスの新首相に就任していたネヴィル・チェンバレンと共に、両国の歴代首相がとり続けてきた政策、つまり「ドイツへの宥和《ゆうわ》と譲歩」を継承する方針を固めていた。

一九三八年三月十五日に開かれた仏議会の国防委員会において、フランス空軍のビュイユマン将軍は「もし現状の軍備でドイツとの戦争が勃発すれば、わが空軍は二週間ほどでドイツ空軍によって全滅させられるだろう」との悲観的な報告を行っていた。

そして、同様にドイツの空軍力を過大評価した英首相チェンバレンは、フランス政府に対し「もしフランスがチェコスロヴァキアをめぐる紛争に介入して、その結果としてフランスとドイツが戦争状態になっても、イギリスがフランスを支援するとは期待しないでもらいたい」との冷徹な通告を、秘密裡に行っていた。

つまり、ベネシュの期待とは裏腹に、フランスは「いざという時」にチェコスロヴァキアを軍事力で支援する自信を失っていたのである。

◆一触即発の状態となったドイツとチェコスロヴァキア

ドイツ陸軍の参謀本部は、隣国に対する侵攻計画を色分けして分類していたが、ヒトラーは一九三八年四月二十一日、その中のチェコスロヴァキア侵攻を題材とする計画《秘匿《ひとく》名「緑の場合」》に多少の手直しを加えて実行準備を進めるよう、国防軍総司令部（ＯＫＷ）総監ヴィルヘルム・カイテル砲兵大将に命じた。

翌五月十六日、ヒトラーはベルヒテスガーデンの山荘《ベルクホーフ》から国防軍最高司令部に「至急極秘」の電報を打たせ、動員開始から一二時間で進発できる師団はいくつあるかと問い合わせた。

間もなく返電された内容は、歩兵一〇個師団と装甲一個師団、山岳兵一個師団の計一二個師団だった。これらの師団は、即座にズデーテン地方に隣接するドイツ側の国境付近へと配備され、チェコスロヴァキアへの軍事侵攻に向けた準備を開始した。

一方、ドイツが国境に兵力を配備したことを知ったチェコスロヴァキア側は、五月二十一日に部分的な動員を開始し、国境の要塞地帯は戦時体制に入った。当時のチェコスロヴァキアは、常備軍七個師団と予備軍一四個師団、それに訓練部隊七個師団の計二八個師団を保有しており、国境沿いには部分的ながら頑強な要塞地帯が建造されていた。

ドイツとチェコスロヴァキアが一触即発《いっしょくそくはつ》の緊張状態に入ったのを見た英仏両国は、慌てて戦争回避の外交努力を開始した。ベルリン駐在の英仏両国大使は、連日ドイツ外務省を訪問し、ドイツとチェコスロヴァキアの戦争はやがてヨーロッパ全域に波及して、新たな世界大戦を引き起こすことになると警告した。

この時には、ヒトラーは英仏の政治的圧力には関心を示さなかったものの、チェコスロヴァキア問題に対する東方の大国・ソ連の出方を見極めることができず、いったんチェコスロヴァキア侵攻の準備を中止し、戦争の開始を先送りする決定を下した。

チェコスロヴァキアとの相互援助条約を尊重したソ連が、ドイツの敵側であるチェコスロヴァキアに全面的な軍事援助を行う姿勢を見せた場合、ドイツ軍の侵攻作戦は重大な危機に直面し、ズデーテン問題を軍事力で解決するという彼の目論見は粉々に砕かれてしまう恐れがあったからである。

だが、同年九月十五日に英首相チェンバレンが、チェコスロヴァキア問題を平和的に解決するために自らドイツを訪れ、フランスを蚊帳《かや》の外に置いた形でヒトラーとの首脳会談を開くと、事態は急展開した。

この時、ヒトラーは何としてでもズデーテン地方の領有を勝ち取ることをチェンバレンに宣言し、その実現のためであれば「世界大戦も辞さない」と大見得を切った。

これに圧倒されたチェンバレンは、もし英内閣と仏政府の同意があれば、ズデーテンのドイツへの併合を認めてもよいと回答し、九月十七日に帰国して緊急閣議を召集、戦争回避のための「宥和」という彼の政策に、内閣の同意をとりつけることに成功した。

そして九月十八日に、仏首相ダラディエがドイツのズデーテン領有という条件を認める意志を表明すると、ズデーテン問題は、当事国であるチェコスロヴァキアの政府と国民の意向を置き去りにしたまま、収束の方向へと進んでいった。

フランス国内では、不測の事態に備えて一〇〇万人規模の兵士の動員が開始され、独仏国境の要塞は戦時体制に入った。英国艦隊も出撃準備を整え、チェコスロヴァキアも兵員の総動員令を布告した。しかし結局、ドイツとチェコスロヴァキア、および英仏両国の間に、新たな戦争は勃発しなかった。

その火種を消す役割を果たしたのが、ミュンヘンで行われた首脳会談だった。

◆戦争勃発を先送りにした「ミュンヘン会談」

一九三八年九月二十九日、ドイツ・イギリス・フランス・イタリア四か国の国家元首がドイツ南部のミュンヘンに集まり、チェコスロヴァキア問題の解決策を話し合った。

イタリアの元首ベニト・ムッソリーニは、ヒトラーとは友好的な関係にあったが、国内的事情からヨーロッパでの戦争勃発を望んでおらず（第四章で詳述）、同じくヨーロッパ

ミュンヘン会談終了後、イギリスに帰国して国民に「平和の確保」を高らかに宣言する英首相チェンバレン。（写真：TopFoto/アフロ）

での戦争勃発を危惧するアメリカ大統領フランクリン・ルーズヴェルトからの要請もあってこの会談を手配し、自らも仲介者的な立場で四か国会談に参加していた。

ヒトラーは、会談の席で「わが国が行う領土要求は、ズデーテン地方が最後であり、残りの地域については安全を保障する」と述べ、さらなる領土拡大を行う意図を否定した。

これを聞いた英仏両国政府は、自国の軍事力、とりわけ空軍力が強化されるまではドイツとの戦争を回避した方が得策だとの判断で、ヒトラーの要求を受諾する決定を下した。

翌九月三十日、ヒトラーとムッソリーニ、チェンバレン、ダラディエは、ズデーテン地方に加えて、チェコスロヴァキア国内でドイツ系住民が半数以上を占める地域をドイツに併合することを認める「ミュンヘン協定」に調印した。

英仏両国政府の「裏切り」とも言える変節に直面して、チェコスロヴァキアは窮地《きゅうち》に追い込まれた。同国に残された希望は、ソ連との間に締結した相互援助条約だけだったが、今となってはソ連軍が救援にやってくる望みは皆無に等しかった。なぜなら、この条約は「フランスとチェコスロヴァキアの相互援助条約に基づくフランス側の具体的行動」が、ソ連側の支援義務履行《りこう》の前提条件となっている上、ソ連とチェコスロヴァキアは国境を接しておらず、両国を結ぶ陸路は、ドイツに友好的な態度をとるポーランドとルーマニアによって遮断《しゃだん》されていたからである。

もはや一国でドイツに抵抗しても勝ち目はないと悟ったチェコスロヴァキア政府は、断腸の思いで「ミュンヘン協定」を受諾すると宣言し、ドイツ軍は翌十月一日にズデーテン地方へと進駐した。失意に沈んだベネシュは、十月五日に大統領職を辞任し、間もなくロンドンへと向かい、イギリスに亡命した。

九月三十日のうちにミュンヘンから帰国したチェンバレンは、一八七八年のベルリン会議で列強間の衝突を回避する役割を担った当時の英首相ベンジャミン・ディズレーリを引き合いに出しながら、首相官邸前に集まった群集に向けてこうアピールした。

「名誉ある平和が、ドイツからダウニング街〔ロンドン中心部の首相官邸〕に持ち帰られたのは、これが二度目です。我らの時代における平和は、これで確保されたのです」

しかし、チェンバレンが自画自賛した「ミュンヘン協定」は、ヨーロッパでの恒久的な平和を勝ち取る基礎とはならなかった。

むしろ、英仏両国の譲歩は、軍事力を背景にした恫喝外交こそが最も効果的な国力増強の手段だという、強権的な問題認識をヒトラーの脳裏に深く植え付けることとなり、恒久的な平和とは全く逆の効果をもたらしたのである。

◆英仏との戦争準備とポーランドの存在

この一連の騒動が繰り広げられた時期において、ドイツ軍の上層部には、もしヒトラーがチェコスロヴァキアへの軍事侵攻を命令したなら、ただちに反ヒトラーのクーデターを実行して彼を政権から引きずり下ろし、ドイツと英仏両国の戦争勃発を回避しようと考える人間が存在していた。

ヒトラーとの意見衝突が原因で、一九三八年八月十八日に陸軍参謀総長を辞任したルートヴィヒ・ベック砲兵大将や、その後任となったフランツ・ハルダー砲兵大将、第3軍団司令官エルヴィン・フォン・ヴィッツレーベン歩兵大将、第1軽旅団長エーリッヒ・ヘープナー中将、国防軍対外情報・防諜局長ヴィルヘルム・カナリス海軍中将と、その副官ハンス・オスター大佐などである。

だが、英仏両国政府がヒトラーの要求に屈して「ミュンヘン協定」を締結したことで、ドイツ軍のチェコスロヴァキアへの軍事侵攻は「平和的な進駐」となり、反ヒトラー派のクーデター計画は、実行の時機を逸して立ち消えとなってしまった。

一方、英仏両国に対するヒトラーの認識は、この「ミュンヘン協定」を境に、大きく変化することとなった。先に述べたように、ヒトラーはドイツの「生存圏」を東方に確保するという国家戦略を脳裏に描いており、最終的には旧ロシア帝国領のソ連へと進出して、ドイツの植民地をそこに建設するという遠大な構想を抱いていた。

この構想を実現するため、ヒトラーは西方の大国イギリスを味方につける必要性を感じており、一九三五年六月十八日には、ドイツとイギリスが将来において「共存する」ことをドイツ側が望んでいる証として、ドイツ側に不利な条件で海軍条約に調印していた。言い換えれば、ヒトラーは「ミュンヘン協定」に調印するまでの時期、イギリスをドイツの「長期的なパートナーになりうる国家」であると理解していたのである。

しかし、ズデーテン問題をめぐる約五か月間の駆け引きで、イギリスが（ヒトラーから見て）予想以上に「物わかりの悪い」態度をとり続け、最後には「ドイツはこれ以上、領土の要求はしません」という約束までさせられたことで、ヒトラーは自らの威信が傷つけられたと感じ、イギリスに対する憤懣《ふんまん》を募《つの》らせていた。

そして、イギリスがヨーロッパに対して影響力を保持している状況下では、東方にドイツの「生存圏」を確立することは不可能だと考えた彼は、本格的な東方進出に先立って、イギリスおよびその同盟国であるフランスとの間で戦争を行い、ヨーロッパに対するイギリスの影響力を削《そ》ぎ落とす必要があるとの結論に達した。

この戦略を実行するためには、ドイツが対英仏戦争を実行している間に背後から「刺される」ことのないよう、まずポーランドとの友好関係を盤石《ばんじゃく》なものにする必要があった。

ドイツとポーランドの関係が、利害の一致した同盟と呼べる状態になれば、ドイツは後顧の憂いなく、英仏両国との戦争に専念できるようになるからである。

リッベントロップがリプスキに条約草案を手渡す一〇日前の一九三八年十月十四日、ハンガリーの元首相ダラーニ・カールマーンと面会したヒトラーは、ドイツとハンガリー、ポーランドの三国で、中欧に「経済ブロック」を形成するとの構想を披露《ひろう》していた。

このような形で、ポーランドをドイツの経済圏に組み込むことができれば、ポーランドは外交面あるいは軍事面においても、ドイツと真っ向から対立する行動はとれなくなるはずだった。

だが、この時点でドイツとポーランドの関係は比較的良好だったとはいえ、なお未解決の懸案事項がいくつか存在していた。その中でも、とりわけ重要な意味を持っていたのが、ヴェルサイユ条約でドイツが失ったダンツィヒの主権回復という問題だった。

《歴史の波浪に翻弄されたダンツィヒ／グダニスク》

◆ポーランドとドイツの争奪の歴史

ドイツ人が「ダンツィヒ」、ポーランド人が「グダニスク」と呼ぶ、バルト海沿岸の港湾都市は、その経済的および戦略的価値から、古来ポーランドとドイツ（チュートン、プロイセン）の間で争奪の的となってきた。

西暦九八〇年頃、ポーランド最初の王ミェシュコ一世（第二章を参照）が、ヴィスワ川の河口に位置するこの場所に砦《とりで》を築いたのがグダニスクの起源とされ、それから三〇〇年ほどの間に港町として栄えた同地は、人口も一万人近くにまで増加した。

一三〇八年、グダニスクはチュートン騎士団によって占領され、同地は以後一五〇年間にわたり、ゲルマン人の支配下に入った。一四五四年、グダニスクを奪回したポーランド王国は、それから二八〇年間、この港湾都市を発展させたが、やがて国力が衰退し、周辺を囲む列強による侵蝕を受けることになる。

その結果、まず一七三四年に東の隣国・ロシア帝国がグダニスクを一時的に占領し、一七九三年には西の隣国・プロイセン王国が、同市を自国に併合した。プロイセンは、都市の名称をポーランド風のグダニスクからドイツ風の「ダンツィヒ」に変更し、それまで多民族が混在する国際都市として栄えてきた同市を、ドイツ人が多数を占めるドイツ文化圏の都市へと作り替えた。

一八〇七年から八年間、ダンツィヒはプロイセンを打ち破ったナポレオン率いるフランスの影響下に入り、フランスとザクセンの保護を受けて「自由都市」となったが、ナポレオンが敗退すると再びプロイセンが支配権を取り戻した。プロイセン王国がドイツ帝国へと発展した後も、第一次世界大戦が終結する一九一八年までの一一七年間（フランス支配下の時期を除く)、ダンツィヒはドイツ人の統治下で繁栄を謳歌《おうか》した。

以上のように、ポーランドの支配下で「グダニスク」であった時代は五八〇年、ドイツの支配下で「ダンツィヒ」であった時代は二六七年と、前者は後者のほぼ二倍だったが、一九一九年に第一次世界大戦の講和条約(ヴェルサイユ条約)が締結された時、ダンツィヒの住民約四〇万人のうちの三九万人(九八パーセント)はドイツ人だった。

そのため、同大戦後にポーランドが独立を回復した際、そのままポーランド領に編入するのは適切ではないとの判断が、主要戦勝国による討議で下された。こうして、ダンツィヒは当面の間は国際連盟の管理下に置かれることとなり、ナポレオンによる占領時代と同様に「自由都市」という特例的な地位を持つ領域となったのである。

◆当初は圧力ではなく「対話」を重視したヒトラー

ヴェルサイユ条約の第一〇〇条から第一〇八条に記された規定によれば、ダンツィヒ自由都市は国際連盟が保障する独自の憲法を持ち、国際連盟から派遣された高等弁務官が統治の統轄責任者を務める形となっていた。

また、ダンツィヒ市には、参事会と呼ばれる七議席から成る市議会が存在しており、同市に居住するドイツ人は、国際連盟から一定の自治権を付与されていた。

しかし、住民の出入国や海外における住民の保護など、旅券関係の外務はポーランドが代理で行うものとされた。また、港湾都市ダンツィヒで重要な地位を占める税関業務も、ポーランド国内の関税に関する法律が適用された上で、それが適切に執行されているかどうか、ポーランド側が派遣した税関監督官が確認するきまりとなっていた。

このほか、市内の道路および鉄道、港湾や水路の運行管理や郵便業務も、ポーランドの管轄に委《ゆだ》ねられており、ポーランドはダンツィヒ市内において、他に類を見ない特権を享受していた。言い換えれば、ダンツィヒにおいては国際連盟と現地のドイツ人市民、そしてポーランドの三者が、実質的な主権を分担するような形となっていたのである。

ヒトラーが政権に就く前のドイツ政府（ワイマール共和国政府）は、こうしたダンツィヒの境遇に対して公然と異議を表明しており、ポーランドとの貿易で関税を高く設定するなどの形で、ダンツィヒの権益を放棄するよう政治的圧力をかける方策をとっていた。

だが、一九三三年にヒトラーが政権を掌握すると、彼はポーランドとの貿易戦争を停止し、圧力ではなく「対話」によってダンツィヒの主権を回復するという、後に彼自身が繰り広げる諸々の行動からすると意外とも言える穏便な方策で、この問題に取り組んだ。

ヒトラーは、フランスが主導権を握る国際連盟の枠組みでは、ダンツィヒにおけるドイツの主権は永久に戻ってこないと判断し、一九三三年十月十四日に国際連盟からの脱退を宣言するのと共に、ポーランドとの間でダンツィヒの諸問題についての協議を開始した。

ポーランド側は最初、ヒトラーとナチ党の民族主義的な主張を考慮して警戒し、相手の意図がどこにあるのか探ろうとした。その後、ドイツ側の歩み寄りで、一九三四年に両国間で不可侵条約が締結されると、ポーランドとドイツの関係は一挙に親密化した。

2
ダンツィヒ自由都市
1938年
10月
バルト海
ダンツィヒ自由都市
（国際連盟管理下）
ドイツ
ポーランド
東プロイセン
（ドイツ）
ダンツィヒ
（グダニスク）
トチェフ
（ディルシャウ）
ヴィスワ川
ヘル半島
オッセケン
ロイエンブルク
クロコヴァ
ヴェジヘロヴォ
レダ
ルミア
プツク
ヘル
グヴァディスワヴォヴォ
グディニア
ツォポト
ヴェステルプラッテ
ノイファールヴァッサー
オリヴァ
ブラウスト
キュットランデ
ホーヘンシュタイン
マリエンゼー
ボーンザック
ケーゼマルク
ステーゲン
ティーゲンホフ
ノイタイヒ
ジモンスドルフ
カルトホフ
マリエンブルク
エルビング
トルケミト
ブラウンスベルク
フロイエンブルク
ハイリゲンベイル
ムブルハウゼン
モーランゲン
カルトウージ
シェラコヴィツェ
コシチェジナ
リプジュ
リニエヴォ
ズブレヴォ
スタロガルド
0
20
40
km
N
S
W
E

これに伴い、ダンツィヒ問題についての両国間の協議も進展し、一九三六年からはダンツィヒ市当局とポーランド政府による折衝《せっしょう》が重ねられた。これらの折衝により、ダンツィヒにおける社会保障や、農産物の交易、ダンツィヒとグディニア（後述）での貨物の取り扱いなどの合意が次々と成立し、山積していた懸案事項が急速に解決されていった。

こうした宥和的な流れの延長として、ヒトラーは一九三八年十月二十四日、外相リッベントロップを通じて、本書の冒頭に挙げた条約草案を、ポーランド側に提示した。

この草案の作成に際し、ヒトラーは、ポーランド側に最大限譲歩したつもりだった。例えば、ドイツ側はダンツィヒとドイツ本国を結ぶ高速道路と鉄道線を、ポーランド北西部のポモージェ（ドイツ側呼称はポンメルン）にドイツ主権下で建設することを求めていたが、ドイツ側から見れば、これは国際連盟がダンツィヒでポーランドに提供している便宜《べんぎ》とまったく同じ性質の問題であり、特に無理な要求とは思っていなかった。

このポンメルンは、第一次世界大戦以前にはドイツ帝国領であったものの、ヴェルサイユ条約でポーランド領に併合された「ポーランド回廊」と呼ばれる地域の一部だった。そのため、ドイツは本来なら「ポンメルン全体をドイツに返せ」と言える立場でありながら「寛容にも」そのような要求は行わず、最低限の交通路の使用権のみを相手に求めているのだ、というのが、ヒトラーの認識だった。

つまり、ヒトラーは（少なくともこの時点においては）ダンツィヒ市の問題について、従来ドイツとポーランド、そして国際連盟の三者による分権となっていたものを、ドイツとポーランドの二国間問題に変化させ、国際連盟の影響力を排除した上で、双方が完全に納得する形で解決しようと考えたのである。

◆グダニスクに代わる港湾グディニアの建設

一方、グダニスク（ダンツィヒ）を自国領に復帰させたいとの希望を、独立回復時に叶《かな》えられなかったポーランド側は、ダンツィヒに一定の影響力を保持しているとはいえ、一国の貿易をこのような曖昧《あいまい》な地位の港湾に依存するわけにはいかず、独立回復と同時に、これに代わる港湾の建設に着手することとなった。

そして、ダンツィヒの北約二〇キロに位置するグディニアで、新たな港湾施設の建設工事を開始し、一九二〇年には人口一〇〇〇人という小さな漁村だった同地は、一九三八年には人口一〇万人（つまり一八年で一〇〇倍）を超える港湾都市へと発展した。

これにより、ダンツィヒをも上回る規模の港湾処理能力を獲得するに至ったグディニアは、ポーランドにとって最も重要な戦略施設の一つとなったのである。

ポーランドの海外との貿易は、金額ベースで六割、数量ベースでは八割が、グディニア経由での海上輸送に依存していたが、グディニアとポーランド主要部を結ぶ鉄道線は、地形的な理由からダンツィヒ市内を経由していた。ただし、リッベントロップがリプスキに提示した条約草案は、ドイツがダンツィヒの主権を回復した後も、ポーランドがダンツィヒ市内の鉄道線を使用できる権利を、引き続き認める内容となっていた。

これらの状況を総合的に判断すれば、一九三八年十月二十四日にドイツ側から提示された条約草案の内容は、ポーランドにとって、一考の余地があるものだと言えた。

唯一、第七条の「防共協定加入」という政治的条件は、ポーランドがピウスツキ時代から外交の原則としてきた「均衡外交」に反するものだったが、この項目のみ除外できたなら、ポーランドがドイツと新たな条約を締結することで、政治的・経済的な不利益を被ることはほとんどないはずだった。

それゆえ、ヒトラーもリッベントロップも、ポーランドは大筋でこの条約草案を受け入れられるだろうと予想していた。

しかし、ポーランドの外相ベックは、条約草案を承認するという返答を、即時に行うことはしなかった。彼にはどうしても、ダンツィヒとその西方の「ポーランド回廊」の領土問題で、ドイツ側に譲歩するわけにはいかない大きな理由が存在していた。

ポーランドは十八世紀末に三段階にわたって、周辺の大国であるプロイセン（後のドイツ）、ロシア（後のソ連）、オーストリアに領土を併合された上、ポーランドという国名まで地図上から消滅させられたという苦い過去を持っていた。

そのために、領土損失の屈辱的な歴史は、いわばポーランド人の「心的外傷（トラウマ）」となっていたのである。

第二章
ロシアとドイツに挟まれたポーランドの「宿命」

《ポーランド王国の隆盛と没落》

◆ポラニェ公国の誕生

北をバルト海、南をカルパチア山脈に挟まれたヨーロッパ東部の平原地帯に、統一国家としての「ポーランド」の原形となる「ポラニェ国」が誕生したのは、十世紀の終わり頃のことだった。

ポーランドの語源ともいわれる、この広大な平原（ポーレ）は、地下水位が高くて水はけが悪く、農耕には適さない湿地や森林がその多くを占めていたため、居住する人口は比較的少なかった。

だが、西スラヴ系ポラン人のピャスト王朝（八四〇〜）によって周辺の種族が統合され始めると、西暦九六六年にキリスト教（カトリック）へと改宗した第五代の王ミェシュコ一世は、同年「ポラニェ（ポーランド）国」の創設を宣言した。

それまで同地に住む人々の間で一般的だったのは、太陽や山、湖、大木などに神が宿ると考える、農耕社会特有の素朴な自然崇拝だった。

そうした長年の土着信仰に代わるものとして、ミェシュコ王が当時の西ヨーロッパで絶対的な影響力を持っていたキリスト教を受け入れ、王の臣下をも強制的に改宗させた背景には、神聖ローマ帝国が持つ先進的な技術力や軍事力、そして政治力を味方につけるのと同時に、キリスト教の伝道という名目で幾度となく行われてきた、周辺諸勢力による「侵蝕」から自国を守るという、政治的な思惑が存在したとも伝えられている。

また、ミェシュコ王はこの前年にボヘミアのプシェミスル王家から妃を娶《めと》っており、彼の後継者たちも、ピャスト王朝と神聖ローマ帝国の貴族の間で、姻戚関係を積極的に結んだ。軍事的にも政治的にも弱体な「ポラニェ国」を、乱世の時代に存続させるためには、神聖ローマ帝国という強大な覇権国家の傘下《さんか》に入る必要があると考えたからである。

その後、西暦一〇〇〇年に神聖ローマ皇帝オットー三世によって、王国としての独立を承認されたポーランドは、西欧キリスト教文明の「防波堤（プシェドムージェ）」の役割を自任し、来襲する「異教徒」との戦いで数々の武勲を残した。

一二四一年には、ポーランド王国西部のレグニツァで、ポーランドの騎兵部隊がチュートン騎士団と協同でタタール（モンゴル）軍を迎え撃ち、異教徒の西進を停止させるために多大な犠牲《ぎせい》を払った。また、一六八三年には、ポーランド王ヤン三世ソビェスキが自ら軍勢を率いて、イスラム教徒のトルコ軍に包囲されたオーストリアの都ウィーンの救援に向かい、見事に敵軍を打ち破った。

この功績により、ヤンは「キリスト教ヨーロッパの庇護者《ひごしゃ》」との名声を勝ち取り、西欧諸国でも広く尊敬を集める存在となった。

だが、十八世紀に入ると、強力なリーダーシップを持つ王が登場しなかったことから、ポーランドは政治的に弱体化し、やがて東の隣国ロシア（後のソ連）と西の隣国プロイセン（後のドイツ）、そして南の隣国オーストリアによる政治的・軍事的な侵蝕を受けるようになる。

そして、遂には一七七二年と一七九三年、一七九五年の三次にわたる領土分割により、全国土を三国によって完全に併呑《へいどん》されてしまったのである。

◆大国に切り取られるポーランドの領土

第一次の「ポーランド処理」は、プロイセンに君臨する国王フリードリヒ二世（大王）の主導で行われた。

この前後の時期、スタニスワフ・アウグスト・ポニャトフスキを王に戴くポーランドの王室は、ロシア帝国の女帝エカチェリーナ二世からの財政援助に依存している状況で、議会が打ち出す政策も、事実上ロシア側の意向に従って決定される有様となっていた。

だが、ロシア軍の大軍勢がポーランドに駐留し、ロシアの恒久的な前線基地となっている状況に危機感を覚えたオーストリアとトルコ、フランスの三国は、ポーランド国内の反ロシア派の貴族階層（シュラフタ）を支援し、ロシアの影響力を削ごうと試みた。

この動きを見たプロイセンの王フリードリヒは、ポーランドの領土を獲得するチャンスだと考え、仲介者という立場をとりつつ、次のような提案を、ロシアに対して行った。

「オーストリアの〔統治者一族である〕ハプスブルク家は、ロシアがドナウ川流域に侵攻するのではないかと危惧している。ヨーロッパで、ロシアとオーストリアの衝突に端を発する大戦争が起こるのを防ぐためには、ロシアがオーストリアへの侵略意図がないことを明確に示す必要がある。

そこで、ロシアはオーストリアに敵意がない印として、ポーランドの領土をそれぞれ分け合う形で併合してはどうか。もっとも、ハプスブルク家の勢力拡大は、わがプロイセンにとっての脅威なので、プロイセンにも相応の領土を、ポーランドから譲り受けたい」

ロシアの女帝エカチェリーナは、不承不承ながらこの提案を受け入れ、一七七二年八月五日に、ロシア帝国の首都サンクトペテルブルクで、第一次ポーランド分割協約が締結された。

これにより、グダニスク（ダンツィヒ）を除くヴィスワ川下流の、経済的に重要な地域（三万六〇〇〇平方キロ）がプロイセン領に、ドニエプル川と西ドヴィナ川に挟まれた地峡周辺（九万二〇〇〇平方キロ）がロシア領に、ルヴフとその南西一帯のカルパチア山脈（八万三〇〇〇平方キロ）がオーストリア領に、それぞれ併合された。

こうした三大国によるポーランド領の一部併合は、当然のことながらポーランド国民に強い衝撃を与えた。国土の三〇パーセントと人口の三五パーセントが、当事者であるポーランド人に何の相談もなく奪い取られた上、それを事後承諾の形で認める（一七七三年九月三十日にポーランド国会で批准《ひじゅん》）という屈辱を味わわされたからである。

このままロシアの「属国」という地位に甘んじていたのでは、国が衰亡するという危機感を覚えたポーランドの貴族階層は、プロイセンの新国王フリードリヒ・ヴィルヘルム二世の後押しを受けて再びロシアに反旗を翻《ひるがえ》し、一七九一年五月三日に国王の権限を強化してロシアの影響力を排除する「五月三日憲法」を、議会で強行採択した。

この時、ロシアの関心は、一七八七年に始まったトルコとの戦争（第二次露土戦争）と翌一七八八年からの対スウェーデン戦争に注がれており、ポーランド人の「反抗」に即座に対処することができなかった。だが、一七九二年一月に露土戦争が終結すると、ロシアはただちに九万人以上の軍隊をポーランドに派遣し、間もなく支配権を回復した。

そして、反ロシアのポーランド貴族をそそのかしたプロイセンは、ロシア軍が武力行使を断行すると、すぐに態度を翻して局外中立の立場に身を置き、事態の推移を「傍観者」として見守る姿勢を貫いた。

◆コシチュシコの反乱とポーランドの消滅

一七九三年一月二十三日、再びロシアとプロイセンの代表がサンクトペテルブルクに集まり、第二次の「ポーランド処理」の協定に調印した。その内容は、ロシアがポーランド東部の二五万平方キロを、プロイセンが同西部の五万八〇〇〇平方キロを、それぞれ自国へと併合するというものだった。

プロイセンの領土獲得は、ロシア軍によるポーランド奪回を「邪魔《じゃま》しなかった」ことに加えて、君主制を否定するフランスの革命勢力との戦いで、プロイセン軍が「ロシア軍の

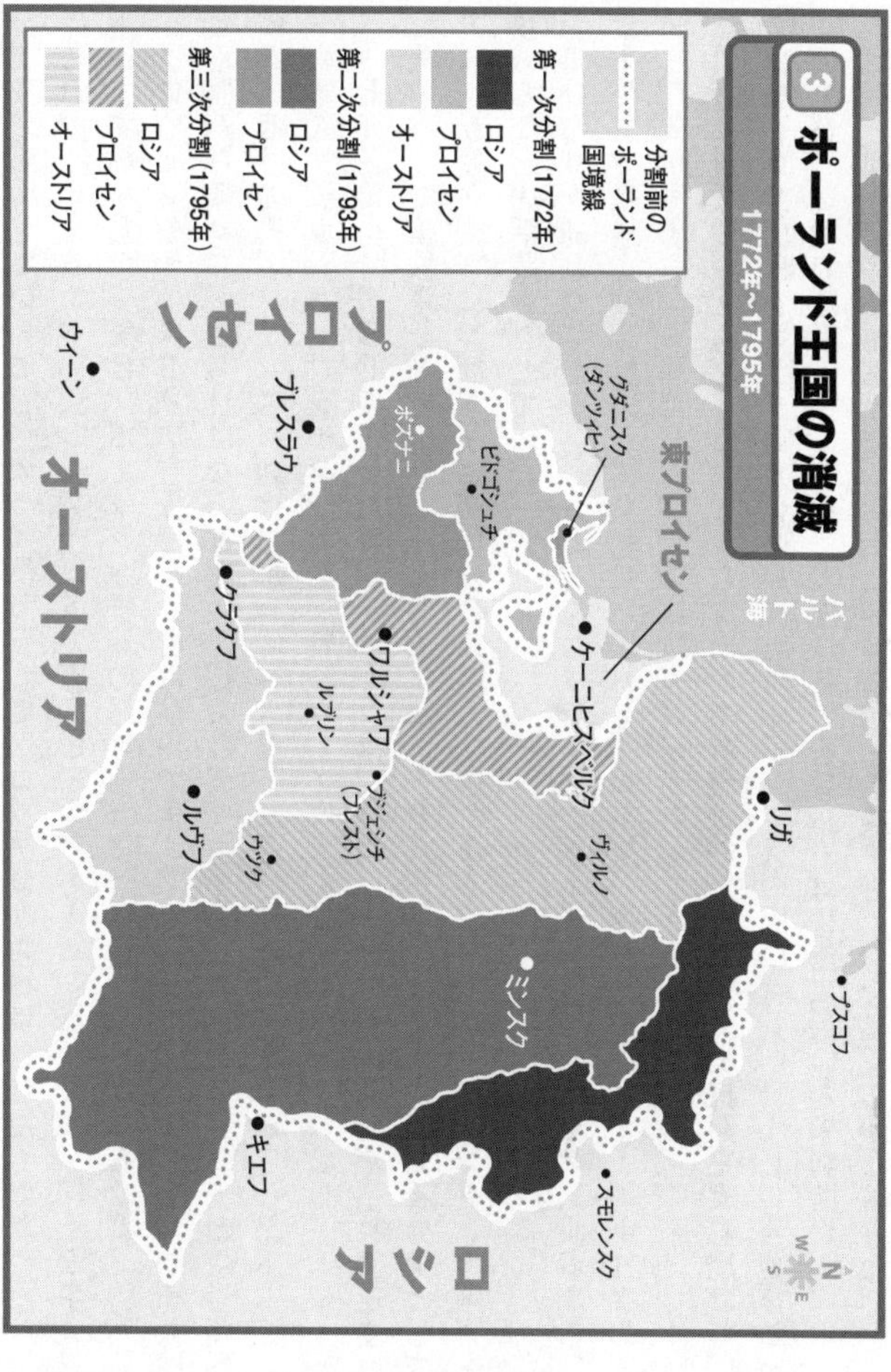
3
ポーランド王国の消滅
1772年～1795年
分割前のポーランド国境線
第一次分割(1772年)
ロシア
プロイセン
オーストリア
第二次分割(1793年)
ロシア
プロイセン
第三次分割(1795年)
ロシア
プロイセン
オーストリア
バルト海
東プロイセン
グダニスク
(ダンツィヒ)
ビドゴシュチ
ポズナニ
ケーニヒスベルク
リガ
プスコフ
ヴィルノ
ミンスク
スモレンスク
ワルシャワ
ブジェシチ
(ブレスト)
ルブリン
ウツク
クラクフ
ルヴフ
キエフ
ブレスラウ
ウィーン
プロイセン
オーストリア
ロシア
N
E
S
W

分まで」奮闘していることへの「代償」として、ロシア側から提供されたものだった。

これで、ポーランドの失った領土は五一万九〇〇〇平方キロとなったが、国土が半分以下にまで縮小した事実は、ポーランド貴族の怒りを今までにも増して高まらせた。

プロイセンやオーストリアも今となっては信用できず、かといってロシアを含む三大国と正面から戦っても勝ち目はないと考えた彼らは、プロイセンやオーストリアと敵対関係にある西欧の大国フランスに助けを求めるべきだと考え、国際的に名を知られたポーランドの軍人タデウシュ・コシチュシコを、特使としてパリに派遣した。

一七九三年当時、四七歳だったコシチュシコは、ワルシャワで基本的な軍事教育を受けた後、パリで築城学などを学び、一七七六年から一七八三年には北米大陸で義勇兵としてアメリカ独立戦争に参加、後に初代の合衆国大統領となるジョージ・ワシントンの副官を務めるなどの活躍を見せていた。

再びパリを訪れたコシチュシコは、もしフランスがポーランドと同盟を締結するなら、ポーランドは君主制を廃止して共和制に移行し、ロシア・プロイセン・オーストリアの三国に宣戦布告するつもりだと、フランス政府に伝えた。

これに対し、一七八九年に始まったフランス革命でいちはやく王制打倒を成し遂げていたフランス政府は、コシチュシコの述べたポーランド人の志に称賛と励ましの言葉を贈った。だが、現状ではポーランドが三大国に勝てる見込みは皆無に近いとの判断から、ポーランドと同盟関係を結ぶという約束については、最後まで返答をはぐらかし続けた。

このフランスの消極的な態度に失望したコシチュシコは、ポーランドに帰国すると自ら陣頭指揮をとって反乱勢力の結集に着手し、一七九四年三月二十四日、ポーランド南西部の都市クラクフで一斉蜂起に踏み切った。コシチュシコが点《とも》した反乱の火の手は、瞬《また》く間にポーランド各地へと広がり、貴族や外国勢力による収奪などで貧困にあえいでいた市民や農民も、槍や鎌などの武器を持って戦いに加わった。

一方、それまでおとなしく大国に従ってきたポーランド国民が、遂に全面的な反抗に転じたのを見たロシアとプロイセンは、反乱勢力を叩きつぶすことは双方の利益になるとの判断から、便宜上《べんぎじょう》の同盟関係を結び、軍隊を東西からポーランド領内に送り込んで、コシチュシコを指導者とする反乱勢力との間で激戦を繰り広げた。

首都ワルシャワに撤退したコシチュシコは、築城学の知識を活かして同市を要塞化し、西から来襲するプロイセン軍と東から襲いかかるロシア軍に包囲されながらも、最終的には撃退することに成功した。

しかし、同年八月にロシア軍が、露土戦争の英雄アレクサンドル・スヴォーロフ大将を司令官とする精鋭の増援部隊を投入すると、戦局は反乱勢力の劣勢へと転じ、同年十月十日にマチェヨヴィツェの戦いで反乱軍が敗北した時、最高司令官のコシチュシコもロシア軍の捕虜となってしまった。

軍事面のみならず、精神面でも強靱《きょうじん》な支柱であったリーダーのコシチュシコを失った反乱勢力は、急速に勢いを失い、同年十一月にはポーランド国内の反乱はほぼ鎮圧された。

これにより、ポーランドが独立国家として存続する道は完全に断ち切られた。一七九五年十月二十四日、ロシアとプロイセン、そしてオーストリアの間で、第三次の「ポーランド処理」協定が調印され、ポーランドの領土はこの三国によって分割併合された。

こうして、十七世紀のはじめ頃には、面積七〇万平方キロメートル、総人口一〇〇〇万人を誇ったポーランド王国は、地図上から完全に消し去られた。

調印から一か月後の十一月二十五日、スタニスワフ・アウグスト・ポニャトフスキは、ポーランド国王を退位した。彼は、それから三年後の二月十二日に、ロシア帝国の首都サンクトペテルブルクで失意のうちにこの世を去った。

◆ポーランド人の独立回復運動と挫折

ポーランドの消滅から三か月後の一七九六年一月十二日、ロシアとプロイセン、オーストリアの三国は、以下のような内容の秘密議定書に調印した。

「国際法の条項からポーランドの名を永久に抹殺《まっさつ》し、かつてポーランド王国が存在したことを思い起こさせる、あらゆる物を消滅させなくてはならない」

もはや現在の境遇に適応するしかないと考えたポーランド貴族の大半は、新たな支配者となった大国に忠誠を誓うことで、社会的地位と財産の保全を図った。

だが、大国の横暴とも言える「ポーランド処理」の顚末《てんまつ》は、逆にポーランド人の内面にあった民族意識をより高揚させるという副産物を生む結果となり、旧ポーランド領の各地で、フランス革命を手本に祖国の再興を目指す独立回復運動が湧き起こった。オーストリア軍の兵士としてフランス軍と戦い、捕虜となったポーランド系の軍人たちは、フランス政府の許可を得て編成された「ポーランド軍団」に参加する道を選んだ。ヤン・ヘンルィク・ドンブロフスキとカロル・クニャジェヴィチの二人のポーランド人将軍に率いられたポーランド軍団は、ユゼフ・ヴィビツキが作曲した独立回復を目指す賛歌『我ら生きる限りポーランドは滅びず』（通称『ドンブロフスキのマズルカ』、一九一八年のポーランド独立回復後は国歌に制定）を歌いながら、ロシア軍やオーストリア軍との戦闘に参加し、数々の武勲に輝いた。

そして、一八〇四年にナポレオン・ボナパルト（ナポレオン一世）がフランス皇帝の座につくと、ポーランドの独立回復運動は、その実現に向けて大きく近づいたかに見えた。一八〇六年にプロイセン軍を打ち破ったナポレオンは、旧ポーランド領内にもフランス軍を進め、翌一八〇七年にはプロイセンの支配下にあった西部ポーランドを「ワルシャワ公国」として、フランスの支配下で独立させたからである。二年後の一八〇九年には、オーストリア支配下の南西部ポーランドも、この公国へと編入された。

フランス軍と共にロシアを打倒し、ポーランド東部もワルシャワ公国に組み入れれば、分断されていた祖国ポーランドを再興できると信じた、最後のポーランド国王スタニスワフの甥ユゼフ・ポニャトフスキ公は、一〇万人近いポーランド兵（うち彼の軍団直轄は四万人）を率いて、一八一二年に開始されたナポレオンのロシア侵攻作戦に加わった。

しかし、ナポレオンのロシア遠征は、兵站《へいたん》線の不備や厳冬などが原因で、完全な失敗に終わった。旧ポーランド領の主要部分は、勢いを取り戻したロシア帝国の支配下へと組み込まれ、ポーランド人の希望の星であったワルシャワ公国は、間もなく廃止された。

敗者となったナポレオンが歴史の舞台からいったん退場した後、ヨーロッパの新たな秩序構築を目的とする会議（通称ウィーン会議）が、一八一四〜一五年にオーストリアのウィーンで開かれ、ワルシャワ公国の約五分の三を占めるロシア支配下の旧ポーランド領を、名目のみ「ポーランド王国」（通称「立憲王国」）と称することが合意された。だが、同国の国王はロシア皇帝が兼任しており、ポーランドの実質的な独立国家としての地位は存在しなかった。

また、一八一五年のウィーン議定書では、ポーランド西部地域を「ポズナン大公国」、南部地域のクラクフ市一帯を「クラクフ共和国」とすることが認められたが、前者はプロイセンの支配下に置かれ、後者もプロイセンとロシア、オーストリアの保護領という位置づけで、ポーランド王国と同様、国としての完全な主権は有していなかった。

そして、一八三〇年十一月二十九日にワルシャワでポーランド人の士官学校（ロシア帝国軍）生徒による反ロシアの蜂起（十一月蜂起）が発生し、この反乱が対ロシア戦争へと拡大すると、ポーランド人に対する怒りを爆発させたロシアは、強大な軍事力でこれを弾圧した後、形式的なポーランド王国を翌一八三一年に廃止し、ロシア領へと戻した。

これにより、ドンブロフスキやポニャトフスキ公らが夢見た祖国再興の夢は、完全に潰《つい》えた。だが、三国の支配下に置かれた旧ポーランド領では、十九世紀の中頃から段階的に農奴制が解消され、各地で資本主義の導入と産業の勃興が進行していった。都市を結ぶ鉄道線が次々と敷設されて物流が活性化し、繊維や機械などの工場の建設が広範囲に進められ、さらに近代農法が西欧から導入されたことで、農産物の生産性も大きく向上した。経済発展の恩恵を受けた、ロシア支配下の旧ポーランド領の人口は、一八一〇年から一九一〇年までの一〇〇年間で約四倍に増加した。

この急激な人口増加と経済発展に伴い、旧ポーランド領域ではポーランド王国の再興を求める民族運動が再び活発化し、一八九二年には当時の流行思想であった「社会主義」に基づく革命で独立回復を目指す政治結社「ポーランド社会党（ＰＰＳ）」が結党された。この政党で活動する指導者の中に、とりわけ情熱的な青年革命家の姿があった。

若き日のユゼフ・ピウスツキである。

《日露戦争とポーランド人の思惑》

◆若き革命家ユゼフ・ピウスツキの登場

後に独立回復時のポーランドで国家主席となるユゼフ・クレメンス・ピウスツキは、一八六七年十二月五日、ロシア帝国領リトアニアのザラヴァス（ポーランド側の呼称はズウフ）に住む、ポーランド系の没落貴族の家庭に生まれた。

同名の父ユゼフは、一八六三年に反ロシアの民族主義運動に加わった「武勇伝」の持ち主で、彼もそのことを誇りに思っていたが、ユゼフが生まれた時には財産をほとんど持たなかった。母マリアもまた、ポーランド人としての民族意識が強い女性で、自分の子供にポーランド語の読み書きを教えることに熱心だった。

だが、当時のロシア帝国では、ポーランド語の使用は厳禁されており、もし官憲に見つかれば厳罰に処せられることは確実だった。そのため、ピウスツキ家では不意に来客があると「ポーランド語の本を隠せ」という合図が、家族間で密かに伝達されていた。

ピウスツキ家は、兄弟姉妹が十二人という大家族だったが、二人の姉（ヘレナ、ゾフィア）と一人の兄（ブロニスワフ）に続く四番目の子ユゼフがまだ六歳だった一八七四年七月四日に、家が火災に見舞われてしまう。焼け出されて無一文になった一家は、すぐにリトアニア南部の都市ヴィリニュス（ヴィルノ）へと引っ越さなくてはならなくなった。

ピウスツキ家の子供たちは、ヴィリニュスでそれぞれの年齢に応じた学校へと入学することとなったが、ユゼフらはすぐに、学校の授業で学ぶ内容と、家庭で母から教えられる内容が異なることに気づいて混乱した。

ロシア人の教師がロシア語で行う授業では、ポーランドという国家が過去に存在した事実すら完全に黙殺されており、生徒たちは「ロシア皇帝に忠誠を誓う、よきロシア人」となるよう教育されていたからである。

祖国を併呑したロシアを憎悪する両親の影響もあって、ロシア式の同化教育に耐えられなくなったユゼフは、いったん学校を退学したが、やがて復学し、一八八五年には医学の道を志して、ロシアのハリコフ大学に入学した。当時一八歳のユゼフはそこで、帝政打倒を叫ぶロシアの革命運動を目の当たりにし、大きな衝撃を受けた。

そして、ロシアの帝政が崩壊すれば、独立国ポーランドの復活も夢ではなくなるとの希望を抱いた彼は、自らも革命運動に身を投じる決心を固め、「ナロードナヤ・ヴォーリャ（人民の意志）」という組織に加わり、授業を休んで学生デモに参加する日々を送った。

一八八七年三月二十二日、大学を退学してヴィリニュスに戻り、故郷でも革命運動を立ち上げようと構想を練っていたユゼフは、突然「ロシア皇帝アレクサンドル三世の暗殺計画に加担した」容疑で、兄ブロニスワフと共にロシア警察に逮捕された。

この計画は、後にソ連の国家指導者となるウラジーミル・ウリヤノフ（レーニン）の兄アレクサンドルらが企てたもので、ブロニスワフとユゼフのピウスツキ兄弟は直接関与していなかったが、犯行を計画した集団の一部とブロニスワフが多少の交友関係を持っていたため、彼らも共犯者と見なされたのである。

無実の訴えも空しく、裁判で懲役五年の刑を科せられたユゼフは、同じく十五年の刑を受けた兄ブロニスワフと共にシベリアへと流刑された。イルクーツクの収容所でしばらく過ごした後、ユゼフはキレンスクとトゥンカの農場で苛酷《かこく》な強制労働に従事した。

この囚人生活の中で、ユゼフは看守の暴力により歯を二本失ったが、同様に政治囚として流刑に処せられていたポーランド人の社会主義者たちと出会い、社会主義的な革命による祖国の独立回復という意識が、彼の心に芽生え始めた。

そして、一八九二年に流刑先からリトアニアに戻った二五歳のユゼフは、翌一八九三年にポーランド社会党に入党するのと共に、同党のリトアニア支部を開設し、一八九四年には自ら編集主筆となって同党の地下発行紙『ロボートニク（労働者）』を創刊した。

ちなみに、兄ブロニスワフは流刑先のサハリン（樺太）からヨーロッパには戻らずに、同地でアイヌ文化を研究する文化人類学者となり、日露戦争が勃発する直前には、一研究者として（つまりポーランド独立運動とは無関係に）日本の北海道を訪問している。

◆ピウスツキとドモフスキの路線対立

ピウスツキがポーランド社会党の活動家として頭角を顕《あらわ》した頃、ロシア帝国の旧ポーランド領では、他にも民族派の政治結社や、急進的な革命勢力が次々と結成されていた。

後に女性革命家として世界に名を知られることになる、ルージャ（ローザ）・ルクセンブルクらが創設した左派の社会主義政党「ポーランド社会民主党」や、ピウスツキの対立勢力となるロマン・ドモフスキの「国民連盟（後の国民民主党）」などである。

ルクセンブルクとドモフスキは共に、ピウスツキとは根本的に異なる目標を目指して、政治活動を展開していた。帝政打倒の社会主義革命の延長として「ポーランドの独立を回復する」ことを目標としたピウスツキに対し、ドモフスキは「ロシアの帝政を弱体化させた上で、帝国内のシステムを利用して徐々にポーランドの権利を回復し、いずれはロシア内で確固とした自治権を獲得する」という、いわば「現実主義路線」を歩んでいた。

そして、ルクセンブルクやフェリクス・ジェルジンスキー（後にロシア革命後のボリシェヴィキ政府で秘密警察「チェーカー」の初代長官となる）らが指導する「ポーランド社会民主党」は、そもそも「労働者階級の革命闘争では、自分がポーランド人であるとか何人であるといった民族意識は、同様の境遇にある労働者の連帯を阻害《そがい》するゆえに、有害である」との現実認識に基づき、「ポーランドの独立回復」を最終目標とは見なしていなかった。

一八九七年に正式に結党された、ドモフスキの国民民主党は、ポーランド国内の富裕層からの広い支持を受けて組織規模を急速に拡大した。ピウスツキのポーランド社会党もまた、旧ポーランド領の貧しい農民や労働者の一部に支持されていたが、かつてコシチュシコらポーランドの民族的英雄たちによる反ロシアの蜂起が、ことごとくロシア軍の武力によって粉砕された事実は、ポーランド人の心に重くのしかかっていた。

そのため、ピウスツキの主張する「革命によるロシアからの独立」という目標は、十九世紀末の段階においてはそれほど多くの支持者を集めることができず、ポーランド人の大多数からは「実現の見込みがない絵空事《えそらごと》」と見なされ、異端視されていたのである。

そんな時、ポーランドから遠く離れた東アジアの満洲一帯で、ロシア帝国の基盤を大きく揺るがす出来事が発生する。

一九〇四年二月、極東の新興国日本とロシアの間で「日露戦争」が勃発したのである。

◆日露戦争勃発とドモフスキの訪日

日露開戦の原因となったのは、満洲と朝鮮、そして遼東半島の各種利権をめぐる日露両国の利害衝突だったが、この戦争が勃発した時、ドモフスキとピウスツキは全く異なる理由から、ポーランドにとっては大きなチャンスが到来したと考えていた。

ピウスツキは、もしロシアがこの戦争で敗北ないし弱体化すれば、革命闘争でポーランドの独立を回復できる可能性は高まるとの認識を抱いた。それゆえ彼は、ポーランド領で武装蜂起してロシア軍の極東移送を妨害したり、日本軍の捕虜となったポーランド系ロシア兵を「反ロシア義勇軍」に再編成して戦場でロシア軍と戦わせるなどの直接的な形で、ポーランド人は「敵の敵（＝味方）」である日本を応援すべきだと主張した。

これに対し、ドモフスキの考えは少し異なっていた。

彼は、日本との戦争でロシアが敗北ないし弱体化すれば、ポーランドに対するロシア政府の立場は相対的に低くなると予想できるので、ポーランド人は表向きはロシアの対日戦争に協力するふりをしながら、実際には前線で真剣に戦わないなどの形でロシア軍の戦争遂行に貢献せず、日本の勝利に間接的に貢献すべきだと考えていた。

そうすれば、戦争が終わった後、ポーランドはロシア政府との交渉により、自治権獲得に向けて前進できるだろう。これが、ドモフスキの判断だった。

このような信念を持つドモフスキから見れば、ピウスツキのような「過激派」が、この混乱に乗じて武装蜂起を実行することは、何としても避けなくてはならなかった。ロシア帝国の「弱みにつけ込む」ような形でポーランド人が反乱を起こしたなら、これまでに積み重ねてきた「ポーランド人に対する信頼醸成」の努力は水の泡となり、ロシア軍の武力弾圧により大勢のポーランド人が犠牲になる上、一七九五年の「第三次ポーランド処理」のような報復的措置が引き起こされる可能性が高かったからである。

そして、日露開戦と共にピウスツキが日本行きの準備を始めたことを知ったドモフスキは、機先を制して日本側に注意を促すため、一九〇四年三月にクラクフを出発し、ロンドンに立ち寄って日本の情報を収集した後、アメリカとカナダ経由の船旅で、五月十五日に横浜港へと到着した。

当時ヨーロッパで対ロシアの革命運動を扇動する任務についていた、明石元二郎《あかしもとじろう》大佐からの紹介状を手にしたドモフスキは、東京の陸軍参謀本部で、総参謀長の児玉源太郎《こだまげんたろう》大将および情報部（第二部）長の福島安正《ふくしまやすまさ》少将と面会し、次のような提言を行った。

「現在ロシア帝国の支配下にあるポーランドでは、ロシアのくびきから脱するための反乱の好機と見なす輩《やから》がおりますが、そのような軽率な行動は、ロシア側に有利に働きます。なぜなら、ロシアは圧倒的な軍事力で反乱を鎮圧できる上、前途有望なポーランドの若者を無益な死に追いやるからです。

ロシア領ポーランドでの反乱は、一見すると貴国に有利な現象に見えるかもしれませんが、決してそうではないことをご理解いただきたい。我々は、より効果的な方法、つまり政治運動と駐留ロシア軍の牽制という形で、日本の勝利に貢献するつもりです」

◆遅れてやってきたピウスツキ

ドモフスキの横浜到着から六日後の五月二十一日、ピウスツキはオーストリアのウィーンで、日本側の代表者である宇都宮太郎《うつのみやたろう》中佐と面会し、日本の参謀本部からの招待状を受け取った。そして、ドモフスキと同様にロンドンとアメリカを経て、七月九日の夜に横浜へと到着し、七月十二日に次のような内容の「覚書」を参謀本部に提出した。

「ロシア領内の非ロシア民族であるポーランド人は、ロシア帝国を解体させる力を持っています。我々と日本は、ロシア帝国という共通の敵と戦うことで利害が一致します。それゆえ、我々は相互に協力する関係を築くべきです。

我々は日本に、活動資金と武器の提供、および国際社会でのポーランド問題に対する注意喚起《かんき》をお願いしたい。その代わり、我々は日本に、ロシア人捕虜の尋問に協力する人員と、非ロシア民族のロシア兵に投降を呼びかけるビラ、ロシア軍の内部情報、義勇兵部隊及びそれらを統率するポーランド人指揮官などを提供すると共に、ポーランド領内で兵士の徴兵拒否や武装蜂起を行って、ロシア帝国を背後から脅かします」

この提言を聞いた日本側は、先のドモフスキによる警告の効果もあって、ピウスツキとの協力関係構築には消極的な姿勢を貫いた。そして七月二十三日、日本側の最終的な返書がピウスツキに伝えられたが、彼が希望していた「相互協力関係」は、この段階では何一つ実現することなく終わった。

とりわけポーランド義勇兵の編成については「大日本帝国憲法が認めていない」上に、ヨーロッパの国際政治への干渉《かんしょう》と見なされる恐れがあったことから、戦力としての軍事的価値よりも、政治的判断を優先する裁定が下されることとなった。

七月末に日本を離れたドモフスキに続いて、ピウスツキも八月初頭に横浜港を出発し、失意の中で祖国への帰路についた。ただし、彼が日本側に提案した相互協力のうち、日本側からポーランド独立派への資金と武器の提供、およびポーランド側から日本へのロシア軍の内部情報の提供は、彼が帰国した後に小規模ながら水面下で行われることとなった。

遠く離れた日本を訪れる前に、ピウスツキが心に思い描いていたのは、かつてナポレオンの配下でロシアやプロイセン、オーストリアと戦った、ポニャトフスキ公のポーランド軍団のような「ポーランド義勇軍団」を創設し、ロシア軍と戦うというものだった。しかし、実際に彼が日本側から得たわずかな資金と武器では、義勇軍団はおろかポーランド領内の蜂起部隊ですら、満足には編成できなかった。

結局、ピウスツキの日本訪問は、彼の思惑通りの結果が得られなかったという意味では失敗に終わり、彼は新たな独立闘争の計画を練ることになったのである。

《第一次世界大戦とポーランド人の決起》

◆「血の日曜日」事件とポーランド人の反応

日露戦争が二年目に突入した一九〇五年一月二十二日、ロシア帝国の首都サンクトペテルブルクで、後に「血の日曜日」事件と呼ばれることになる重大事件が発生した。

この事件は、ロシア正教のガポン神父を指導者とする労働者たちが、生活環境の改善を「慈悲深い皇帝（ツァーリ）」に訴える意図で行った平和的なデモに対し、ロシア軍の兵士が発砲して多数の死傷者を出すという、流血の惨事だった。

事件の内容を知ったポーランド人の農民や労働者は、激しい憤りからロシアの帝政に対する反発を強め、各地の工場では大規模なストライキが行われた。この背景には、十九世紀末からロシア帝国が旧ポーランド領で行ってきた、ポーランド側に不利な経済政策に対する、ポーランド人の鬱積《うっせき》した不満が存在していた。

当時、ドイツ帝国（プロイセン王国を中心に一八七一年に成立）をはじめとする西欧諸国に近い旧ポーランド領は、地理的な好条件から、ロシア帝国内で最も経済成長が盛んな地域だったが、これを「ロシア本国の経済発展に対する脅威」と見なしたロシア政府は、旧ポーランド領向けの原料に関税をかけたり、日露戦争の勃発で需要が拡大した兵器や物資の生産を、ロシア本国の工場に優先的に割り当てるなどの形で、ロシア本国の産業を優遇する経済政策をとっていた。

その結果、ポーランドの工業生産高は、一九〇四年から翌年までに三五パーセントも下落し、ワルシャワの工場労働者の六割が失業するという経済的苦境に陥ったのである。

しかし、旧ポーランド領のみならず、広大なロシア帝国の各地でも革命運動の炎が燃え上がり始めたロシア側では、過激なデモを組織するポーランド社会党の幹部を次々と逮捕して、その一部を見せしめとして処刑する一方、同党と一般のポーランド人を切り離すべく、限定的ながらポーランド人に譲歩を行うようになり、一九〇五年十月にはポーランド語で授業を行う学校の設置を認める勅令が発布された。

このロシア側の決定は、ポーランド人の世論を分裂させる上で、一定の効果をもたらした。それまで頑《かたく》なにポーランド語の授業を禁止してきたロシア当局が、突然その態度を軟化させたことで、ロシアを政治的に動揺させて譲歩を引き出すという、ドモフスキの「現実主義路線」が、旧ポーランド領の民衆の間でも説得力を持ち始めたのである。

また、ロシアに対する武力闘争の中心的役割を担《にな》っていたポーランド社会党内部では、革命による「ポーランド独立」を至上命題として戦闘的活動の継続を主張する、ピウスツキをはじめとする「古参派（スタジ）」と、ポーランドだけでなくロシア各地の革命勢力と手を結ぶことを重視する「若手派（ムウォジ）」で意見が衝突するようになり、一九〇六年十一月には遂に両者が分裂、やがて組織の弱体化へとつながっていった。

そして、ポーランド人の労働者や農民による革命運動が次第に下火となったのとは対照的に、旧ポーランド領における「革命」運動の隆盛を望まない、工場経営者や地主などのポーランド人の富裕層に後押しされたドモフスキの国民民主党は、新たに創設されたロシア帝国国会（ドゥーマ）の選挙で二五議席を獲得した。ロシア帝国内における「合法的な手段」でポーランド人の権利を獲得するというドモフスキの戦略は、この時点では大きな成果を獲得していたのである。

◆ガリツィアに拠点を移したピウスツキ

日露戦争の終結から三年が経過した一九〇八年、ドモフスキは『ドイツ、ロシアおよびポーランド問題』と題する著書を刊行した。

この著作の中で、ドモフスキは「ポーランド人にとって最も重要かつ危険な敵は、ロシアではなくドイツである」と主張し、近い将来に起こりうる欧州戦争では、ポーランド人はドイツと敵対するロシアの側について戦うべきであるとの主張を行っていた。

こうした考えは、現状に満足する旧ポーランド領内の富裕層の利益とも一致していたことから、彼の著作はいつしか「ポーランド人の意見を代表するもの」として、諸外国からも受け取られるようになっていた。だが、ピウスツキをはじめとする社会民主党の活動家たちは、ドモフスキの主張を受け入れようとはしなかった。

同じ一九〇八年に、ロシア官憲の弾圧を逃れるため、ロシア帝国のポーランド領から、オーストリア領のガリツィア地方（南部ポーランド）に活動の拠点を移していたピウスツキは、同地で「社会党戦闘組織（ＯＢ）」と称する武装組織を率いて、将来のロシア軍との対決に備えた軍事訓練に明け暮れる日々を送っていた。

日露戦争前後の経験から、政治闘争の限界を痛感したピウスツキは、この頃にはマルクスらの「政治的分野」の書物を捨て去り、ナポレオンの伝記やクラウゼヴィッツの著作などの「軍事的分野」の書物を熱心に読んで研究していた。

ポーランドの固有文化が厳しく禁止されていた、ロシアおよびドイツ（プロイセン）支配下の旧ポーランド領とは異なり、オーストリア支配下のガリツィアでは、ハプスブルク家の政治力が弱体化していたために、ガリツィアのポーランド人やポーランド文化に対しても宥和政策がとられており、一八六一年には多少の制限つきながらも、ポーランド人によるガリツィアの地方議会が創設されていた。

ウィーンのオーストリア政府では、ガリツィア出身のポーランド人が「ガリツィア担当大臣」として入閣することが慣例となり、役所や裁判所、大学までもがポーランド人の管理下に委ねられた。クラクフのヤギエヴォ大学では、一八七三年に科学アカデミーが設立され、ロシアおよびドイツ（プロイセン）支配下の旧ポーランド領では地下に隠されていたポーランドの伝統文化が、ガリツィアでは日の当たる場所で脈々と継承されていた。

また、ヤギエヴォ大学で学ぶポーランド人の若者の間では、二十世紀初頭に「若きポーランド（ムウォダ・ポルスカ）」と呼ばれる、ポーランドの伝統をアレンジした芸術運動が人気を博しており、彼らはピウスツキの提唱する「祖国ポーランドの独立回復」という呼びかけを知ると、すぐに呼応して、社会党戦闘組織の軍事訓練に参加を希望した。

ガリツィア地方を管轄するオーストリア当局は、ピウスツキの武装組織を警戒したものの、その主な攻撃の矛先がロシアであることを知ると、これを禁止せず、黙認する姿勢をとった。その結果、ピウスツキはいつしか、ガリツィア地方のポーランド独立派勢力を統合するリーダー的な存在となり、一九一二年にはポーランド社会党と同様にロシアを敵と見なす「積極闘争同盟（ZWC）」や「狙撃兵連盟（ZS）」などを統合した組織「独立志向諸党派連盟暫定委員会（TKSSN）」の、軍事部門の責任者に就任した。

一方、ロシア国内での革命運動がいったん下火になると、ロシア政府は再びポーランド人への宥和的政策を中止し、地方自治におけるポーランド人の地位を低下させる政策を、次々と打ち出していった。一九一二年には、旧ポーランド領南東部のヘウム地区を周辺から切り離してロシアの行政区に編入したり、ワルシャワとウィーンを結ぶ鉄道を買い上げてポーランド人の従業員を大量に解雇するなど、ポーランドの自治権拡大とは正反対の仕打ちを、旧ポーランド領内で繰り広げた。

こうしたロシア側の豹変を見たポーランドの民衆は、ドモフスキの「現実主義路線」に大きな失望を感じ、国民民主党の支持率は急落した。そして、ロシア支配下の旧ポーランド領でも、ガリツィアに亡命したピウスツキを支持する動きが、再び高まっていった。

◆第一次世界大戦の勃発

ドモフスキの著作刊行から六年後の一九一四年、彼の見立て通りに、ロシア帝国がドイツ帝国およびオーストリア＝ハンガリー二重帝国（一八〇四年に成立したオーストリア帝国から、一八六七年に領内のハンガリーへ一定の自治権を与える形で改編された、ハプスブルク家が君臨する同君連合の国家体制）と敵対する形で第一次世界大戦が勃発すると、ピウスツキはいよいよポーランド独立の好機が到来したと確信した。

この時、彼と共にガリツィアでポーランド人の軍事訓練を指揮したのは、のちに独立後のポーランド政府およびポーランド軍（さらにはドイツに敗北した後の亡命ポーランド政府）で指導部を担うことになる、エドヴァルト・リッ＝シミグウィ、ヴワディスワフ・シコルスキ、カジミエシュ・ソスンコフスキ、ヴァレルイ・スワヴェクなどだった。

これらの指導者から軍事訓練を受けた「社会党戦闘組織」に所属するポーランド人の数は、第一次世界大戦が勃発した直後の一九一四年八月には約七〇〇〇人に達しており、ピウスツキはこの組織を「ポーランド軍事機構（ＰＯＷ）」と改称して、オーストリア当局の承認を得た上で、宿敵ロシアとの戦いを開始した。

ピウスツキは、ロシア支配下の旧ポーランド領内でも自分とポーランド社会党の人気が上昇していることを既に聞き及んでおり、自分がポーランドの義勇兵を引き連れて進撃すれば、ポーランドの民衆は蜂起して、歓呼《かんこ》の声で迎えてくれるはずだと考えていた。

ところが、ロシア支配下の旧ポーランド領に足を踏み入れたピウスツキの軍勢を待っていたのは、同胞であるポーランド人の、予想外に冷淡な反応だった。

戦争勃発と共に、ロシアとドイツおよびオーストリアの境界部で暮らすポーランド人の動向が重要な意味を持つことを見抜いたロシア側は、ピウスツキの先手を打って一九一四年八月十四日、この戦争が終結した後にポーランドをロシア帝国内の自治国家にするとの声明を発表していた。そのため、ロシア支配下の旧ポーランド領に住む人々の心は、またしてもドモフスキの対ロシア協調路線を支持する方向へと傾き、ロシアを敵視するピウスツキの闘争路線には協力しないという態度を示したのである。

期待していたポーランド民衆の支持を得られず、逆にロシア軍の反撃によって大敗を喫したピウスツキの軍勢は、すぐにガリツィア地方へと退却し、新たな方策を練ることを強いられた。だが、開戦から一年が経過した一九一五年八月、ドイツとオーストリアの同盟国軍が旧ポーランド領の全域を占領すると、ポーランドを取り巻く情勢は、再び大きなうねりの中へと巻き込まれることになる。

ポーランド人を味方につけたいと考えたドイツとオーストリアは、支配下にある旧ポーランド領の全域で、ポーランド語での教育やポーランド人による地方行政を段階的に復活させた。そして、一九一六年十一月五日には、先にロシアが行ったのと同様、戦争が終結した後に、ポーランドを立憲君主制の王国として復活させるとの声明を発表した。

オーストリアの庇護下で新たな活動の機会をうかがっていたピウスツキは、この新たな王国の軍事部門の責任者になるようオーストリア政府から要請され、これを引き受けた。
ただし、彼が希望した「ポーランド王国軍」の設立という提案は、将来において自国に対する脅威になりうるとの判断から、ドイツ政府によって却下《きゃっか》された。

◆ドイツとロシアの「約束」に翻弄されたポーランド

互いに敵対するドイツとロシアの双方が「わが国が勝ったらポーランドを独立させてやる」との約束手形を振り出したことで、旧ポーランド領に住む人々は、いったい誰に味方すればよいのか、確かな見通しを立てることができない状況へと追い込まれた。

ロシア皇帝は一九一七年一月一日、それまでより一歩踏み込んだ形で「ポーランドの独立回復こそがロシアの戦争目的である」との声明を発表したが、実際にはロシア軍の前線は旧ポーランド領よりも東に大きく後退しており、ロシア軍が形勢を逆転して再び旧ポーランド領に戻ってこられるかどうかは不確かな状況だった。

同年三月八日（旧暦では二月二十三日）、ロシアの首都ペトログラード（ドイツとの戦争が勃発したため、ドイツ語風の「サンクトペテルブルク」という名称は廃止された）のヴィボルグ地区で発生したデモとストライキを皮切りに「ロシア二月革命」が始まり、皇帝ニコライ二世は三月十五日に退位し、ロシアの帝政は打倒された。

同年七月二十一日、社会革命党（エスエル）の有力議員アレクサンドル・ケレンスキーがロシア臨時政府の首相に就任し、ロシア国内で（親露派の）ポーランド軍を編成する許可を下した。翌八月、ドモフスキはパリで、将来のポーランド臨時政府とするための組織「ポーランド国民委員会」を樹立し、英仏両国がロシアと協同で、ドイツを打ち破ってくれることを期待した。

これを知ったドイツは、同年九月にワルシャワで「摂政会議」と呼ばれるポーランドの自治機関を創設し、ポーランド人の宗教指導者や貴族の有力者をそのメンバーに据えた。ただし、ドイツは本心では、ポーランドに完全な自治権を与えるつもりはなく、ただ単に「ロシアから自国を守るための東の防壁」として利用したいとの思惑を抱いていた。

そして、ロシアを共通の敵とする「便宜上の理由」から、オーストリアに協力する態度をとってきたピウスツキとポーランド義勇兵たちに対し、ドイツは自国の皇帝への忠誠を誓うよう求めた。彼らがこれを拒絶すると、ドイツ当局は一九一七年五月から七月にかけて、ピウスツキとポーランド義勇兵を逮捕し、収容所へと送り込んでしまった。

こうした政治的混乱の中、ポーランドを取り巻く状況をさらに大きく複雑化させる出来事が、ペトログラードで発生する。

同年十一月七日（旧暦では十月二十五日）、レーニンを指導者とする、ロシア社会民主労働党（後のソ連共産党）の急進派勢力「ボリシェヴィキ（多数派）」による「ロシア十月革命」が成功し、親英仏派のケレンスキー政権が打倒されたのである。

新たに政権の座についたボリシェヴィキの革命政権は、それまでの英仏両国との同盟関係を一方的に破棄して、十二月十五日にドイツと休戦協定を締結、翌一九一八年三月三日には、ドイツおよびその同盟国との単独講和条約（通称「ブレスト・リトフスク条約」）に調印した。

この和平成立で、ロシアと英仏が協同でドイツを倒すという希望は打ち砕かれ、ポーランドは今後もドイツの支配下に置かれ続けるかに見えた。

だが、第一次世界大戦全体の推移は、大国アメリカを味方につけた英仏両国の優勢へと大きく傾いており、ドイツとオーストリアは戦費の枯渇《こかつ》と国内世論の分裂によって、戦争を継続する能力を急速に失っていった。

一九一八年十一月三日、敗北を悟ったオーストリア＝ハンガリー帝国が連合国に講和を申し入れ、十一月十一日には、ドイツ帝国も連合国との休戦協定に調印した。

これにより、第一次世界大戦は、かつてポーランドを分割併合したロシア・ドイツ（プロイセン）・オーストリアの三帝国が、いずれも戦争（および革命勢力）に敗れて政治的に無力化した状態になるという、ポーランド人にとっては願ってもない結末となった。

一七九五年の完全消滅以来、一二三年間にわたって屈辱的な境遇を強いられてきたポーランドの独立回復という悲願は、すぐ手が届くところにまで近づいたのである。

《悲願の独立回復とソ連＝ポーランド戦争》

◆ピウスツキの国家主席就任

一九一八年の秋、オーストリアとドイツの敗色が濃厚となったのに伴い、旧ポーランド領の各地では、ポーランド人による自治組織が次々と誕生していた。

三つの帝国に分割支配されていた旧ポーランド領に住む人々は、戦火が去った後の荒廃した郷土で、境界線を越えて互いに歩み寄り、長年にわたって地図上から消し去られてきた祖国ポーランドを再生するという、民族の悲願とも言える事業を開始したのである。

最初に設立されたのは、ガリツィア西部のチェシンで十月十九日に誕生した「ポーランド民族会議」だった。ただし、チェシン地方にはポーランド人だけでなく、チェコ人も多数住んでいたため、ポーランド人とチェコ人双方の民族会議は十一月五日、チェシン地方をそれぞれの民族が住む区域に分け、将来ポーランドとチェコが独立した際に両国へと分割併合するとの協定を取り交わした。

その二日後の十一月七日、今度はガリツィア東部の都市ルブリンで「ポーランド共和国臨時政府」が樹立され、ピウスツキとも近い関係にある社会主義者イグナツィ・ダシンスキが首班となった。ダシンスキは「我々こそが独立ポーランドを代表する政府である」との声明を発表し、（ドイツの後押しを受けた）摂政会議および（英仏の後押しを受けた）ドモフスキのポーランド国民委員会と、真っ向から対決する姿勢を見せた。

こうして、ポーランドの独立という目標が見え始めた時、ポーランド人の一部は「誰が独立後のポーランド政府で主導権を握るか」という、政治的な権力闘争に身を投じた。だが、大部分のポーランド人は、ようやく見え始めた独立の回復という悲願の成就を喜び、当面は「主導権争い」よりも「国民の統合」を願う態度を表明した。

十一月九日、ドイツでも左派による革命政権が樹立されると、マクデブルクの監獄に収監されていたピウスツキは釈放され、翌十一月十日にワルシャワへと帰還した。ポーランド市民は、独立の回復に尽力した「偉大なる民族的英雄」として彼を出迎え、ピウスツキを新たな政府の指導者にするべきだとの意見が沸き起こった。

いまだワルシャワで活動を続けていた、親独派の「摂政会議」は、十一月十一日付で、ピウスツキを新生ポーランド軍の最高司令官に任命し、ピウスツキもこれを受諾した。そして、休戦成立後もポーランド領内に残るドイツ兵について、ドイツの新政府と交渉したピウスツキは、武器の引き渡しを条件に、ドイツへの帰国を承認する決定を下した。

三日後の十一月十四日、摂政会議はピウスツキを「国家主席」という新たな役職に任命した上で、その役目を終えて解散した。

この役職はポーランド史上、一七九四年の反乱を指導したコシチュシコだけに与えられた、特別な意味を持つものだった。だが、独立回復の喜びに沸くポーランド国民は、ピウスツキにこの栄誉ある称号が与えられたことを、熱狂的に祝福したのである。

◆新生ポーランド政府における主導権争い

五〇歳でポーランドの国家主席となったピウスツキは、さっそく新政府の組閣という難しい仕事に着手した。だが、独立回復に伴う人々の熱狂が一段落すると、それまで一時的に封印されていた「権力闘争」が再び活発化し、各党派の対立関係が表面化したために、首相の指名ひとつ取ってもスムーズには進まなかった。

ピウスツキは最初、ルブリン政府の首班だったダシンスキを、新政府の首相にしようと考え、十一月十四日に組閣を命じた。ところが、ドモフスキの国民民主党がこれに強く反対したため、この任命は見送らざるを得なくなった。

独立直後のポーランドは、政治的にも経済的にもまだ弱体で、英仏両国の支援を仰がなくてはならず、英仏から「ポーランドの代表部」と見なされていた国民民主党の意向を無視できなかったからである。

ダシンスキの代わりとして、ピウスツキは十一月十八日に、ガリツィア出身の穏健な軍人イエンジェイ・モラチェフスキを首班に指名したが、国民民主党はまたしても強い拒絶反応を示し、一九一九年一月四日にはクーデター未遂事件を引き起こして抵抗した。

こうした紆余曲折の後、ピウスツキはようやく国民民主党も納得する首相として、第一次世界大戦中はアメリカおよびフランスで活動していた、元音楽家のイグナツィ・パデレ

ポーランドの初代国家主席ピウスツキ。日露戦争時には日本を訪れて、ポーランド独立運動の支援と引き換えに、日本軍への協力を申し出た。国民的英雄として今なおポーランドでは尊敬を集めるが、軍の改革を阻害するなどの「負の遺産」も残した。(写真：AP/アフロ)

フスキを内閣首班に指名し、一月十六日にパデレフスキ内閣がスタートした。

この政権下で、一月二十六日に第一回の国会議員選挙が実施されたが、最も多くの議席を獲得したのはドモフスキの国民民主党（四二パーセント）で、ピウスツキのポーランド社会党はわずか九パーセントの議席しか獲得できなかった。そして、国会が開幕すると、多数派を占める国民民主党の意向が色濃く反映した「小憲法」（暫定的な憲法）が採決されたが、その中には「国政の最高機関は国会で、国家主席はその代理者・執行者」という条文が含まれ、ピウスツキが独裁的な権限を持たないよう、権力の分散が図られた。

また、国会の創設と並行して、行政機構の整備も行われたが、オーストリア支配下のガリツィアで地方自治を経験していたポーランド人の官僚が多数存在したおかげで、独立後も大きな混乱に陥ることなく、新生ポーランド国家の行政府はその機能を開始した。

二月下旬、ポーランド政府はイギリスとフランス、イタリアの三国から相次いで承認され、ポーランドの主権は国際社会で認められる存在となった。そして、同年一月十八日、フランスのパリ郊外にあるヴェルサイユ宮殿で開幕した、戦勝国とドイツの第一次世界大戦の講和会議では、ポーランドの独立回復が議題の一つとして討議された。

この会議で主導的な役割を担ったウッドロウ・ウィルソン米大統領は、一九一八年一月八日に米下院議会で行った演説の中で、第一次世界大戦の講和条件の指針として「十四か条」の綱領を宣言していたが、その第十三番目の項目には「明らかにポーランド民族の居住する地域を、バルト海の海岸線を含めた形で、ポーランド国家として独立させる」との内容が記載されていた。

ウィルソン大統領は、一九一六年にアメリカでパデレフスキと面会した際、独立回復に対するポーランド人の強い熱意を聞かされており、彼がこの講和会議で重視した「民族自決（各民族は独自の国家体制を持つ）」という原則にも、パデレフスキらの要望が色濃く反映していた。

だが、ポーランドを独立国として存続させる上で、越えなくてはならない重要なハードルが、まだひとつ残されていた。領土すなわち国境線の画定である。

◆東方の大国・ソ連との最初の対決

国民民主党を率いるドモフスキは、自国がかつて三次にわたる領土分割により消滅させられたという苦い経験を踏まえた上で、三大国による最初の分割が起こった一七七二年以前のポーランド領を、新生ポーランドの領土とすべきだと主張した。

だが、ウィルソンが提唱した「民族自決」の原則に従って、独立の回復を希望していたのは、ポーランド一国だけではなかった。

ポーランドと同様、ロシア帝国の支配下に置かれ続けたリトアニアやウクライナ、白ロシア（ベラルーシ）、そしてオーストリア＝ハンガリー帝国の支配下にあったチェコとスロヴァキアなどでも、第一次世界大戦の終結を機に独立国家を樹立する気運が高まっており、ポーランドとこれらの領域の境界部には、ポーランド人と隣接民族の住民が混ざり合って居住している地域が存在していた。

そのため、講和会議を主導した米英仏の各国は、これらのポーランド以外の国にも配慮した形で、国境線の画定を行わなくてはならなかったのである。

一九一九年六月二十八日、ヴェルサイユ講和会議でポーランド共和国の成立が正式に承認されたが、その国境線についてはいまだ結論に至らず、引き続き討議の対象とされた。同年九月二十九日には、敗戦国オーストリアが、自国の旧ポーランド領が新生ポーランド国家として独立することを承認し、十二月八日にはイギリス外相カーゾン卿により、ポーランド東部の国境線についての提案がなされた。

このカーゾン案によると、白ロシアやウクライナと隣接するポーランドの東部国境は、ポーランド人の民族分布を考慮した上で、ポーランド人の多くが希望した線よりも西側、つまりグロドノからブジェシチ（ブレスト・リトフスク）を経て、プシェムィシルへと連なる場所に設定されていた。

しかし、イギリスの提案した「カーゾン線」に、激しい不満を抱いたピウスツキは、東の仇敵ロシアが共産主義の革命勢力（赤軍＝ボリシェヴィキ）と反革命勢力（白軍）による内戦で混乱している状況を利用して、東部国境を大きく東に移動させ、旧ポーランド王国の領土を既成事実としてポーランド軍の支配下に入れてしまおうと画策した。

そして、同じくロシア帝国からの独立を意図するウクライナ民主共和国の指導者セミョン・ペトリューラが、隣国ポーランドに軍事支援の要請を行うと、パデレフスキ政権は軍務大臣ピウスツキの進言に従い、ポーランドとウクライナの間で領有権争いの的になっていた東ガリツィア地方を「ポーランド領として認める」ことを条件に、ウクライナへの軍事支援を決断した。

翌一九二〇年四月二十一日、ポーランド共和国とウクライナ民主共和国間で相互援助協定が締結されると、ピウスツキは二〇万人のポーランド軍をウクライナ領内に展開させ、四日後の四月二十五日からはウクライナ軍と協同で、赤軍に対する攻勢を開始した。

宣戦布告なき、ソ連＝ポーランド戦争の本格的な始まりである。

創設間もない軍隊とはいえ、かつてロシアとドイツ、オーストリアの三国で従軍した軍人から成るポーランド軍は、騎兵部隊を中心に高い戦闘力を誇り、士気は高いものの軍事的な練度の低い赤軍の部隊を各地で撃破しながら進撃した。ポーランド空軍の航空機は、赤軍の拠点が築かれていたウクライナの大都市キエフ（キーウ）を空から爆撃し、五月七日にはポーランド軍とウクライナ軍がキエフ市内に入った。

◆ソ連＝ポーランド戦争と「ヴィスワ川の奇跡」

対赤軍戦争の初期段階での勝利により、ピウスツキは、ポーランド東部国境を「カーゾン線」よりもはるか東方に設定することが可能になったと判断した。彼は、このポーランド領の東側に、リトアニアと白ロシア、ウクライナから成る「反ロシア同盟」の帯を形成し、無神論の共産主義勢力という新たな「異教徒」からヨーロッパのキリスト教文明を守る「防波堤」という、ポーランドの歴史的役割を再現しようと考えていた。

しかし、ポーランド軍に局地的な敗北を喫したとはいえ、赤軍の底力はピウスツキらが考えていたよりも強大だった。

新たな兵力増強を得て態勢を建て直した赤軍は、まず五月二十六日、アレクサンドル・エゴーロフ大将の南西方面軍指揮下でキエフ奪回作戦を開始し、七月初頭までには戦線をポーランド軍の介入前の位置にまで押し戻した。

そして七月四日には、若き名将ミハイル・トハチェフスキーに率いられた赤軍の西部方面軍が、四個軍と一個騎兵軍団、一個作戦集団の大兵力を用いて反撃を行い、わずか一週間で白ロシア全域とポーランドの北東部を占領した後、ポーランドの首都ワルシャワから二五キロの位置にまで前進した。

ポーランドの領土を拡張するための軍事介入であったはずが、開始からわずか三か月で逆にポーランドという国家の存続を脅かされる展開となり、ピウスツキの威信は崩壊の危機に直面した。だが、彼は慎重に敵軍の兵力配置を偵察した後、ワルシャワ南部で赤軍の戦線に綻《ほころ》びがあることを見抜き、ここに第2と第3、第4の三個軍を投入して、八月十六日から大規模な反撃を実施させた。

反撃の中核を担ったポーランド第4軍は、精鋭の騎兵部隊を中心に、作戦開始からの三日間で八〇キロの前進を行い、トハチェフスキーの西部方面軍主力の補給路を脅かした。退路を断たれることを恐れたトハチェフスキーは、ワルシャワ前面からの撤退を決断し、八月二十五日にはグロドノ周辺へと戦線が押し返された。

後に「ヴィスワ川の奇跡」と呼ばれることになる、このピウスツキの大反撃が成功した後、ポーランドと赤軍（ボリシェヴィキ）の戦争は膠着《こうちゃく》状態に入った。

ちなみに、戦後に「ウェイガン将軍を長とするフランス軍事顧問団の助言により、ポーランド軍は勝利できた」との説が西欧で広く流布《るふ》したが、現在ではフランス軍人の貢献を誇張した宣伝であったと見なされている。

そして、一九二〇年十月十二日にラトヴィアの首都リガで、予備的な会議が行われて休戦が成立した後、ポーランドとソヴィエト（ボリシェヴィキ）の両国政府代表団は同地で交渉を継続し、一九二一年三月十八日に正式な講和条約（リガ条約）を締結した。

4
ポーランドの独立回復
1921年3月18日
東部以外のポーランド国境
リガ条約で画定されたポーランド東部国境
カーゾン線
1939年の国境（ザオルジェ地方）
バルト海
ドイツ
ロシュトック
シュテッティン
ベルリン
オーデル川
コットブス
コルベルク
クロイツ
ポズナニ
グディニア
ダンツィヒ
東プロイセン（ドイツ）
ケーニヒスベルク
リトアニア
シャウリアイ
カウナス
ヴィルノ
ブラスワフ
ポーランド
ヴィスワ川
ワルシャワ
モドリン
ムワヴァ
ビャウィストク
グロドノ
リダ
バラノヴィツェ
ピンスク
ブーク川
ブジェシチ（ブレスト）
ウージ
ピョートルクフ
キエルツェ
ソスノヴィエツ
ラドム
ルブリン
クラクフ
ザコパネ
チェシン
ヤロスワフ
サン川
プシェムィシル
ザモシチ
ルヴフ
コヴェル
ウツク
サルヌイ
コウォムイヤ
チェコスロヴァキア
ジリナ
ルチェネツ
ミシュコルツ
コシツェ
ルーマニア
セルヌーチ
ソ連
ミンスク
ボブルイスク
オルシャ
ゴメリ
モズィリ
コロステニ
ジトーミル
ヴィニツァ
キエフ
ウマーニ
ドニエプル川
0
100
200
km

のちのソ連＝ソヴィエト連邦の正式な発足は一九二二年十二月三十日だが、このリガ会議に出席したのは、その中心的な構成国となるロシアとウクライナの「社会主義（連邦）ソヴィエト共和国」の代表者だった。

ウクライナは、赤軍と激しい攻防戦を繰り広げていたが、一九二〇年六月十二日に赤軍がキエフを占領し、間もなく全域がボリシェヴィキの勢力圏に組み込まれていた。

この講和により、ポーランドの東部国境は「カーゾン線」よりも二五〇キロ近く東へと引き直される結果となった。新生ポーランドは、白ロシアとウクライナの西部に加えて、かつてリトアニアの首都で、ピウスツキの故郷でもあるヴィルノ一帯をも含む形となり、東方への領土拡張というピウスツキの策謀は、思惑通りの結果を残すことができた。

しかし、ドイツとの西部国境に関しては、ポーランド側の希望は、戦勝国が敗戦国ドイツに要求し、一九一九年六月二十八日にドイツ新政府の代表が署名した「ヴェルサイユ条約」によって、いくつかの点で大きな制限を課せられてしまう。

ポーランドは、旧ドイツのポンメルン（ポーランド語ではポモージェ）と西プロイセン（同西プルースィ）を獲得し、バルト海に面した海岸線を確保できたものの、その長さは実質的に（細長い半島を除いて）五〇キロほどに過ぎず、重要な港湾のある都市ダンツィヒ（グダニスク）は、第一章で述べた通り、ドイツにもポーランドにも属さない「国際連盟管理下の自由都市」という特例的な地位に置かれることとなったからである。

また、東プロイセン南部のアレンシュタインとマリエンヴェルダー、およびポーゼン南部のオーバーシュレージェン（上シロンスク）は、ドイツ人とポーランド人が混在していたことから、「民族自決」の原則に基づき、最終的な帰属をそこに住む住民投票で決定することとなった。そして、ポーランド人は上シロンスクの一部を除いて住民投票に敗れ、これらの領域はほとんどがドイツ領に留まることが決まった。

さらに、一九一八年十一月に現地のポーランド人とチェコ人の両民族会議で、将来ポーランドとチェコが独立した際に両国へと併合するとの協定が成立していた、ガリツィア西部のチェシン地方も、フランスの意向を汲んだ連合国最高会議の決定（一九二〇年七月）によって、その大半がチェコスロヴァキアへと帰属すると定められた。

フランスは、一九一八年九月二十八日にチェコ国民会議議長ヤン・マサリクと秘密会談を行い、チェシン地方のチェコへの併合を支持するとの合意を結んでいたのである。

結局、ポーランドは第一次世界大戦の終了後、十七世紀初頭の七〇万平方キロメートルではなく、その約五六パーセントに当たる、三八万八六三四平方メートルの領土（カーゾン線を東部国境とした場合の面積と比較すると、一・五倍以上）を国際的に承認され、名実共に独立国としての新たな一歩を踏み出したのである。

《一九二〇年代～一九三〇年代のポーランド》

◆ポーランド共和国の外交政策

最終的な国境線の画定終了により、ようやく独立国家としての体裁《ていさい》を整えたポーランドだったが、外交的にはきわめて弱い立場に立たされていた。

東の隣国ソ連とは熾烈《しれつ》な戦争を終えたばかりである上、政治的にも経済的にも文化的にも相容れないために、真の友好関係を構築できる可能性は低かったからである。

また、ポーランドは独立時の領土画定をめぐる利害の衝突により、西の隣国ドイツおよびリトアニア、チェコスロヴァキアとも、非友好的な関係に陥っていた。

こうした状況の中で、ポーランドが頼りにできたのは、実質的にフランスただ一国だけだった。ドイツの国力回復を恐れるフランスは、ドイツの再興を抑制する「防疫線（コルドン・サニテール）」という観点から、ポーランドを利用したいと考えていた。

一九二一年二月十九日、ポーランドはフランスとの間で軍事同盟条約を締結し、二日後の二月二十一日には、自国の安全保障面における脆弱《ぜいじゃく》さを補うべく、両国間の秘密軍事協定に調印した。この協定の主眼は、仏ポ両国の一方がドイツまたはソ連から攻撃を受けた場合に、他方は相手を軍事的に支援するというものだったが、これ以外にもフランスからポーランドへの兵器援助や、両国参謀本部間の恒久的な協力関係構築といった、軍事面においてポーランドに有益な条項が含まれていた。

独立間もないポーランドは、国家の経済基盤が事実上崩壊した状態にあり、軍備に充分な予算を割り当てることは不可能だった。第一次世界大戦の戦禍により、戦場となった旧ポーランド領の工業や農業は甚大な損害を被り、一九一九年の生産量は戦前の同地域の約三割、一九二〇年に入っても戦前の四割程度に過ぎなかった。

国内で流通する通貨についても、一九二〇年一月二十日に最初のポーランド通貨として「ポーランド・マルク」が導入されたものの、その後も第一次世界大戦中の軍票（物資徴発の代償として使用される領収証）を含めて六種類の通貨ないしその代用物が国内各地で流通しており、一九二四年四月二十八日に信用力のある新たな統一通貨「ズウォチ」が導入されるまでの間、ポーランド経済は低迷状態を続けていた。

民族的悲願であった「独立回復」を達成した熱狂が冷め、日々の生活における困窮という厳しい現実に引き戻されたポーランドの国民、とりわけ全人口の約七割を占める農民たちは、工業の回復を優先する政府に反発し、農民の意向を代弁する「農民党」などの政党が次々と結成された。

一九二二年十二月十四日、政界から身を引く決心を固めたピウスツキの後継者として、元大学教授のガブリエル・ナルトーヴィチが初代大統領（一九二一年三月十七日に制定された新憲法により、国家主席の地位は大統領へと改称された）に就任した。しかし、彼はわずか二日後の十二月十六日に、右派の活動家によって暗殺され、ポーランドの政局は、左右両派の主張が激しく衝突する混迷の時代へと突入していった。

◆政局の混迷とピウスツキのクーデター

初代大統領が就任して三日で暗殺されたという事実は、ポーランドという国家がいまだ政治的には安定からほど遠い状態にあることを、国の内外に露呈《ろてい》する結果となった。第二代大統領には、社会主義者のスタニスワフ・ヴォイチェホフスキが就任したが、国内の政治的混迷を打開できるほどの指導力は、彼には備わっていなかった。

一九二五年には、前年の農産物の不作と、主な輸出品目である石炭・木材・砂糖の国際価格の下落、そして隣国ドイツとの関税競争により、ポーランド経済は危機的な状態に陥った。失業者の数は、登録されている者だけで三〇万人を突破し、ズウォチの価値は大きく下落した。次々と樹立される妥協的な連立内閣はいずれも長続きせず、ポーランドの国内では状況を劇的に変えてくれる「強い指導者」の登場を熱望する空気が広がっていた。

こうした空気を読み取ったピウスツキは、再び自分の出番が到来したと考え、部下の軍人たちを率いて「決起」する決断を下した。

一九二三年五月二十九日付で、正式に政界から身を引いた後、ピウスツキはポーランド軍元帥という地位で軍の重鎮としての存在感は残しつつも、自宅で著述などに専念する毎日を送っていた。だが、ポーランドの政治が迷走を続けていることに業を煮やした彼は、一九二六年五月十二日、腹心の将校たちを両脇に従えて、ヴィスワ川に架かるワルシャワ市内のポニャトフスキ橋に現れ、そこでヴォイチェホフスキ大統領と直談判を行った。

ピウスツキは、数々の失政を繰り返した農民党の党首ヴィンツェンティ・ヴィトスを首班とする現政権を解散させるよう、大統領に要請したが、ヴォイチェホフスキは「それは憲法の規定に反する」として拒絶した。すると、ピウスツキ派の軍人一万一〇〇〇人はすぐに現政権打倒を目指すクーデターを引き起こし、大統領派の軍人七〇〇〇人との間で、三日間にわたる「内戦」を繰り広げた。

このポーランド人同士の戦いで、二一五人の軍人と一六四人の市民が命を落としたが、ピウスツキ派を支持する鉄道労働者がストライキを起こして政府軍部隊の増援輸送を妨害したことから、戦局は次第に大統領派の劣勢となり、敗北を悟ったヴォイチェホフスキとヴィトスは、それぞれ大統領と首相を辞任した。

これにより、祖国ポーランドの「サナツィア（道徳的刷新）」というスローガンを掲げて、救国を目指す戦いに勝利したピウスツキは、右派から左派まで、幅広い国民からの支持を受けて国政の指導部に返り咲いた。

五月三十一日に実施された国民選挙で、ピウスツキは圧倒的な多数票を獲得して次期大統領に選出されたが、実際の権限は限られているとの理由で大統領職への就任を見送り、改革の志を同じくする二人の大学教授イグナツィ・モシチツキとカジミェシュ・バルテルの二人を、新たな大統領と首相に据えた。

そして、ピウスツキ自身は一九二六年十月から一九二八年六月までの二〇か月と、一九三〇年八月から十二月までの四か月の計二年間、首相を務めて政界の陣頭指揮をとった。

この政変以降、ポーランド国内では「サナツィア」を合い言葉に政治や行政、経済の改革が断行され、ポーランドの経済状況は一九二六年から一九二九年にかけて劇的に改善した。国民の保有するラジオの台数は、一九二七年からの三年間で二倍（一二万台から二四万六〇〇〇台）となり、新聞や雑誌の出版部数も急増した。

また、ピウスツキのクーデターを境に、政局の安定に安心感を抱いた外国資本のポーランドへの投資が急激に高まり、ラジヴィヴ家やポトツキ家など、国内の富裕な資本家も活発に各分野の産業へと投資を行った。

◆英雄ピウスツキの死とその遺言

一九三〇年代に入り、ドイツで右派のナチ党（国民社会主義ドイツ労働者党）が躍進するのを見たピウスツキは、東西を軍事大国に挟まれた状態では完全に孤立すると考え、東の隣国・ソ連に、相互不可侵条約の締結を提案した。

一九二〇年代から三〇年代にかけて、農業の集団化や工業発展の五カ年計画など、国内の経済成長に全力を注いでいたソ連にとっても、西の玄関先に位置するポーランドとの関係改善は悪い話ではなかったため、実務作業の詰めは順調に進み、一九三二年七月二十五日にソポ相互不可侵条約が締結された。

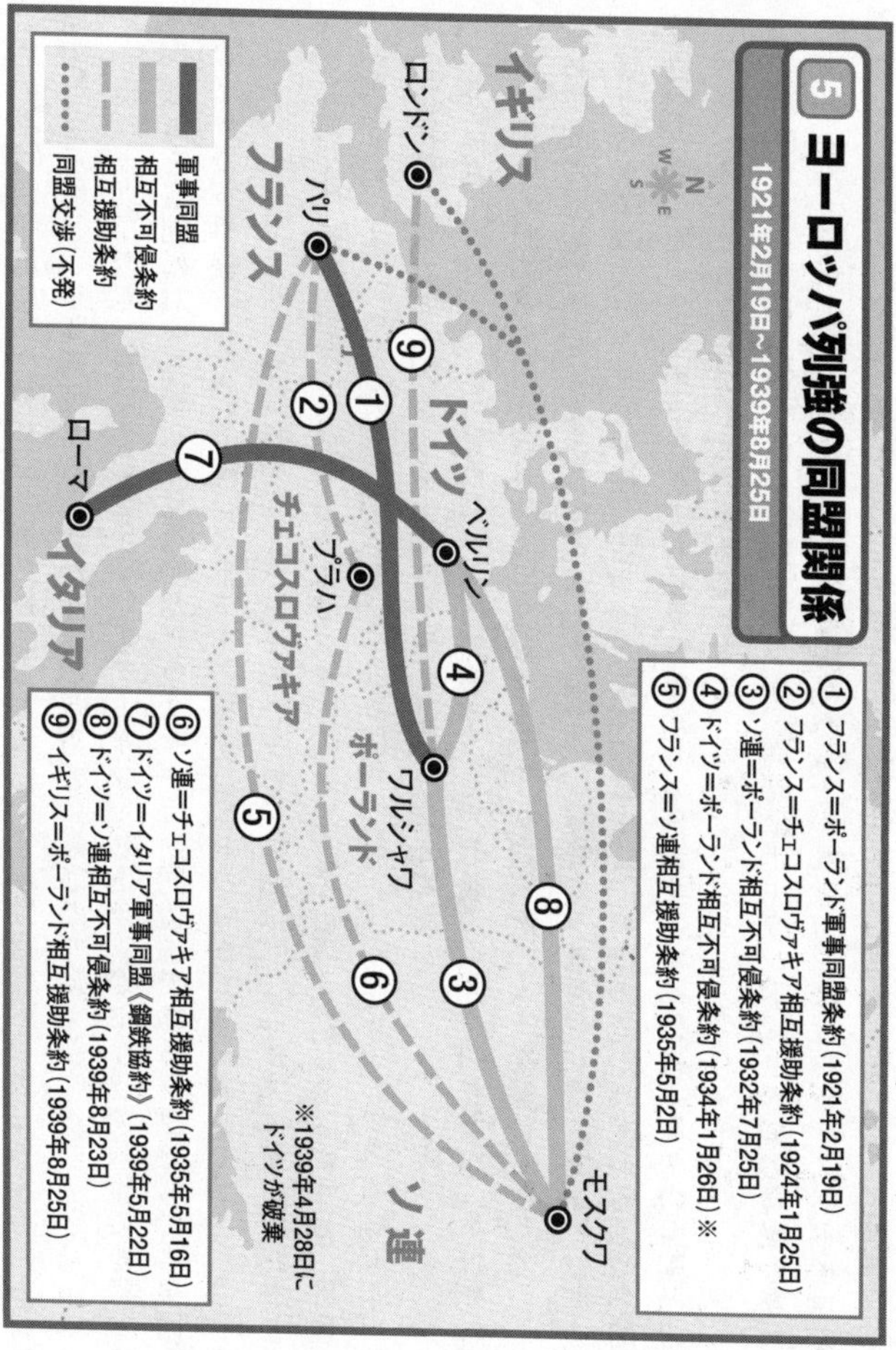
5 ヨーロッパ列強の同盟関係
1921年2月19日～1939年8月25日
軍事同盟
相互不可侵条約
相互援助条約
同盟交渉（不発）
① フランス＝ポーランド軍事同盟条約（1921年2月19日）
② フランス＝チェコスロヴァキア相互援助条約（1924年1月25日）
③ ソ連＝ポーランド相互不可侵条約（1932年7月25日）
④ ドイツ＝ポーランド相互不可侵条約（1934年1月26日）※
⑤ フランス＝ソ連相互援助条約（1935年5月2日）
⑥ ソ連＝チェコスロヴァキア相互援助条約（1935年5月16日）
⑦ ドイツ＝イタリア軍事同盟《鋼鉄協約》（1939年5月22日）
⑧ ドイツ＝ソ連相互不可侵条約（1939年8月23日）
⑨ イギリス＝ポーランド相互援助条約（1939年8月25日）
※1939年4月28日にドイツが破棄
イギリス
ロンドン
フランス
パリ
ドイツ
ベルリン
プラハ
チェコスロヴァキア
ポーランド
ワルシャワ
ソ連
モスクワ
イタリア
ローマ

この不可侵条約は、当初は三年間の期限とされたが、満期直前の一九三四年五月五日に期限をさらに一〇年間延長することが、ソポ双方で合意された。

一方、一九三三年一月にナチ党を率いるアドルフ・ヒトラーがドイツで政権の座につくと、これを自国に対する脅威と見なしたピウスツキは、同盟国であるフランスに「東西からドイツに軍事侵攻して、危険なヒトラー政権を打倒しないか」と打診した。

ヨーロッパでの新たな戦争の勃発を望まないフランス側は、この提案に驚いて拒絶したが、単独でドイツと戦争を始めるのはリスクが大きすぎると考えたピウスツキは、即座に「ドイツとの協調」へと方針を転換し、一九三四年一月二十六日にドイツとも相互不可侵条約を締結、東西の大国との勢力均衡を保つ道へと進んだ。

一九三五年五月十二日、ピウスツキは肝臓ガンで六七歳の生涯を閉じたが、彼は死の直前、子飼いの腹心とも言える外務大臣ユゼフ・ベックに、次のような遺言を遺していた。

「わが国の周辺で国際的な緊張が高まった時には、イギリスを問題に巻き込め」

ピウスツキは、ポーランド人が味わった苦難の歴史と、自国が置かれている地政学的な立場を考慮した上で、ポーランドが独立国家として延命するためには、周辺の大国との間でバランスをとることが不可欠であると考えていた。

そして、東の大国ソ連と西の大国ドイツが、同時にポーランドにとっての脅威となった時、救いの手をポーランドに差し伸べる国があるとすれば、それはフランスとドイツの二国間の力関係だけを重視するフランスではなく、伝統的に「勢力均衡外交」を展開してきたイギリスだと理解していたのである。

ピウスツキの後継者となった「大佐グループ」と呼ばれる軍事政権の高官たちは、ピウスツキの教えに従って「国際協調外交」を進め、ドイツとの間でも比較的良好な二国間関係を維持し続けた。一九三六年五月からは、穏健なフェリツィアン・スワヴォイ＝スクラドコフスキ将軍が首相に任命されたが、外交の実権は依然としてピウスツキの「直系の弟子」で、一九三二年から外相を務めるベック大佐の手に握られていた。

長身痩軀《そうく》で冷厳な外見を持つベック大佐が外務省に入省したのは、一九二〇年代の後半で、外交的な実務経験の少ない彼が外務大臣という要職に就いたのは、ひとえに国民的英雄ピウスツキの後押しによるものだった。そのため、彼には師であるピウスツキの意向に逆らう気持ちはなく、「ピウスツキ路線」を忠実に踏襲することで、ポーランドの外交的な舵取り《かじと》を行っていく方針をとる姿勢を見せた。

◆急速に軍部独裁体制へと進んだポーランド

外交面では「ピウスツキ路線」の踏襲という原則が示されたが、国内政治の分野では、巨星ピウスツキの死去に伴い、再び混迷の時代へと逆戻りしつつあった。ある種の集団指導体制を形成する「大佐グループ」の面々も、その政治的主張には穏健派から強硬派まで一定の幅があり、やがて政府の主導権をめぐる権力闘争が引き起こされた。

この争いの中で、政治的影響力を急速に増大させたのが、ベックと同様にピウスツキの側近だったエドヴァルト・リッ＝シミグウィ元帥だった。

第一次世界大戦当時にガリツィアで、ピウスツキらと共にポーランド軍事機構の指揮に当たっていた彼は、モシチツキ大統領との間で「権力の分担」に関する協定を結んだ後、スワヴォイ＝スクラドコフスキ首相よりも上位の「軍総監」、すなわちポーランド政府の実質的なナンバー・ツーという地位を手に入れることに成功していた。

そして、一九三六年十一月十日に、ポーランド軍総監という役職に加えて、国会議長という地位も獲得したリッ＝シミグウィは、翌一九三七年二月二十一日に自ら主導して「国民統一陣営（ＯＺＮ）」と称する右派の政治結社を結成し、西の隣国ドイツのファシズム政体に酷似する、軍部独裁体制の強化に邁進《まいしん》した。

国民統一陣営の提唱する政策は、ポーランドの民族主義に加えて、ヨーロッパ各国の右派勢力の主張とも共通する、反ユダヤ主義の思想を色濃く反映したものだった。

ポーランド人の一部は、こうしたリッ＝シミグウィらの主張を「ピウスツキの遺志に反するもの」と考えて非難を浴びせたが、ポーランド国内では一九三〇年代後半頃からユダヤ人に対する差別や迫害が表面化しており、ポーランド人などの非ユダヤ人による、ユダヤ人商店のボイコットやユダヤ人市民に対する暴行などが続発した。

独立回復直後の一九二一年当時、ポーランドの総人口は約二七〇〇万人で、その三分の二はポーランド人だったが、残りの三分の一は、四〇〇万人（全体の一五パーセント）のウクライナ人と、二二〇万人（同八パーセント）のユダヤ人、一五〇万人（同六パーセント）の白ロシア人、一〇〇万人（同四パーセント）のドイツ人などだった。

そして、迫害に耐えかねたユダヤ人たちは、アメリカやパレスチナなどへの移民として国外に脱出したが、その数は一九三七年までに四〇万人（一九二一年当時のポーランドのユダヤ人人口の一八パーセント）に達した。

こうした状況の中、ポーランドの運命を大きく変える出来事が、ポーランドの隣国チェコスロヴァキアで発生する。

ヒトラー率いるドイツが、同国のズデーテン地方を自国へと併合したのである。

◆ヒトラーのズデーテン地方併合とポーランドのザオルジェ地域奪回

本書の第一章で述べた通り、チェコスロヴァキアにはズデーテン地方を中心に、約三二五万人のドイツ系住民が居住しており、ヒトラーは同地のドイツ系住民の保護を名目に、一九三八年初頭からズデーテン地方のドイツへの割譲という要求を、チェコスロヴァキア政府に突きつけていた。

そして、ポーランドの外相ベックは、ヒトラーと同じ手法を使えば、独立回復時にフランスの干渉によって国土へと編入できなかった、チェコスロヴァキアのチェシン地方にあるポーランド人居住地ザオルジェ地域を、今なら獲得できるのではないかと考えた。

ベックがザオルジェ地域に住むポーランド人の自治権を最初に要求したのは、同年三月二十九日のことだった。ヒトラーの圧力でチェコスロヴァキア政府が動揺している状況を利用すれば、自治権獲得どころか「ポーランド領への併合」も実現するかもしれない。

こうした思惑から、ベックは同年九月二十一日以降、失意のベネシュ大統領に対して、ザオルジェ地域の自国への譲渡を要求する態度をとり、「ミュンヘン協定」が調印された九月三十日には、改めてチェコスロヴァキアへの最後通牒を送付したのである。

このベックの最後通牒への返答の期限は、二四時間以内と定められていたが、ドイツとポーランドが足並みを揃えて行動に出たと思い込んだベネシュは、翌十月一日、ポーランドの要求にも屈する決定を下した。十月二日、ポーランド軍部隊が、ガリツィア西部チェシン地方のザオルジエに進駐し、一九一八年十一月の両民族会議でポーランド領と認められていた同地は、正式にポーランド領へと併合された。

このポーランド側の動きは、国際社会では「ヒトラーの侵略に便乗《びんじょう》する火事場泥棒的行為」として強い反発と非難を招いたが、ベックがヒトラーの君臨するドイツ、およびドイツと同様のファシズム体制をとるイタリアに対して協調的な姿勢をとったのは、実は今回が初めてではなかった。

ベックは、一九三五年にピウスツキが死去した際、いちはやくドイツを訪問して「ポーランドがドイツとの友好関係を重視する外交方針には今後も変更はない」ことをヒトラーに直接伝え（東の隣国ソ連に対してはそうした行動はとらなかった）、国際連盟が同年イタリアのエチオピア侵攻に対する経済制裁を行った際には、すぐに封鎖を解除して、イタリアのエチオピア征服を承認する意向を示した。

彼はまた、スペイン内戦で共和国陣営（同内戦に軍事介入したドイツ・イタリアの「敵側」）に加わったポーランド人義勇兵から市民権を剝奪《はくだつ》したり、日本が中国北東部に樹立した「満洲国」政府を承認するなど、一九三〇年代における「枢軸陣営」の行動を、基本的に支持する態度を見せていた。

これらの外交姿勢は、実際にはピウスツキの「勢力均衡外交」という路線からは逸脱《いつだつ》するものだったが、ベックはそう考えていなかった。実際、ポーランドによるザオルジェ地域の領土要求は、同年五月には英仏両国政府も「黙認する」との意向を水面下でベックに示しており、ベックは英仏とドイツの間で「巧みにバランスを取りながら」自国の利益を増大させているつもりだった。

つまり、英仏両国が、戦争回避の名目でドイツに宥和的な態度を示している以上、ポーランドが同じように振る舞っても問題はないはずだと、彼は判断したのである。

しかし、ベックが「仲間」だと考えていたドイツの外相リッベントロップから、予想外の「条約草案」（第一章冒頭）を突きつけられたのは、ポーランドによるザオルジェの併合からわずか二十二日後の、一九三八年十月二十四日のことだった。

この日以降、ポーランドとドイツの関係は「協調」から「敵対」へ、そして「戦争」へと、あたかも真夏の青天を覆い始めた黒雲のように、急変することになるのである。

第三章

友好から敵対に転じたドイツ＝ポーランド関係

外交交渉の主な登場人物

【ドイツ（ベルリン）】

ドイツ外務大臣	ヨアヒム・フォン・リッベントロップ
ポーランド大使	ユゼフ・リプスキ
イギリス大使	ネヴィル・ヘンダーソン
フランス大使	ロベール・クロンドル
ソ連大使	アレクセイ・メレカーロフ
イタリア大使	ベルナルド・アットーリコ

【イギリス（ロンドン）】

イギリス外務大臣	エドワード・ハリファックス
ポーランド大使	エドヴァルト・ラチンスキ
ソ連大使	イワン・マイスキー

【ポーランド（ワルシャワ）】

ポーランド外務大臣	ユゼフ・ベック
ドイツ大使	ハンス・モルトケ
イギリス大使	ハワード・ケナード

【ソ連（モスクワ）】

ソ連外務大臣	マクシム・リトヴィノフ
同（1939.5.3～）	ヴャチェスラフ・モロトフ
ドイツ大使	フリードリヒ・フォン・デア・シューレンブルク
イギリス大使	ウイリアム・シーズ
フランス代理大使	ジャン・パイヤール

【フランス（パリ）】

フランス外務大臣	ジョルジュ・ボネ
ソ連大使	ヤコフ・スーリツ

【イタリア（ローマ）】

イタリア外務大臣	ガレアッツォ・チアーノ
イギリス大使	パーシー・ロレーン
ソ連代理大使	レオン・ゲリファンド

【ダンツィヒ自由都市】

国際連盟高等弁務官	カール・ブルクハルト
市参事会議長	アルトゥル・グライザー
ナチ党大管区長	アルベルト・フォルスター
ポーランド公使	マリアン・ホダツキ

《ドイツとイギリスを翻弄するベックの行動》

◆ダンツィヒ／グダニスク処理についてのベックの思惑

一九三八年十月二十四日に、ドイツの外務大臣リッベントロップから手渡された条約の草案は、ベックにとっては容易に返答できない、面倒《めんどう》な悩みの種だった。なぜなら、ベックはダンツィヒ／グダニスクの帰属問題を、当面は今までと同様に「曖昧な状態」に置くことが、ポーランドにとっては最善だと考えていたからである。

もし、ドイツ側の要請に応じて、ベックがダンツィヒ／グダニスクを正式にドイツ領と認めた場合、たとえ同地の港湾や道路、鉄道などをポーランドが今までどおりに使用できるという実務上の特権が用意されたとしても、誇り高いポーランド国民がベックの決定におとなしく同意するとは考えにくかった。

長年にわたり他国への従属という地位に甘んじてきたポーランドの国民は、第一次世界大戦後にようやく獲得した領土に対して、妥協の生じる余地がないほど強い執着を抱いており、領土問題での隣国への譲歩には過敏に反応した。十八世紀末に起こった、三次にわたる国土の縮小ならびに消滅という悲劇が物語るように、わずかな領土の損失も将来のより大きな領土の損失に繋《つな》がるとの懸念が存在したからである。

従って、ベックがダンツィヒ／グダニスクの帰属問題でドイツ側の要望を聞き入れたなら、ポーランド全土で国民の怒りを呼び起こし、やがてドイツに対する戦争、すなわち武力による「グダニスクの奪回」を望む声へと発展する可能性も否定できなかった。

一方、ダンツィヒ／グダニスクを「ポーランド領」と見なすポーランド国民の感情を優先して、ベックが同地を正式にポーランド領と宣言するのも、あり得ない選択肢だった。前記した通り、ダンツィヒ／グダニスクの住民はほとんどがドイツ人である上、ヒトラーとドイツ国民もダンツィヒの自国への復帰を望んでいる以上、ポーランド側の意向だけを反映した領有宣言は、ほぼ確実にドイツとの戦争へと発展すると思われた。

こうした事情を考慮して、ベックが見出した苦肉の策は、ドイツとの間でダンツィヒ／グダニスクの帰属問題に決着をつける代わりに、いまだ公的にはダンツィヒ自由都市の管理権を持つ「国際連盟の権限」を見直し、これを尊重するというものだった。

第一章で触れた通り、ドイツとポーランドは一九三六年以降、国際連盟を介さない二国間協議により、ダンツィヒ／グダニスクの経済や行政などの問題を協議しており、ベックもしばしば国際連盟の存在や権限を「無視」するような態度をとってきた。そのため、国際連盟のダンツィヒ自由都市で高等弁務官を務める、スイス人の実務家カール・ブルクハルトは、ポーランド政府の冷遇と、ダンツィヒのドイツ人からの反発や敵意に嫌気が差して、一九三八年秋に辞任の意向を表明していた。

しかしポーランド政府は、リッベントロップから条約草案を手渡されてから二六日後の十一月十九日、ブルクハルト高等弁務官の留任を求める要望を伝達し、三日後の十一月二十二日には、ベック自ら「ブルクハルト高等弁務官の直面する、困難な諸問題を解決するため、わが国は国際連盟に協力するつもりだ」との申し出を行った。

また、自らの外交姿勢がこのところ「ドイツ側」に偏《かたよ》りすぎたと考えたベックは、十一月下旬にソ連の首都モスクワを訪問し、外務人民委員（外相）マクシム・リトヴィノフらと面会して、十一月二十七日に両国間の関係改善を盛り込んだ共同宣言に署名した。

これにより、ベックはピウスツキ時代からの伝統である「ドイツとソ連のどちらにも偏らない均衡外交」に回帰しようと考えたのである。

◆最初はベックの出方に合わせたヒトラー

ドイツと歩調を合わせて、国際連盟をダンツィヒ／グダニスク問題における「邪魔物《じゃまもの》扱い」してきたポーランド政府が、突然態度を翻して高等弁務官の地位と権限を尊重する姿勢をとったのを見て、ヒトラーとドイツ外務省は大いに困惑した。

しかし、ポーランドが先の条約草案に対してどのような返答をしてくるか、まだ判然としない状況では、ポーランドと対立するような立場をとることは避けるべきだと考えたヒトラーは、十二月五日にダンツィヒの大管区《ガウ》（ドイツのナチ党政権下における行政区分単位で、ヒトラーが政権の座に着いて以降ダンツィヒのドイツ人社会にも非公式に導入されていた）長アルベルト・フォルスターを、ベルヒテスガーデンの山荘に呼び、ポーランドに倣《なら》って国際連盟の高等弁務官ブルクハルトを慰留せよと命じた。

同日中にダンツィヒへと戻ったフォルスターは、すぐにブルクハルトの事務所に赴き、ドイツ自身は一九三三年十月に国際連盟から脱退していたにもかかわらず、ダンツィヒ問題については国際連盟の存在が不可欠だとのドイツ政府の意向を彼に伝えた。

「ドイツは現在、メーメル（ダンツィヒと同じく、バルト海沿岸の港湾都市で、第一次世界大戦以前はドイツ領だったが、ヴェルサイユ条約によりリトアニアへと編入された）問題をはじめ、多くの問題を抱えております。

こうした状況の中で、もし貴官が今、高等弁務官をお辞めになれば、事態の混乱を招く恐れがあり、例えばポーランド軍によるダンツィヒの占領といった突発的事件に発展する可能性も無視できません。ですから、今は辞任されるべきではありません。貴官に対するドイツ人からの辞任要求は、撤回いたします」

そして、ドイツ側は改めて、ダンツィヒ問題の解決を通じてポーランドとの「平和的共存」を望んでいるとの意向をポーランド政府に伝達した。十二月二十三日、ダンツィヒ市の参事会議長アルトゥル・グライザーは、同市に駐在するポーランド公使マリアン・ホダツキに対し、次のようなメッセージを伝えた。

「ダンツィヒ市当局は、ポーランドとの関係改善に務めてまいりましたが、こうした努力は、いくつかの面で成功を収めつつあります。今後も、両国の共存のために、いまだ残る問題を解決する道を探り続けます。この方針は、ドイツ政府の意志でもあります」

だが、こうしたドイツ側の「求愛」が、ベックの心に届くことはなかった。

彼は、リッベントロップから手渡された条約草案のうち、最も重要な点であるダンツィヒ／グダニスク処理の問題をまず「うやむや」にすることで、時間を無為に費やし、やがてこの条約草案そのものを「廃案」に持っていきたいと考えていたのである。

◆ドイツの次なる一手に警戒するイギリス

ダンツィヒ／グダニスク問題の処理をめぐり、ドイツとポーランドの関係がぎくしゃくし始めていた一九三八年十一月一日、イギリスの首相チェンバレンは下院議会で演説し、自らの下した「ミュンヘン協定」という判断を、次のような言葉で弁護した。

「私は、ミュンヘン協定が民主主義の敗北であったとは思いません。なぜなら、それは二つの民主主義国（英仏）と二つの全体主義国（独伊）が、あるいは武力の行使（戦争）によって解決していたかもしれない問題を、武力ではなく話し合いによって双方の合意を得て、解決したのですから。

我々の誰もが、望ましくないと思うような点（ヒトラーへの譲歩）があったことは、事実です。また、我々の誰もが、可能ならば別の解決を望んだことも確かです。しかしながら、もし今回のような解決法をとらなかったとしたら、それが何を意味したか。そのことを忘れないでいただきたい」

しかし、イギリス政府の上層部では既に、ヒトラーは「ミュンヘン協定」に満足せず、次なる「領土拡張の一手」を打ってくるのではないかとの見方が広がり始めていた。

チェンバレンの演説から約二週間後の十一月十四日、英外相エドワード・ハリファックスは、政府の外交委員会で非公開の秘密演説を行ったが、彼はその中で「ヒトラーの行動は今後、次第に反イギリス的な傾向を増大させるだろう」と予想した上で、ドイツが全地球規模でイギリスの権益に挑戦する事態となる可能性が捨てきれない以上、今後は「ドイツとの協調的な会談に期待を抱くべきではない」との認識を明らかにした。

それから半月後の同年十二月、イギリス軍の情報部は、ドイツがオランダに対する軍事侵攻の準備を行っているとの断片的情報を摑《つか》み始めた。これは、英政府にとってはチェコスロヴァキア問題とは比べものにならないほど、重大かつ深刻な問題だった。

なぜなら、北海を挟んでイギリスの対岸に位置するオランダが、もしドイツ軍によって支配され、ここにドイツ空軍の前線基地が開設されれば、ドイツ軍の爆撃機はロンドンまでの二五〇キロをわずか三〇分ほどで飛行できたからである。当時のイギリス側の見積もりでは、英国空軍はドイツ空軍に較べて、戦闘機で一対二、爆撃機では一対三の劣勢にあり、正面から戦ってもイギリスが勝てる見込みは少ないと考えられた。

そして、ドイツ政府が十二月十日に、一九三五年六月に締結した海軍条約を更新しないとの意向をイギリス政府に伝えると、イギリス側はドイツ軍のオランダ侵攻という可能性が現実味を帯びたと考え、同盟関係にあるフランス軍や、提携関係にあるベルギー軍の参謀本部と情報交換を進める一方、ドイツ側にそのような行動を思い留まらせる方策がないか、外交レベルでの新たな戦略立案作業が開始された。

◆イギリス政府の疑心暗鬼を煽ったベックのヒトラー訪問

イギリス政府が、ドイツ軍のオランダ侵攻計画という「脅威」への対応に追われていた一九三九年一月五日、ポーランド外相ベックは、休暇旅行で訪れていた南フランスからの帰路、南部ドイツに立ち寄り、ベルヒテスガーデンにあるヒトラーの山荘を訪問した。

ヒトラーは、隣国ポーランドに対する自らの「誠意」を示すかのように、雪に覆われた山荘の入口までわざわざ降りて、ベックを出迎えた。

ベックとヒトラーの直接会談がこの時期に実現した背景には、日本の駐ポーランド大使を務める酒匂秀一《さかわしゆういち》による、ドイツ政府への働きかけが存在していた。酒匂大使は、ソ連に対する西方からの牽制という意味において、ドイツとポーランドの永続的な友好関係維持が、日本の国益に大きく寄与すると判断していた。

この会談の中で、ベックは先にリッベントロップから手渡されていた条約草案については具体的な返答を避け、対ソ関係や両国の国内問題などをヒトラーと話し合ったが、一月十五日付のニューヨーク・タイムズは、ヒトラーがこの席でベックに「ポーランドも植民地を獲得することを考えてはどうか、と提案した」との報道を行った。

だが、ヒトラーとベックの会談は、イギリス政府にとっては大きな衝撃だった。ドイツ軍のオランダないし西方侵攻を阻止する最も有効な「歯止め」は、東方すなわちポーランドによる、背後からの「圧力」であると考えられていたからである。

ポーランドとドイツの不自然な接近を物語る情報は、既に一九三八年十月の、リッベントロップとリプスキによる会談の前後から、イギリスに伝わり始めていた。イギリス側が疑念を抱いたのは、ドイツ外相リッベントロップとポーランド大使リプスキが面会した場所が、各国の外交官や新聞特派員がひしめく首都ベルリンではなく、外国人の注目を浴びにくいベルヒテスガーデンであることだった。

もし、ポーランドとドイツの両国政府が、特に秘密にする必要のない協議を行うのであれば、首都ベルリンで行うのが自然ではないか。しかも、この会談の行われた時期、ダンツィヒの大管区長フォルスターが、たまたま（ベルヒテスガーデンから比較的近い）ミュンヘンに滞在していた事実は、ドイツとポーランドが将来的な同盟関係樹立の前段階として、ダンツィヒ問題を円満に解決する協議を開始したのではないかという、イギリス側の疑念を裏付けるものだった。

そして、リッベントロップとリプスキの会談が行われた、一九三八年十月二十四日の夜にダンツィヒで開かれたナチ党の集会で、ミュンヘンから戻ったフォルスターが行った意味深長な演説は、イギリス側が抱く疑念をさらに深める効果をもたらしていた。

「私は、ダンツィヒの将来には楽観している。あの苦しかった時期は、もはや過去のものとなり、二度と繰り返されることはないであろう」

一九三八年夏、ポーランドの東西両国境を視察したイギリス軍の駐在武官は、東方の対ソ連国境が厳重に警戒されているのとは対照的に、西方の対ドイツ国境の防備は全般的に手薄で、とりわけシロンスク（ドイツ側呼称シュレージェン）などの工業地帯は丸裸に近い状態となっているとの報告を、英本国に送付していた。この事実は、ドイツ軍が自国に侵攻する可能性を、ポーランド側がほとんど心配していないことを物語っていた。

また、ポーランドは前記した通り、「チェコスロヴァキア危機」の際、ドイツと歩調を合わせるような形でチェシン地方のポーランド人居住地ザオルジェ地域の割譲をチェコスロヴァキア政府に要求し、同年十月には同地にポーランド軍を進駐させて、ズデーテン地方を奪い取ったドイツと同じように、ザオルジェ地域を自国領へと併合していた。

こうした傍証的事実をも考慮した上で、イギリス政府は、ヒトラーがダンツィヒ問題をはじめとするドイツ＝ポーランド間の懸案材料をすべて清算して、ポーランドとの間で完全な同盟関係を構築し、後顧の憂いを取り除いた上でオランダに対する軍事侵攻を行う可能性が高まった、という「結論」を導き出していたのである。

《イギリスが危惧した「ドイツ軍のオランダ侵攻作戦」》

◆イギリス外務省のベックへの不信感

ドイツ＝ポーランド同盟の樹立とそれに続く西方での新たな戦争勃発というイギリス政府の懸念は、決して的外れなものではなく、少なくとも一九三八年十月から一九三九年三月までの時期においては、ヒトラーの抱いていた思惑とほぼ完全に合致するものだった。

一方、この問題における当事国であるポーランドの外交を司るベックには、ドイツとの間で全面的な同盟関係を結ぶ意志は毛頭なく、ましてやドイツのオランダ侵攻という行動に、同意や支持を与えるつもりもなかった。

しかし、ベックはヒトラーとの会談の後、一九三九年一月七日にワルシャワへと戻っていたにもかかわらず、即時の面会を要望したイギリス大使ハワード・ケナードとすぐに会うことはせず、四日後の一月十一日まで会談を引き延ばしたため、ベックに対するイギリス政府の不信感は増大した。

そして、ようやくケナードと面会したベックは、英大使が繰り出す具体的な質問をはぐらかし、ただ次のような漠然とした説明だけを伝える態度をとった。

「ポーランドとドイツの友好関係は、今後も変える必要があるとは思えません。これからも、大きな変化は起こらないでしょう。ダンツィヒについては、特に具体的な話し合いは行っていません。近い将来、ドイツとの話し合いは必要になるでしょうが、今はまだ何も決まってはおりません」

ケナード大使自身は、個人的には、ベックが「ドイツと同盟を結んでヒトラーの西方進出を黙認するつもりである」との見方に、多少の疑いを抱いていた。この会談から三週間前の一九三八年十二月二十一日、ベックはケナードに対して「ポーランド海軍は、イギリス海軍との間で協力関係を築くことを望んでいる」と伝えていたからである。

また、ポーランド政府は翌十二月二十二日、イギリス政府に対し、ダンツィヒ問題を討議するための国際会議を、一九三九年二月にロンドンで開催することを提案し、もし実現すればポーランドはベック外相を出席させるとの意向を伝えていた。

これらの事実を考慮すれば、ポーランドがドイツとの完全な同盟関係に入る決断を下したと解釈するのは、現段階では時期尚早《しょうそう》であるとも考えられた。

しかし、当時のイギリス政府における、ポーランド外相ベックの評価は、一九三〇年代後半におけるドイツおよびイタリアに対する協調的な政策と、先の「ミュンヘン協定」の混乱に乗じてチェコスロヴァキアの領土の一部を「掠《かす》め取った」実績などから、ヒトラーに匹敵するほどに悪いものとなっていた。

とりわけ、外務省中欧局長ウイリアム・ストラングや同局員リチャード・スペイトをはじめ、英外務省の主要幹部は、ほぼ全員がベックを「不誠実で言葉に裏がある」「信頼できないことで定評のある人物」と見なしており、彼らの耳に入るあらゆる情報は、しばしばベックに対する猜疑心を反映する形で解釈されていた。

こうした事情から、英政府はベックがヒトラーとの会談内容についての言葉を濁した理由について「ベックはヒトラーに譲歩したか、またはヒトラーからの要求を即座に拒絶できなかったか」のどちらかだと推測した。

言い換えれば、ベックが英大使ケナードに見せた曖昧な態度は、意図せずして、イギリス政府内で広まりつつあった「ドイツがポーランドの了解を得てオランダを攻撃する」という想定の信憑性《しんぴょうせい》を、より強める効果をもたらしてしまったのである。

◆考えられるドイツの進出方向

一九三九年一月十三日付の、ナチ党の機関紙『フェルキッシャー・ベオバハター』は、オランダの政治上の首都ハーグにあるドイツ領事館職員の私邸に、何者かによって銃弾が撃ち込まれたとの記事を掲載した。

これを読んだイギリス側は、ドイツがこの事件を口実にオランダに対する圧力を強める可能性を重視し、いよいよ事態が「戦争」に向けて動き出したと判断して、ドイツに対する警戒を強めた。イギリス軍の情報部は、ヒトラーが軍の高官に対して「一九三九年三月ないし四月に軍事行動を行う」ための準備を命じたとの情報を入手していた。

六日後の一月十九日、ロンドンでイギリス外交委員会が開催され、ハリファックス外相は次のような言葉で、各参加者に注意を促した。

「現時点では、ドイツ軍の進出方向を特定することはできない。しかし、ひとつ確実なのは、ヒトラーが新たな軍事行動を準備しているということだ。オランダに対する攻撃の噂については、その可能性は充分にある、と見なす必要がある。

もしオランダがドイツの手中に落ちたなら、そこに基地を置いてイギリス本土に対する攻撃が実施される危険が生じる。ある情報では、その危険は二か月先にまで迫っている。こうした状況下では、もはや『中立的な立場』に執着するのは現実的ではない」

この段階で、ドイツが攻撃の矛先を向ける可能性があると考えられたのは、東ではバルト海沿岸のリトアニアと、当時はソ連邦の構成国となっていたウクライナ、南ではズデーテン地方の割譲後に残ったチェコスロヴァキア、西ではオランダとベルギーの、計五か国だった。ドイツと友好関係にあるポーランドやハンガリー、およびポーランドと友好関係にあるルーマニアは、ドイツによる攻撃の標的になるとは考えにくかった。

リトアニアは、ダンツィヒ大管区長フォルスターの言葉が示すように、バルト海沿岸の港湾都市メーメル（リトアニア側の呼称はクライペダ）の帰属をめぐってドイツと利害が衝突した関係にあり、ヒトラーは同市のドイツへの回復を公然と要求していた。

ウクライナは、ヒトラーが著書『わが闘争（マイン・カンプ）』で「東方のドイツ植民地」と想定した一大穀倉地帯であり、もしドイツがウクライナに隣接するポーランドとルーマニアの二国から全面的な協力（軍隊の領内通過や協同派兵など）を取り付けることができれば、第一次世界大戦直後にピウスツキが行ったのと同様の手法、すなわち「ウクライナの独立勢力を支援する」という名目で、ドイツ軍が侵攻することも可能になるはずだった。

チェコスロヴァキアは、重要な軍需産業を持つ工業国であり、もしドイツに完全併合することができれば、ドイツの軍事力と生産力の強化に大きく寄与すると考えられた。

オランダとベルギーは、共に北海沿岸に位置する中立国だったが、これらの国土はイギリスにとって、自国の安全を担保する「緩衝地帯」であり、もしドイツが本気でイギリスを屈服させることを望むなら、どちらか一国または両国に侵攻する可能性が高かった。

これらの理由により、イギリス政府は、もしヒトラーが新たな軍事作戦を実施するのであれば、その標的は「西」のオランダとベルギーではなく、「東」か「南」であることを望んでいた。そうなれば、とりあえずイギリス本土が直接の危険に晒《さら》されない形で、ドイツへの対処法を検討できたからである。

◆リッベントロップのポーランド訪問

イギリス外交委員会から、さらに六日が経過した一月二十五日、ドイツ外相リッベントロップが、ベックと会談を行うため、ポーランドの首都ワルシャワを訪問した。

会談の席上、リッベントロップは一九三四年のドイツ＝ポーランド不可侵条約と、前年十月に手渡した新たな条約草案に含まれていた「ポーランドの防共協定加盟」という問題が、共通の原則に立つものであると訴え、ポーランドが独伊および日本の「枢軸陣営」に加わることを改めて要望した。

そして、もしポーランドが先の条約草案に記された八項目に同意して、防共協定に加盟すれば、ポーランドの地位は今まで以上に安泰になるだろうと述べ、出来る限り早急に、先の条約草案に対する回答をいただきたいと要請した。

既に述べた通り、ベックはリッベントロップから受け取った条約草案の内容を、ポーランド政府と国民に対して秘密にしていたため、ポーランド国内ではリッベントロップのワルシャワ訪問に先立ち、さまざまな憶測が駆け巡った。

政府系の『ガゼータ・ポルスカ（ポーランド新聞）』は、一月十七日付の紙面で、ドイツ外相の訪問は一九三四年に締結された不可侵条約を基礎とする、新たな時代の両国関係を構築するための一歩であると、比較的「無難な」解釈を掲載したが、野党系あるいは反政府系の新聞の中には、ダンツィヒやメーメル、ウクライナなどに対するドイツ側の領土的野心を独外相の訪問と結びつけた論調の記事を掲載する紙面もあった。

また、リッベントロップの訪問を二日後に控えた一月二十三日付の『ワルシャワ国民新聞』は、ドイツ外相がこの時期にポーランドを訪れる目的について、次のような鋭い分析記事を掲載した。

「枢軸国〔ドイツ・イタリア〕は西方に対して行動を起こすために、東方〔ポーランド〕での平和を欲している。問題は、ドイツが西ヨーロッパで軍事作戦を行う間、ポーランドがどのような態度をとるべきか、という点である」

ベック自身は、今回もリッベントロップとの会談で話し合われた内容を、自国民や諸外国に対して積極的に説明しようとはせず、沈黙を貫いた。だが、リッベントロップは帰国直前の一月二十七日に記者会見を開き、自分がポーランド側の地政学的な事情をよく理解していることを示す意図も込めて、以下のような説明を行った。

「ドイツ＝ポーランド不可侵条約は、両国間の不動の基礎とも言えるものです。ドイツとソ連の間に位置するポーランドは、この二つの隣国との間で、均衡を追求する姿勢をとっています。しかし、わが国〔ドイツ〕のソ連に対する姿勢は明確で、我々は常に共産主義と戦っています。そして、我々はポーランド人も、本当はソ連を好ましく思っていないということも知っています。

こうした事実を考慮すれば、ポーランドの立場は、防共協定の加盟国のそれと、基本的には同一だと言えるのです」

だが、リッベントロップの度重なる要請にもかかわらず、ベックは自国が「ドイツの側につく」ことを明言せず、先の条約草案に対する返答も先延ばしにする態度をとった。この時点でドイツ側に肩入れし過ぎることは、ソ連に加えて英仏両国をも敵に廻すことを意味する上、ポーランド国内の世論が分裂する可能性も否定できなかったからである。

とりわけ、ベックが危惧したのは、ポーランド国内に住むウクライナ人の動向だった。ポーランド南東部には、一九三八年の時点で三〇〇万人を超えるウクライナ人が居住していたが、もしドイツがソ連邦のウクライナに対する独立運動をけしかけて軍事介入し、親ドイツの独立国にするという計画を実行に移したなら、ポーランドのウクライナ人もこれに呼応して、ポーランドからの分離独立に走る可能性があった。

そのため、ベックはリッベントロップのワルシャワ訪問後も、決して「ドイツとの完全な同盟関係樹立」という方向には深入りせず、独ソの狭間《はざま》で両国から適度な距離を保つという、従来の外交方針を貫くことにしたのである。

◆ダンツィヒで発生した予期せぬ事件

一方、リッベントロップのワルシャワ訪問を知ったイギリス側は、一月二十六日にロンドンで外交委員会を開催し、ハリファックス外相は次のような言葉で、イギリス政府が方針を転換するべき時が来たと、参加者に力説した。

「もし、わが国が従来の［ドイツに対する］宥和的な政策を踏襲するだけで、具体的な介入のそぶりを見せないならば、国際社会におけるわが国の地位は大きく低下し、道義上の反発すら引き起こすことになるだろう。そして、現在よりもさらに少ない味方と共に、同様の問題でドイツに立ち向かわざるを得ない日が、やがて訪れるだろう。

それゆえ、私はわが国が、オランダに対するドイツの攻撃を、わが国に対する直接の攻撃と見なして、然《しか》るべき対応をとるべきであると考える」

この発言を聞いたチェンバレン首相は、大筋でハリファックスの意見に同意した。そして、オランダがドイツの侵攻に対して抵抗することを前提に、ドイツによるオランダ攻撃

ダンツィヒ自由都市で、1937年に発行されたパスポート（著者所蔵）。第一次世界大戦までは長らくドイツ領で、市民のほとんどもドイツ人だったが、ヴェルサイユ条約によりドイツと切り離された。

パスポートの1ページ目。ダンツィヒの紋章が記され、説明文等はすべてドイツ語で書かれている。ダンツィヒ市民がドイツを訪れる際も、パスポートが必要とされたため、市民は強い不満を抱いた。

をイギリスが参戦する「開戦事由（カースス・べリ＝宣戦布告の大義名分）」と見なすことを、正式に承認した。

こうして、ドイツとイギリスはオランダの安全保障をめぐって水面下で一触即発の状態となりつつあったが、リッベントロップがドイツに帰国した翌日の一月二十八日、事態を思わぬ方向へと導くことになる事件が、ダンツィヒで発生した。

市内にあるドイツ人の経営する喫茶店で、店主がポーランド人学生の入店を断ったことがきっかけで、ドイツ人学生とポーランド人学生が揉め事を引き起こし、両者が共に相手側を非難したことで、感情的な対立の状況が創り出されたのである。

二週間後の二月十一日にも、同じ喫茶店で再び、店主の張り出した「当店内ではポーランド語の使用を禁ず」との張り紙をめぐって、ドイツ人学生とポーランド人学生の衝突が発生し、二月二十四日にはダンツィヒ工科大学のドイツ人学生数百人が、同じ大学に通うポーランド人学生を教室や寮から追放するという新たな事件へと発展した。

この事件を知ったポーランド人は、ドイツ人学生に対する怒りの感情を募らせ、二月二十五日にはワルシャワ大学に通うポーランド人学生たちが、ドイツ大使館付近で抗議デモを行った。ポズナニやクラクフ、ルヴフなどのポーランドの大都市でも、義憤の感情に駆られたポーランド人学生が立ち上がり、ドイツへの抗議行動を行った。

ダンツィヒで発生した、両国の学生同士による衝突の背景には、第一次世界大戦の終結以降、同地の地位が曖昧にされ続けたことに起因する、ドイツ人とポーランド人の鬱積した不満が存在していた。

両者とも、本来なら自国の領土であるはずの土地が、どの国にも帰属しない「国際連盟管理下の自由都市」という中途半端な状態に置かれていることに苛立《いらだ》ちを募らせており、その原因は相手側の「不当な」領土要求にあると考えて、問題を解決するためには相手側を実力で排除するしかないとの結論に達していた。

学生同士の衝突という、予期せぬ事件の発生に驚いたドイツ側は、ただちに駐ポーランド大使ハンス・モルトケを通じてポーランド政府に謝意を伝え、再発防止に努力することを約束した。ベックの要請により、ダンツィヒ工科大学は一時的に閉鎖され、双方の政府による働きかけで、学生同士の衝突は三月初頭までには収束した。

だが、ダンツィヒで発生した学生の衝突と、それに続くポーランド国内での反ドイツの学生デモの発生は、ベックにとっても大きな痛手だった。

なぜなら、ポーランド国民の心理に存在するドイツ人への不信感に、このような形で火をつけられたことで、ドイツ側が要求する条約草案の内容をベックが国民に公表することがさらに難しくなった上、もはや彼が外交上の問題でドイツに譲歩することは絶対に許容されない「国内的状況」が、厳然と創り出されてしまったからである。

《ドイツのチェコ併合とイギリスのポーランドへの接近》

◆「オランダ危機」の沈静化とイギリスの方針転換

ダンツィヒでの学生同士の衝突をきっかけに、ポーランド国内でドイツに対する不信感が増大していたのと同じ頃、オランダの安全をめぐって生じていたドイツとイギリスの緊張関係は、いったん沈静化する方向へと向かっていた。

リッベントロップがワルシャワから帰国して三日後の一九三九年一月三十日、ナチ党の政権獲得六周年を祝う式典がベルリンで催されたが、ヒトラーはこの時、オランダに敵対的な言辞は一切口にせず、また周辺諸国への攻撃的な威嚇の言葉も述べなかった。

ヒトラーが過去数年間にとった行動のパターンから考えると、もしドイツがオランダないし他の国家への攻撃を近い将来に実行する意志を固めているのであれば、演説の中でその「口実」を声高に述べ立てて、対象国を非難する可能性が高いと考えられていた。

そのため、イギリス政府は、一月三十日のヒトラー演説が思ったよりも「おとなしい」調子であったことと、二月三日付のナチ党機関紙『フェルキッシャー・ベオバハター』が「ドイツによるオランダ攻撃という噂は事実無根である」と否定したこと、そして英軍の情報部が二月八日に「ドイツ軍が西方で大規模な軍事作戦を起こす兆候《ちょうこう》は見られない」との報告を提出したことなどの情報から、当面はドイツ軍がオランダに侵攻する可能性は薄れたと判断し、警戒態勢をいったん緩《ゆる》めたのである。

だが、一連の騒動を通じて、西ヨーロッパにおける戦略的情勢がドイツの優位に傾いていることを痛感したイギリス政府は、こうした状況を変えるため、何らかの手を打つ必要性に迫られた。そして彼らが着目したのが、ドイツとポーランドの二国間関係だった。

先に述べたように、当時のポーランドは国際社会では「どちらかといえば枢軸国寄り」の国家と見なされており、とりわけドイツとの二国間関係は友好的と見なされていた。だが、ポーランドはいまだ独伊日の「防共協定」には参加しておらず、完全に枢軸陣営の一員となったわけではなかった。

今ならまだ、ポーランドの政治的立場を、枢軸陣営から遠ざけることも可能かもしれない。そして、ヒトラーが将来、オランダを含む西方で新たな軍事的冒険に打って出ることを目論んだ時、もしポーランドの態度が不明瞭ないし非友好的であれば、ドイツは「二正面作戦」を避けるため、より慎重にならざるを得なくなるだろう。

言い換えれば、イギリスは自国の安全保障上、ポーランドがドイツにとっての「後顧の憂い」のような存在になってくれるのが好ましいと考えていたのである。

こうした思惑から、イギリス政府は外務省内部に根強い「ベック外相への不信論」を押し切る形で、ポーランドへの歩み寄りを本格的に開始し、ポーランド政府から要請されていた「ダンツィヒ問題を討議するための国際会議」の名目で、ベックをロンドンに招待するとの計画が立案された。

そして三月四日、イギリス政府はベックのロンドン訪問日程を「同年四月三日から七日まで」とすることを承認した。ベックに強い不信感を抱くイギリス外務省中欧局員スペイトは、彼の訪英について「ドイツの意向に沿った攪乱《かくらん》工作をするのではないか」との危惧を唱えたが、実際にはベックにはそのような「ドイツに与《くみ》する」意図は存在しなかった。

逆に、磁力に引き寄せられるようにドイツの方向へと傾いている自国の「進路」を修正する一方策として、ポーランド側もまた、イギリスとの関係改善を望んでいたのである。

◆ドイツのチェコ併合とスロヴァキアの分離独立

ポーランドの独立回復以来、イギリスとポーランドは比較的冷淡な関係にあり、ポーランドがソ連やドイツ、フランスと締結したような安全保障面での条約も、イギリスとの間には（この時点では）存在しなかった。

だが、両国がそれぞれの国益上の思惑から接近を開始した一九三九年三月中旬、ドイツの国家指導者ヒトラーは、西でも東でもなく、南の隣国チェコスロヴァキアに対して、新たな一手を繰り出してきた。

一九三八年九月の「ミュンヘン協定」で、ズデーテン地方などの領土を失ったチェコスロヴァキアは、人口が約九〇〇万人へと減少した上、石炭産出量の約五四パーセント、鉄鉱石産出量の約一八パーセント、工業生産施設の約四〇パーセントを喪失《そうしつ》して、国力を大きく低下させられていた。

ヒトラーは、政治的にも軍事的にも弱体化したこの「手負いの獲物」を仕留めるべく、まず東部のスロヴァキア人を扇動して三月十四日に「チェコスロヴァキアからの分離独立」を宣言させた後、三月十二日にはハンガリーに対して、チェコスロヴァキアのルテニア地方を自国に併合するよう「勧告」した。

そして、ヒトラーは三月十四日、チェコスロヴァキアに関する「今後の方策を協議するため」という名目で、ベネシュの後任であるチェコスロヴァキアの大統領エミール・ハーハをベルリンに招き、心臓に持病を抱えるハーハを情け容赦《ようしゃ》なく恫喝した。

「現下の危機を収拾する方法は、貴国の統治権をわが国に委ねることしかありません。わが国は、即座に貴国へと軍事介入する準備ができています。わが軍が侵攻すれば、かし同然の貴国の軍隊など簡単に吹き飛ぶでしょう。美しいプラハの街を、ドイツ空軍の猛烈な爆撃で破壊して廃墟《はいきょ》に変えてしまうようなことは、できればしたくないのです」

この言葉に激しく動揺して心臓発作を起こしたハーハは、翌三月十五日にドイツの要求を全て受け入れるとの協定に調印する。これにより、チェコ中部のボヘミアと南東部のモラヴィアは「ベーメン＝メーレン保護領」としてドイツに併合され、東部のスロヴァキアの大半（ルテニア地方はヒトラーの勧告に従う形でハンガリーに併合）は、ドイツの影響下にある独立国として存続を許された。

こうして、第一次世界大戦後にオーストリア＝ハンガリーから分離独立した、オーストリアとチェコスロヴァキアは、一九三八年二月から翌一九三九年三月までの十三か月のうちに、相次いでヒトラーの支配下に入った。ヒトラーは、一九三八年九月に行われたミュンヘン会談の席上、「わが国が行う領土要求は、ズデーテン地方が最後であり、残りの地域については安全を保障する」という言葉を口にしていたが、重要な各種工場を多く抱えるチェコをドイツ領へと併合したことは、この約束を反古《ほご》にするものだった。

そのため、イギリス国内ではヒトラーの「裏切り行為」に対して、激しく反発する世論が沸き起こったが、この重大な事件に対するイギリス政府の反応は、意外にも穏やかなものだった。

チェンバレンは三月十五日、「ドイツのやり方は『ミュンヘンの〔ヨーロッパの平和を尊重する〕精神』に反する」との声明を発表し、二日後に予定していた英商務相のベルリン訪問を延期すると決定したが、それ以上のヒトラーに対する「制裁措置」をとることはしなかった。

英政府から見れば、ヒトラーが軍隊を西のオランダに差し向けるのではなく、南のチェコスロヴァキアに進ませてくれた方が、自国がドイツとの戦争に巻き込まれるリスクが低減するという意味において、好都合だったからである。

◆ポーランドに接近するドイツとイギリス

しかし、こうしたチェンバレンの「弱腰」に対する批判の論調が、英国内で増大するにつれて、イギリス政府もドイツの「膨張政策」を牽制する方向へと外交政策を転換しなくてはならなくなった。三月十七日、チェンバレンは二日前に表明した認識を軌道修正し、次のような強い調子の「警告」を、内外に向けて発表した。

「ヒトラーは、ほぼ間違いなく『力による世界支配』を推し進める意図を持っています。わがイギリスの自由が脅かされている以上、我々はこれに抵抗しなくてはなりません」

その三日後の三月二十日、イギリス外務省は「ヨーロッパのいずれかの国の独立を危うくするような事態が発生したなら、イギリスとフランス、ポーランド、ソ連の四か国が協力して対処すべきだ」との声明を発表した。この声明は、ヒトラーが進めている領土拡張に対する、英仏ソポ四か国による包囲環の形成を意味するものだった。

ところが、この声明内容を知ったポーランド政府は、翌三月二十一日、そのような「協調関係の宣言」には参加できないとの意向を、イギリス政府に伝えた。その理由は、自国がソ連との間でそうした特別な関係を結ぶことは、ポーランド外交の伝統である「均衡政策」に反するというものだった。

ベックは、この段階に至ってもなお、外交面で巧みに舵取りを行えば、ドイツとソ連のどちらとも敵対せず、どちらとも全面的な同盟関係には入らず、独ソの二大国の間でうまく「立ち回れる」はずだと判断していたのである。

一方、ドイツのリッベントロップ外相は同じ三月二十一日、ドイツとポーランド間に存在する「懸案問題」の解決を急ぐため、ベックをベルリンに招待するとのメッセージを、駐独ポーランド大使リプスキに伝達した。

ヒトラーとリッベントロップは、前年十月に手渡したはずの「条約草案」についての返答を、ベックがはぐらかし続けていることに、軽い苛立ちを覚えていた。だが、高圧的な態度で圧力を加えた場合、逆にポーランドをイギリスの側に押しやると考えられたため、この段階では「強い調子で相手を詰問《きつもん》する」という方策は見送る姿勢をとった。

そして、ヒトラーはこの時期、対ポーランド政策とは直接リンクしない別個の案件として、ポーランドの隣国リトアニアに対し、露骨な恫喝外交を繰り広げていた。

三月二十一日、ドイツ政府はドイツ領東プロイセンに隣接するバルト海沿岸のリトアニアに対し、港湾都市メーメルの割譲を要求する最後通牒を突きつけ、三月二十三日にはゲオルク・フォン・キュヒラー砲兵大将率いる第1軍団を同地に進駐させて、「メーメル回廊」と呼ばれる国境沿いの領土をドイツに併合するという挙に打って出たのである。

大国と本格的な戦争を行えるほどの軍事力を持たないリトアニアは、ドイツの最後通牒を拒否すれば、リトアニア全体が滅ぼされるかもしれないとの危惧から、ヒトラーの要求を受け入れ、メーメル回廊のドイツへの割譲を承諾する道を選んだ。

これにより、ヒトラーはまたしても、軍事力による恫喝を背景とした、新たな「外交的勝利」を手中に収めたのである。

◆ポーランドの強硬姿勢に引き下がるヒトラー

第一次世界大戦後のヴェルサイユ条約でドイツ領から切り離されたメーメルが、総統ヒトラーの「外交的勝利」によってドイツに復帰した事実は、ドイツ本国への復帰を望むダンツィヒのドイツ人を、大いに力づける効果をもたらした。

東プロイセンを挟んで、メーメルの反対側に位置するダンツィヒでは、メーメルのドイツ復帰を「歴史的な必然」と受け止め、同様にドイツ領から切り離されたままになっているダンツィヒもそれに続くべきだとの世論が、ドイツ人市民の間に沸き起こった。

ダンツィヒのナチ党組織は、親衛隊（ＳＳ）の隊員を召集して武器弾薬を支給し、参事会のドイツ人議員とダンツィヒ大管区長フォルスターは、国際連盟の高等弁務官に対する退去要求を含めた「ダンツィヒのドイツへの復帰宣言」を行う準備を進めていった。

ダンツィヒの街路では、鉤十字の入ったドイツ国旗の飾り付けや「総統〔ヒトラー〕の訪問を歓迎します」とドイツ語で記された垂れ幕などが、あちこちに姿を見せた。

しかし、メーメル併合を機にダンツィヒで急激に高まった、ドイツ人市民の「ドイツ復帰」を叫ぶ熱狂と興奮は、ヒトラーが期待したものとは正反対の反応を、ポーランド側から呼び起こす結果となった。

三月二十一日にリッベントロップから伝えられたメッセージと、その二日後にヒトラーが実行したメーメルの併合を目の当たりにしたベックは、この二つの出来事を「自国に対する硬軟織り交ぜた政治的圧力」と理解し、ドイツが突発的にダンツィヒで実力行使に出る可能性が高まったとの認識を強めたのである。

ポーランド政府は、ドイツ側がダンツィヒ進駐という軍事行動を開始した場合に備え、三月二十三日中に部分的な軍隊の動員を命令した。この日動員をかけられたのは、第4軍管区の一個師団（第26歩兵師団）と第9軍管区の三個師団だったが、前者の第26歩兵師団は、有事の際には国境を越えてダンツィヒへと進駐する任務が付与されていた。

また、ポーランドの首都ワルシャワでは、三月二十三日から二十五日までの三日間、ドイツとの戦争を想定した避難訓練が実施された。空襲警報に続いて市内で灯火管制が敷かれ、ドイツが毒ガス攻撃を行った場合に備えてガスマスクが配布された。

これらの戦争準備は、ダンツィヒ問題の解決に関連して、ヒトラーの恫喝外交に屈するつもりはないという、ベックおよびポーランド政府の明確な意思表示に他ならなかった。

ポーランド側がこれほど強硬な反応を示すとは予想していなかったヒトラーは、慌ててダンツィヒの大管区長フォルスターを呼び出し、ダンツィヒのドイツ人は絶対に「ドイツへの帰属宣言」などの早まった行動に出ないようにと釘《くぎ》を刺した。

もし、この段階でドイツがポーランドとの戦争に突入することになれば、背後すなわち西方をイギリスとフランスに脅かされる上、ポーランドと不可侵条約を締結しているソ連がポーランド軍を援助する可能性も存在した。そのため、ヒトラーはポーランドとの戦争ないし軍事的衝突を回避するため、いったん「退く」方針をとったのである。

《急速に悪化したドイツ＝ポーランド関係》

◆「毅然とした態度」で問題を乗り切ろうとしたベック

一九三九年三月二十四日、ベックはポーランド外務省の職員に向けて、次のような内容の訓示を行った。

「わが国の『敵』は、このところ思想面でも行動面でも、次第に常軌《じょうき》を逸しつつあるように見える。彼らに正気を取り戻させるためには、毅然とした行動をとらねばならない。

ヒトラーとその取り巻きは、わずか九個師団程度で、ヨーロッパを好き勝手にしてきたが、そのような兵力では、ポーランドを征服することはできない。チェコスロヴァキアやリトアニアとは異なり、ポーランドはドイツの思い通りにはならないのだ。

もし、我々が受諾できない内容の提案を、いずれかの国から一方的に突きつけられた場合、我々はその国と戦うことになるだろう」

その二日後の三月二十六日、ベックは初めて、リッベントロップの提示した「新たな条約草案」に含まれる八項目へのポーランド側の返答を、リプスキ大使を通じてドイツ側に伝達した。そこには、ポーランドは「ダンツィヒ問題に限定した形での協議には応じる意向があるが、もし総統ヒトラーと直接会談を行えないのであれば、ベックがこの件を協議するためにベルリンを訪れることは見送る」と記されていた。

言い換えれば、ベックはヒトラーが八項目の中で特に重視していた「防共協定へのポーランドの加盟」という項目を、完全に黙殺する態度をとったのである。

ベックがこのような強気の態度に出た背景には、ドイツに対して「弱腰」と見なした相手国には情け容赦なく「恫喝外交」を繰り広げるという、ヒトラーの対外政策に共通するパターンに対する、彼なりの洞察が存在していた。

ベックは、ヒトラーを「本当は気の小さい人物」と見なしており、いざとなれば全面対決も辞さずという毅然とした態度で接すれば、むやみに恫喝外交を行うことはしないだろうという考えに囚われていたのである。

それから三日が経過した三月二十八日、ポーランド駐在のドイツ大使モルトケがベルリンからの指示に基づいてベックと会見し、ドイツ側の要望を改めて説明した。

「総統（ヒトラー）がダンツィヒのドイツ主権を貴国に承認されるよう求めたのは、ドイツとポーランドの二国間の友好関係を長期にわたって安定させるためであり、ポーランドにとっても国益上のプラスになるものだと思います。一九三四年の不可侵条約を基本として両国の友好関係を維持することを、総統は今でも望んでいます」

だが、ベックはモルトケの説明に冷淡な態度で応じ、ダンツィヒのドイツへの主権委譲は問題外だとした上で、八項目の条約草案についての同意を改めて拒絶した。

これにより、西方での戦争に備えて「東の隣国」ポーランドと全面的な同盟関係を結ぶというヒトラーの思惑は、事実上「座礁《ざしょう》」することとなったのである。

◆イギリスとポーランドの「同床異夢」

ポーランドがドイツ側の要求を毅然とした態度で拒絶していた頃、イギリス政府は自国とポーランドの関係を、どのような形にするのが最善かを探る議論を重ねていた。

ポーランド政府は、三月二十一日に英大使ケナードを通じて、イギリス政府がダンツィヒ問題でポーランドを支持することを願うという要望書を、イギリス側に伝えていた。この要望は、ベックが託された「わが国の周辺で国際的な緊張が高まった時には、イギリスを問題に巻き込め」という、ピウスツキの遺言を反映したものだった。

だが、イギリス政府がポーランドに接近した理由は、前記した通り「ドイツが西に向けて戦争を開始することを抑止するため」であり、ポーランドが期待していたような「ダンツィヒ問題での支持」という点には無関心だった。イギリスは、ダンツィヒが軍事衝突の舞台とならない限り、基本的には「当事国間の協議で解決すべき領土問題」と見なしており、自国の利害に結びつかない協議に積極的に関与するつもりはなかったのである。

そして、三月二十七日と二十九日に開かれた外交委員会において、イギリスがポーランドに求める役割を「ドイツに対する背後からの牽制」とすることが確認され、三月三十日にはこの方針が閣議でも採択された。

翌三月三十一日の午後、英首相チェンバレンは下院議会で演説を行い、次のような言葉で、イギリスとポーランドの関係を説明した。

「もしポーランドの独立に対して明白な脅威が存在し、かつポーランド政府がそれに対して国力を挙げて抵抗することが必要な事態が発生した場合、イギリス政府はポーランドに対して、持てる力の全てを、援助としてポーランドに供与することをお知らせします」

このチェンバレンの声明は、一九三九年三月三十一日の段階ではまだ、英政府とポーランド政府による正式な「援助条約」ではなく、イギリス側のポーランドへの保障方針を示した「片務保障宣言」に過ぎなかった。だが、この宣言には、英政府のメッセージをドイツ政府ならびにドイツ国民に対して伝えるという、副次的な効果も期待されていた。

もしドイツがポーランドに対して、ダンツィヒ問題その他の理由で軍事行動を採《と》ったなら、その時にはイギリスも黙ってはいないと示唆することで、ヒトラーが新たな「軍事的冒険」を行うのを食い止める「抑止力」にしようと意図したのである。

一方、発表前日の三月三十日に、英大使ケナードからこの「片務保障宣言」の内容を知らされたベックと軍総監リッツ=シミグウィは、有事の際にはイギリスが自国の救援に来てくれることを保障するものと理解して、大いに力づけられた。

しかし、ポーランド側はこの「片務保障宣言」に込められた真意を、正しく理解していなかった。四月一日付のイギリスの新聞『タイムズ』は、前日首相が行った声明内容について、次のような「本質を鋭く衝いた指摘」を行った。

「首相の声明は、一言一句まで計算し尽くされたものだが、真意を理解するには細心の注意を要する。昨日、わが国が引き受けた義務とは、ポーランドの国境を変更することを認めないというものではない。本声明を理解する鍵は『領土の保全（インテグリティ）』ではなく『独立（インディペンデンス）』という言葉を使用した点にある」

つまり、イギリスはポーランドが「独立国家の体裁を維持できない」ほどの窮地に立たされた時には援助の義務を負うが、単に「国境を侵犯された」程度では、援助の義務は発生しないというのが、イギリス政府の「隠された真意」だったのである。

実際、四月三日にロンドンで開かれたイギリス軍上層部会議（帝国防衛委員会）では、次のような冷淡とも言える結論が確認されていた。

「もしドイツが、ポーランドないしルーマニアに軍事侵攻を開始した場合、わが国〔イギリス〕およびフランスの陸海空三軍が即座に打てる手は、〔地理的・物理的理由から〕事実上何も存在しない。また、わが国とフランスの兵器生産状況から判断して、ポーランドやルーマニアに対して即時供与できる余剰兵器も、存在していない」

◆実りの少なかったロンドンでの首脳会議

一九三九年四月三日、イギリス軍の首脳が「有事の際にポーランドを救うために、わが国ができることは何もない」と結論づけていたのと同じ頃、ポーランドのベック外相がロンドンを訪問した。バッキンガム宮殿のすぐ南に位置するヴィクトリア駅に降り立った彼は、英外相ハリファックスらの出迎えを受けた。

ポーランドとイギリスの両国政府代表者による首脳会談は、四月四日から六日までの三日間にわたり、計四回が行われ、このうちの二回にはチェンバレン首相が出席した。

イギリスはこの会議で、主に次の三点をポーランドに求めた。

第一に、ドイツがベルギー、オランダ、スイス、ユーゴスラヴィアのいずれかに対する攻撃を開始し、イギリスがこれらの国に対する援助義務を発動した場合に、ポーランドも当該国への援助を行うとの保証。

第二に、ドイツがルーマニアに対する攻撃を開始した場合、イギリスの代わりにポーランドがルーマニアへの援助を行うとの保証。

第三に、ポーランドがソ連との同盟関係を強化し、もしドイツがポーランドを攻撃した場合、ソ連がポーランド側を援助するという相互援助条約をソ連と締結すること。

これに対し、ベックは今までと同様、イギリス側の要望をはぐらかす態度をとった。

第一の要望に対しては、ユーゴスラヴィアへの援助については明確に拒絶し、他の国についても明確な返答を行うことを避けた。

第二の要望については、もしポーランドがルーマニアとの関係を緊密にすれば、歴史的にルーマニアと対立関係にあるハンガリーを、自動的にドイツの側へと追いやるとの理由で、ルーマニアへの援助保証というイギリスの提案には同意しなかった。ベックは、ドイツとソ連の間で行っているのと同様、トランシルヴァニア地方の領有権をめぐって争いを続けるルーマニアとハンガリーの間でも、「均衡外交」を続けることを望んでいた。

第三の要望に関しても、ベックは「伝統的な均衡外交からの逸脱」を理由に、イギリスの提案に不同意の態度を示した。ベックは、ポーランド軍の能力に自信を持っており、ドイツとの戦争が始まっても単独で戦えると判断した上で、有事の際にソ連から恩を受けることは後々にマイナスの効果をもたらすことになると考えていた。

この時点で、イギリスの思い描く理想的な状況とは、もしヒトラーが西のオランダやベルギー、フランスを攻撃した場合には、ポーランドは東からドイツの背後を襲い、ドイツがルーマニアを攻撃した場合には、ポーランドは救援に赴き、もしヒトラーがポーランドを攻撃すれば、ソ連からの援助を受けてドイツへの抵抗を続ける、というものだった。

だが、ベックはこうしたイギリスの思惑には乗らず、具体的な約束は何一つ相手国と交わすことなく、自国の要望をイギリスに伝える姿勢を貫いた。

ポーランドがイギリスに対して求めたのは、ダンツィヒの主権問題について、ドイツからの返還要求には応じず、現状のまま、すなわち「国際連盟管理下の自由都市」に留めるというポーランド政府の方針を支持することだった。だが、先に述べたとおり、ダンツィヒの主権問題に関心の薄いイギリス政府は、明確な回答を見送る態度をとった。

会議終了後の四月六日、イギリスとポーランドの両国首脳は共同宣言を発表したが、その内容は「将来において両国の相互援助条約を締結することを前提に、両国は互いに相手国の独立が脅かされた場合に、援助することを約束する」という、曖昧で具体性に欠けるものだった。

言い換えれば、一九三九年四月四日から六日の「ロンドン会談」は、当事国であるイギリスとポーランドにとっては、実りの少ない儀礼的行事に留まった。共同宣言で述べられている通り、今回の会談は将来の本格的協議に向けた「予備的な会談」であり、双方とも数日間で決定的な収穫を得ようとは考えていなかった。

だが、ロンドンから遠く離れたベルリンでは、この成果のほとんどない「予備的な首脳会議」の開催が、きわめて重要な意味を持つ出来事として受け止められていた。

ドイツの最高指導者ヒトラーは、ポーランドとイギリスの接近を「自国の安全に対する脅威」と判断し、ポーランドに対する姿勢を根本から改める決断を下したのである。

◆ポーランド攻撃の準備を命じたヒトラー

ロンドン訪問を目前に控えた四月一日または二日、ベックはポーランド駐在ドイツ大使モルトケに対して、次のような説明を行い、ドイツ側が彼の訪英意図を「敵対的行為」と誤解することのないように配慮していた。

「今回の私のイギリス訪問は、ダンツィヒに関する便宜上の取り決めを行うために過ぎません。貴国とわが国の間に存在するダンツィヒの主権問題について、最終的な合意に至るまで協議するというわが国の方針には、今後も変わるところはありません」

だが、三月二十一日にドイツ側が伝達した「ベックのベルリンへの招聘《しょうへい》」という提案を丁重《ていちょう》に断った上、五か月前の「条約草案」で提示した、防共協定への参加要請に対する公式な回答も先延ばしにしたまま、ロンドンでイギリス政府首脳との会談に臨んだベックの態度を見て、ヒトラーは強い失望感と不信感を募らせることとなった。

そもそも、ヒトラーが東の隣国ポーランドへの接近を図ったのは、西方で英仏両国と新たな戦争を開始する場合に、国土の背後を安全な状態に置くためだった。その大きな目的のために、ヒトラーはポーランドとの間に存在する懸案事項のダンツィヒ問題を解決して、ポーランドと全面的な同盟関係を築くことを目論んでいた。

ところが、そのポーランドが、あろうことか「将来の戦争における主要な敵国」であるイギリスと接近し、英政府の首脳と意見交換を行うという展開は、ヒトラーにとっては想定外の出来事だった。

首脳会談で、実際にどのような内容の議論が交わされるにせよ、ドイツとしては最悪の展開、すなわち「イギリス＝ポーランド軍事同盟の成立」という可能性も視野に入れた上で、手遅れにならぬうちに、今後の対策を講じなくてはならない。

そう考えたヒトラーは、ポーランド外相ベックがロンドンへと到着した四月三日、ポーランドに対する軍事行動《秘匿名「白の場合」》を同年九月以降に開始できる準備を整えるよう、国防軍最高司令部（ＯＫＷ）に指示した。

「わが国の方針は、引き続きポーランドとの戦争を避けることにあるが、もしポーランドがドイツに対する姿勢を変更し、わが国に対して威嚇的な態度をとるなら、わが国はポーランドとの現存する条約に関わらず、最終的な解決を余儀《よぎ》なくされるだろう」

これを受けて、ドイツ陸軍参謀本部内では、ゲルト・フォン・ルントシュテット上級大将を長とし、エーリッヒ・フォン・マンシュタイン中将、ギュンター・ブルーメントリット大佐、ラインハルト・ゲーレン少佐をメンバーとする「作業班」が編成され、主にブルーメントリットが中心となって、ドイツ軍のポーランド侵攻作戦の計画が立案された。

この時点で、ドイツとポーランド両国の位置関係は、軍事的にはドイツ側がきわめて有利な形勢となっていた。ポーランドの南西に位置する親独国スロヴァキアにも部隊を展開できるため、ドイツは東プロイセンからスロヴァキアに至る国境線からポーランドを「半包囲」した上で、北と西、南の三方向から攻められる立場にあったからである。

彼我の軍事情勢を研究したブルーメントリットは、ポーランドに対する軍事侵攻を、北方と南方の二個軍集団で実行するという作戦計画案をまとめ上げ、その内容はルントシュテットと陸軍参謀総長ハルダーを通じて、ヒトラーに提出された。四月二十六日から二十七日にかけて、計画案の内容を検討したヒトラーは、大筋でこの案を承認した。

そして、ヒトラーは翌四月二十八日、イギリスとの間に締結していた海軍条約と、ポーランドとの間で結んでいた不可侵条約の両方を破棄するとの声明を発表した。彼の脳裏にはもはや、ポーランドを防共協定の一員に招き入れるという期待は存在しなかった。

ヒトラーは、この発表の中で、ドイツとポーランドの関係を次のように説明した。

「私は、ポーランドとの和解を熱望していた。わが国とポーランドは、望むと望まないとにかかわらず、共存しなくてはならないからだ。私はこれまで、ポーランドが海への出口を必要とすることを理解してきた。しかし、わが国もまた、本土と東プロイセンを結ぶ交通路と、ダンツィヒをドイツに返還することを求める正当な権利を持っているのだ」

こうして、ドイツとポーランドの二国間関係は、長らく続いた友好関係から一転して、政治的・軍事的に敵対する方向へと、大きく傾いていったのである。

第四章
第二次世界大戦へのカウントダウン

《ベックの自縄自縛と東の大国・ソ連の登場》

◆ポーランドの「暴走」を警戒するイギリス

一九三九年四月初頭に行われたベックのロンドン訪問について、ドイツ国民の多くは、ポーランドとの永続的な友好関係樹立を望むヒトラーの「好意」に対する、明白な「裏切り行為」と理解し、ベックの態度を不誠実だと見なして激しく非難していた。

とりわけ、ダンツィヒのドイツ人市民の間には、ポーランドとイギリスの急接近で、ダンツィヒのドイツへの復帰は遠のいたという失望感から、ポーランドに対する感情的な反発が沸き起こり、市内のポーランド代表部やポーランド人学校などの施設に対する、投石や嫌がらせ行為が頻発《ひんぱつ》した。

こうしたダンツィヒの政情不安を知ったイギリス外務省では、自国政府がポーランド外相ベックを不用意に歓迎したことで、逆にヨーロッパで新たな戦争が発生する種を蒔《ま》いてしまったのではないかという懸念が広がっていた。

有事の際にはイギリスが味方してくれると勘違いしたベックが、ヒトラーに対して不必要に強硬な姿勢をとるようになり、ダンツィヒのポーランドへの併合といった実力行使に出る可能性も否定できないと考えられたからである。

そのため、ハリファックス外相は、ポーランドの軽率な行動で自国がドイツとの全面戦争に巻き込まれる危険をあらかじめ回避すべく、四月二十日に次のような訓示を自国の駐ポーランド大使ケナードに与え、ポーランド政府に警告するよう命じた。

「わが国〔イギリス〕が後ろ盾になっているがゆえに、ポーランドは不必要に強硬姿勢をとっている、という印象をドイツ側に与えることは、好ましくない。もしドイツ側が、そのような認識を抱いたとしたら、わが国にとり、はなはだ迷惑である」

同じ日、英外務次官アレクサンダー・カドガンも、駐英ポーランド大使エドヴァルト・ラチンスキに同様のメッセージを送り、ダンツィヒ問題を解決するには「ポーランドがドイツと妥協して、一定の譲歩を行うべき」だと提言した。

イギリス政府は、ドイツがポーランドに提示した「条約草案」の八項目についての情報を、ベックのロンドン訪問に先立つ三月二十九日に、非公式なルートから（つまりポーランド政府以外の情報源から）入手していたが、彼らが最も恐れたのは、イギリスの軍事力をベックが「脅しの材料」として振りかざしながら、ヒトラーにダンツィヒ問題の解決を迫るという展開だった。

そのため、五月五日にベックがポーランド国会で演説を行うことが決まると、彼がドイツに対する挑発的な言辞を演説内容に盛り込んで、事態をさらに悪化させないよう、イギリス政府はさまざまな外交ルートを通じて、ベックに「自制」を働きかけた。

その一週間前の四月二十八日に、ヒトラーがドイツ＝ポーランド不可侵条約の破棄を怒りと共に宣言したことを考慮すれば、ベックが五月五日の演説で同様の「敵対的な」態度をとる可能性は、決して小さくないと予想できたからである。

◆「人間や国家にとって最も尊いものは『名誉』である」

ベックの国会演説を翌日に控えた五月四日、ワルシャワ駐在の英大使ケナードは、ハリファックス外相の訓令に従ってベックを訪問し、英政府の意向を改めて伝達した。

「わが〔イギリス〕政府が貴国〔ポーランド〕に供する『片務保障』が発動されるには、二つの条件が必要であることを、くれぐれもご理解いただきたい。

一つは、ドイツが貴国に対して行った要求や提案等の内容について、包み隠さずに、全てをわが国に伝えていただくこと。

もう一つは、貴国の『独立が脅かされる』ような事態が発生しないよう、まず話し合いによって問題を解決する努力を全力で行っていただき、取り返しのつかない事態となる前に、わが国に相談されること」

ベックは、このイギリス政府からの高圧的な「指図」に、強い不快感を覚えたが、当面の危機を乗り切る上で、頼ることのできる相手がイギリス以外には見当たらない以上、イギリスの要望を敢然と拒絶することはできなかった。

しかし、ポーランド国内では、ベックがロンドンから帰国した四月六日以降、彼とドイツに対する感情的な反発が再び沸き起こっていた。ベックが半年もの間秘密にしていた、リッベントロップの「条約草案」に記された八項目が、フランスの新聞で暴露され、ポーランド国民の知るところとなったからである。

とりわけ、野党系の新聞はベックの秘密外交を声高に批判するのと同時に、領土問題では「一寸の土地たりともドイツに渡してはならない」と訴え、ダンツィヒ／グダニスク問題での譲歩や、ダンツィヒおよび東プロイセンとドイツ本国を結ぶ「ドイツ主権の交通路の開設」に、強硬に反対する論説を繰り返し掲載した。

町中には、十五世紀にポーランドとリトアニアの連合軍がチュートン騎士団を打ち破った「グルンヴァルトの戦い」を描いた勇壮なポスターが出回り、ある新聞は次のような言葉で、ポーランド人が心に抱く信条を「代弁」した。

「我々は自己の権利のために戦う準備があるし、血の最後の一滴に至るまで、戦いを続けるだろう。ドイツは、全ポーランド人の決然とした抵抗を覚悟しなくてはならない」

こうした事情により、ベックは「ドイツへの妥協と譲歩」を求めるイギリス政府と「ドイツへの毅然とした対応」を要求するポーランド国民の間で板挟みとなり、五月五日の国会演説は、彼にとっては大きな試練とも言える行事となった。

五月五日、国会の演壇に立ったベックは、まずイギリスへの接近という最近の外交政策について触れた後、ドイツとの関係が悪化しつつある経緯についての説明を行ったが、ドイツからの圧力には「決して屈しない」との姿勢を明言した。

その上で、ドイツが要求した「八項目」のうち、ダンツィヒの帰属問題については「合理的な形で和解し、解決できることを望む」と述べた。ダンツィヒおよび東プロイセンとドイツ本国を結ぶ「ドイツ主権の交通路」については、ドイツがこの道路や鉄道を利用する際には税関手続きを必要とせず、パスポートの提示も不要だが、主権はあくまでポーランドが保持するという形の「対案」を、ドイツに向けて示した。

そして、ベックは演説の最後を次のような言葉で締めくくった。

「ポーランド人は、平和の尊さをよく承知しています。しかしながら、人間の生涯において、あるいは民族や国家の歴史において、値をつけることができないほど尊いものが、ただ一つあります。それは『名誉（ホノル）』であります」

これは、威圧的な態度を強めるドイツに対してのみならず、ポーランドを自国に都合のよい方向へ導こうと努めているイギリスに対しても向けられた言葉だった。しかし、ベックがこの時期に、こうした形で「名誉の尊さ」に言及したことは、逆に外交面においては彼自身の両手を縛るという、否定的な効果をもたらすこととなった。

なぜなら、ポーランドの国会議員や国民が、ベックの勇壮な言葉に熱烈な喝采《かっさい》を送ったことにより、彼はドイツに対して、外交上の方便としての譲歩や妥協という現実的手段を用いることができない立場へと、追い込まれてしまったからである。

◆ソ連の存在を無視できなくなったヒトラーと英仏両国

ポーランドとドイツの関係が、それまでの「友好」から相互不信に基づく「敵対」へと変わりつつあった一九三九年の四月から五月にかけて、不穏な空気が漂い始めたヨーロッパの国際外交の舞台に、新たなプレイヤーが加わることとなった。

ポーランドの東に位置する大国・ソ連邦である。

一九二一年三月の「リガ条約」でポーランドとの戦争に区切りをつけて以降、共産主義の政治体制をとるソ連は、ヨーロッパ諸国から距離を置く姿勢をとっており、チェコスロヴァキアとユーゴスラヴィアを除けば、外交上の「友好国」は存在しなかった。

当時のイギリスとフランス、そしてドイツの三国は、ソ連の共産主義体制を政治的に敵視するという点で共通した認識を抱いており、ソ連の最高指導者ヨシフ・スターリンもまた、これら三国に対して強い敵愾《てきがい》心を抱いていたからである。

英仏両国は、ソ連誕生時のロシア内戦で、共産主義革命を支持する赤軍とは敵対する側（ロシアにおける帝政と資本主義の存続を望む白軍）を支援した過去を持ち、ヒトラーは一九二三年から二四年に獄中で口述筆記により完成させた著書『わが闘争』の中で、共産主義に対する強い嫌悪を書き記していた。

そのため、ソ連は一九三〇年代に入ってもなお、ヨーロッパの国際外交の舞台からは、事実上「蚊帳の外」に置かれる状況が続いていた。一九三八年九月のミュンヘン会談においても、ソ連はチェコスロヴァキアと相互援助条約を締結していたにもかかわらず、会談への参加の呼びかけすら行われず、事態の解決に寄与する機会を奪われていた。

また、一九三〇年代後半にソ連国内で吹き荒れた「大粛清《しゆくせい》（政治的理由による抹殺）」

の嵐は、ソ連の外交を司る外務人民委員部（外務省）にも大きな打撃を与えていた。一九三九年一月の時点で、ソ連の在外公館では大使（全権代表）一〇人と参事官九人、書記官二二人、領事・副領事三〇人の、計七一人が「欠員」となっており、生き残った者も、指導部への反抗やスパイ行為を疑われるのではないかとの怯《おび》えから、外国人との接触などの活動が萎縮《いしゅく》した状態にあった。こうした直接・間接での粛清の後遺症により、ソ連は国家規模に見合った外交能力を、全く発揮できない状態に陥っていたのである。

だが、ドイツとポーランドの関係が悪化するにつれて、ヒトラーと英仏両国政府にとってのソ連の存在感は次第に増大し、やがて双方とも、スターリンの出方を無視できない状況へと進んでいった。

ポーランドの東隣りに位置するソ連が、ドイツとポーランドの衝突時にどのような態度をとるかによって、事態の推移は大きく変動すると考えられたからである。

こうした状況の中で、ひとつの転機となったのは、一九三九年三月十日から二十一日にかけてモスクワで開催されたソ連共産党第一八回大会での、スターリンの演説だった。

スターリンは大会初日の演説で、ドイツとイタリア、日本が一九三〇年代後半に行った数々の「侵略行為」を非難する一方、こうした侵略を招いた原因が、英仏を含む周辺諸国の「黙認」にあったとして、集団安全保障の重要性を改めて訴えた。

そして、ソ連が今後とるべき方針として「全ての国」との（外交的）実務関係の改善と有事に備えた陸海軍の強化を挙げたが、その一方で「わが国を戦争に巻き込んで火中の栗を拾わせるような〔外国の〕策略には用心しなくてはならない」と述べた。

このスターリンの演説を分析したドイツと英仏両国は、スターリンは表向き自分たちを非難しているものの、今後の方針としては「侵略国以外の」といった説明抜きに「全ての国との実務関係の強化」と述べていたことから、スターリンは自国との関係改善を望む意志を持っていると判断し、外交ルートを通じた「ソ連への歩み寄り」を模索し始めた。

◆ソ連外相リトヴィノフの更迭とモロトフの登場

一九三九年四月十四日、ソ連の駐仏大使ヤコフ・スーリッツは、フランスのボネ外相から新たな相互援助協定の提案を受け取った。

その内容は、もしフランスがドイツと戦争状態になったなら、ソ連はフランスに対して即時援助を行い、もしソ連がドイツと戦争状態になったなら、フランスはソ連に対し即時援助を行う、というものだった。

翌四月十五日、イギリスの駐ソ大使ウイリアム・シーズは、ソ連の外相マクシム・リトヴィノフと面会し、次のような質問書を提示した。

「貴国〔ソ連〕のヨーロッパ側の国境に隣接する国〔バルト三国、ポーランド、ルーマニア〕が、外国〔ドイツ〕からの侵略を受けて抵抗し、貴国に救いを求めた場合、貴国はその国に適切な〔軍事的〕援助を与えるつもりがあると、公表する意志はありますか？」

リトヴィノフは、英仏両国から相次いで提示された内容を、最高権力者のスターリンやヴャチェスラフ・モロトフ首相をはじめとするソ連政府首脳と協議し、四月十七日に次のような「対案」を、英大使シーズに手渡した。

一、英仏ソ三国は、五年から一〇年の期限で相互援助の義務を有する協定を結ぶ。

二、英仏ソ三国は、バルト海から黒海沿岸までのソ連と国境を接する東欧諸国に対して侵略が行われた場合、軍事を含むあらゆる援助を与える義務を有する。

（中略）

六、英仏ソ三国は、戦争の勃発後、単独で、また他の締約国の同意なしに、侵略国とのいかなる会談にも入らず、講和も結ばない義務を有する。

（後略）

同じ日（四月十七日）、ドイツ駐在ソ連大使アレクセイ・メレカーロフは、ドイツの外務次官エルンスト・フォン・ヴァイツゼッカーと会談を行っていたが、彼はその際、さりげなく次のようなメッセージを、相手の脳裏に刻み込んだ。

「〔政治的〕イデオロギーの相違は、今までわが国〔ソ連〕と〔ファシズム体制の〕イタリアの関係に何の悪影響も及ぼしていないので、わが国と貴国〔ドイツ〕の関係においても、障害とはならないはずです。

わが国が貴国との正常な関係を築くことを否定する理由はどこにもありませんし、そこからさらに良好な関係へと発展しても、何ら不思議ではないと思います」

この段階では、ドイツ側もソ連政府の真意を疑い、具体的な対応を見せることはなかった。だが、五月三日にリトヴィノフがソ連外相を罷免《ひめん》され、スターリンの腹心であるモロトフ首相の外相兼任が告知されると、ヒトラーとドイツ政府首脳はスターリンが本気でドイツとの関係改善を考慮していることを理解した。

親英派で西欧的な価値観に通じたリトヴィノフは、集団安全保障という観点から、英仏両国との間に緊密な協調関係を築くことで、ドイツの脅威に対抗するのが最善であるとの考えを抱く人物だった。

しかも、リトヴィノフはヒトラーが敵視するユダヤ人だった。ユダヤ人のリトヴィノフがソ連の外相という地位にある限り、ヒトラーは国内でのユダヤ人迫害政策との整合性を保つため、ソ連外相をベルリンに迎えることができず、独ソ間に真の意味での友好関係を構築できないことになる。

つまり、ドイツ側から見れば、リトヴィノフの存在こそ、ドイツ政府とソ連政府の接近を妨げる大きな障壁に他ならなかったからである。

だが、その障壁は、スターリンによって取り除かれた。

この日以降、ドイツの新聞におけるソ連批判は急激にトーンダウンし、独ソ両国外務省の実務担当者による水面下での接触が開始された。

ドイツがポーランドに対して戦争を仕掛ける場合、ポーランドに隣接するソ連が、ドイツに敵対する形でポーランドを軍事的・経済的に支援するという展開は、絶対に避けなくてはならない、とドイツ側は考えていた。

言い換えれば、ドイツとソ連が共通の利益を追求して合意に到達し、ポーランドを完全に除外する形で同盟関係を結ぶことができれば、ソ連のポーランド支援に関するドイツ側の憂慮は、すべて消し去られることになる。

こうして、ドイツと英仏の両陣営による、東の大国ソ連を味方につける、あるいは「ソ連を敵陣営から引き離す」ための外交競争が、静かに幕を開けたのである。

《独ソの急接近と出遅れる英仏両国》

◆「今回は本物の戦争となろう」

一九三九年五月二十日、ソ連の新外相モロトフは、モスクワ駐在のドイツ大使フリードリヒ・フォン・デア・シューレンブルク伯爵と初めて面会し、会談を行った。

この席で、シューレンブルクは「一九三九年一月に中断した独ソ経済交渉を復活させ、独ソ両国間で何らかの協定を結ぶための実務者協議を開始したい」と申し出た。

これに対し、モロトフは「経済的会談を成功させるには、それ相応の『政治的基礎』が必要になるでしょう」と答えた。

意表を衝《つ》かれたシューレンブルクは「政治的基礎とはどんなものか、具体的に明らかにしていただけますか？」と質問したが、モロトフは明言を避けた。

このやりとりを知ったドイツ外務省は、ソ連側が独ソ間の政治的接近に対して、前向きな考えを持っていると判断し、さらなる関係強化に向けて対策を検討した。

二日後の五月二十二日、ドイツはイタリアとの間で「鋼鉄協約」と呼ばれる独伊軍事同盟条約を締結した。

ヒトラーがムッソリーニと取り交わした「鋼鉄協約」の第三条には、両国の一方が第三国と戦争状態に入った時、他方は全面的な政治的・軍事的支援を行うとの条項が含まれていた。しかし、イタリア経済は一九三五〜三六年のエチオピア戦争に投じられた莫大な戦費の後遺症に苦しんでおり、農業国から工業国への転換という国家経済の改造事業もいまだ進展の途上にあった。

そのため、もしドイツがポーランドとの間で戦争を開始しても、イタリアがドイツを軍事的に支援できる可能性は事実上皆無だった。

翌五月二十三日、ヒトラーは空軍総司令官ゲーリングと陸軍総司令官ブラウヒッチュ、海軍総司令官レーダーら陸海空三軍の高官一四人を召集し、自らの考えを披露した。

「我々の最終目標は、ダンツィヒの回復ではなく、わが国の生存圏を東方に拡大し、食糧の供給源を確保することにある。ポーランドはおそらく、チェコのように戦争を避けてわが国に屈服する道は選ばないだろう。従って、今回は本物の戦争となろう。

重要な点は、ポーランドを孤立させ、わが国とポーランドの戦争が、西方におけるわが国と英仏両国の戦争に発展しないようにすることだ。

わが国とポーランドの戦争は、英仏両国が介入しない場合にのみ、成功するだろう」

このヒトラーの言葉は、彼がポーランドとの戦争に際して、イタリアの支援を全く当てにしていないことを物語っていた。実際、ムッソリーニは一週間後の五月三十日に、ヒトラーへと書簡を送り、イタリアは戦争の準備を整えるため、一九四二年の終わりまで平和な期間を必要としていると説明した。

「わが国は、向こう三年間、戦争を行える軍事力を備え得ないことをご理解願いたい」

イタリアの最高指導者ムッソリーニは、一九四二年にローマで開催される予定の万国博覧会が無事に閉幕し、その成功によって外貨の準備不足を解消するまでは、ヨーロッパで新たな戦争が勃発しないことを望んでいたのである。

◆英仏両国への不信を募らせるモロトフ

五月二十五日、ドイツ外相リッベントロップは、外務次官ヴァイツゼッカーと外務省法務部長フリードリヒ・ガウスを呼び、次のような指示を下した。

「総統は以前から、ソ連との新たな条約締結を検討しておられた。それゆえ、ガウスは早急に、独ソ条約文の草案作成に着手するように」

二日後の五月二十七日、ソ連駐在の英大使シーズと仏代理大使ジャン・パイヤールは、モロトフ外相を訪問し、英仏ソ相互援助協定の英仏共同案を提出した。

その内容は、四月十七日に前ソ連外相リトヴィノフから英仏両国に提示されたものと似通っていたが、大きく違っていたのは、援助の発動に際して「国際連盟の規約第一六条に従って行う」と明記されている点だった。

これ以降、ソ連と英仏両国は、三国の相互援助協定についての草案を何度かやりとりしたが、スターリンとモロトフは内容が全体として「英仏両国に有利な方向」へ偏っていると考え、次第に苛立ちを募らせていった。

日露戦争の講和会議直前の一九〇五年七月二十四日、ソ連の前身であるロシア帝国の皇帝ニコライ二世が、フィンランド湾のビヨルケ水道でドイツ帝国の皇帝ヴィルヘルム二世と非公式に面談、そこで「ビヨルケの密約」と呼ばれる協定を取り結んだことがあった。

その内容は「独露のいずれか一方が第三国から攻撃を受けた場合、他方は陸海軍の全力を挙げてヨーロッパで支援を行う」というものだった。

だが、ポーツマスでの日露講和会議から帰国した後、皇帝の側近から密約の条文を見せられたロシア外相ウィッテはすぐに「こんな一方的な約束は即刻破棄すべきです」とニコライ二世に進言した。

ウィッテは、フランスやイギリスがドイツの頭越しにロシアを直接攻撃する可能性はほとんど存在しない以上、この約束は「独仏戦が勃発した際に、ロシアがドイツ側に立って参戦する義務を生む」だけの、ロシア側には損な取引だと見抜いたのである。

この「ビヨルケの密約」と同様の不公平さが、英仏両国の提案する新協定案にも存在するのではないかとの疑念を、スターリンとモロトフは感じていた。

ソ連側は、東欧で集団安全保障を機能させるためには、迅速《じんそく》な対応が肝要であり、国際連盟や援助対象国の許可を得るのに一定の時間を要するような条文は、協定の意義を失わせると考えていた。それに対し、英仏両国は、ポーランドとルーマニアが共に、有事の際にソ連の軍隊が自国領内に入ることを絶対に認めないとの声明を発表していたことを考慮し、これらの国が納得できるような形で協定を受け入れさせるために、両国の合意や国際連盟という第三者機関の介在を、一種の「保険」として含めようと考えていた。

しかし、交渉の過程で協定による援助対象国が拡大され、その中に西欧のベルギーや南欧のギリシャ、北欧のフィンランドが含まれると想定されたものの、これらの国は有事の際に外国からの援助を拒絶する意向を示していなかった。従って、英仏案に従えば、もしドイツが東欧以外の国を攻撃した場合、ソ連の安全に直接関係のある東欧の国を攻撃した場合よりも迅速に、ソ連が援助義務を負うことになることは明白だった。

モロトフは、六月十六日にこうした不満を自ら英仏大使へと伝え、また同日中に次のような内容の電文を、駐英ソ連大使イワン・マイスキーと駐仏大使スーリッツに発信した。

「英仏は、彼らに有利で我々に不利な条約を結びたがっているように思われる。彼らは、義務の相互性と平等という原則に応じた条件を、真剣に望んではいないのだ。もちろん、わが国は彼らの欲するような〔不平等な〕条約を結ぶつもりはない」

◆ヨーロッパ情勢と極東情勢のリンク

英仏とソ連の交渉は、ソ連側の不満により、次第に暗礁《あんしょう》へと乗り上げる形となっていったが、これはドイツにとってはソ連側に取り入る大きなチャンスだった。

六月二十六日、モロトフはイタリア駐在のソ連臨時代理大使レオン・ゲリファンドから、次のような報告を受け取った。

「ガレアッツォ・チアーノ伊外相と会談した際、ベルリンで〔駐ソ独大使の〕シューレンブルクと面会した時の話題について少し教えてくれました。チアーノの話では、シューレンブルクは独ソ関係を改善する道として、次の三点を重視していたそうです。

第一に、日ソ間で発生している国境紛争を解決するため、ドイツが貢献すること。

第二に、独ソが不可侵条約を締結するか、またはバルト諸国の独立を独ソ両国が保障する可能性を協議すること。

第三に、独ソ両国間に広範な通商協定を締結すること」

報告で触れられた「日ソ間の国境紛争」とは、この年の五月十一日に満洲国とモンゴル人民共和国の国境で発生した、いわゆる「ノモンハン事件」のことだった。満洲国とモンゴルは、実質的に日本とソ連の「保護国」であり、この紛争でも中心的な役割を担ったのは満洲国軍やモンゴル軍ではなく、日本軍とソ連赤軍の戦闘部隊だった。

イタリア外相チアーノ経由で「さりげなく」もたらされたこの情報は、スターリンの強い関心を惹《ひ》くこととなった。日露戦争（一九〇四～〇五年）で日本が極東の新興国として頭角を顕した二〇世紀の初頭から、ロシア／ソ連の仮想敵国は、西のドイツと東の日本だと理解されていたからである。

そして、一九三一年九月の満洲事変により日本が満洲全域を支配下に置いたことで、ソ連はこの「東の仮想敵国」日本の衛星国と、直接的に国境を接する形となっていた。

ソ連政府は、一九三〇年代を通じて、国内における工業基盤の整備と軍事力の増強を最優先政策とし、国外問題への関与は極力控える姿勢をとっていた。そのため、一九三二年三月に「満洲国」が独立を宣言した時も、スターリンは日本の動向を暗に牽制する内容の声明を発表したものの、具体的な対抗措置をとることはせず、同年十二月には逆に、不可侵条約の締結を日本政府へと打診していた（日本側はこの申し出を拒絶）。

しかし、一九三七年七月の盧溝橋《ろこうきょう》事件を機に、日中戦争が本格化すると、スターリンは日本の軍事力を「北」のソ連ではなく「西」の中国に向けさせることが自国〔ソ連〕の利益に繋がると判断し、日本と敵対する蔣介石《しょうかいせき》の国民党への軍事支援を開始した。ソ連政府と国民党は、一九三七年八月二十一日に南京で「中ソ不可侵条約」を締結し、国民党は主にソ連製の兵器を購入するための借款《しゃっかん》協定に調印した。

ソ連から中国への対中借款協定は、一九三八年三月一日の第一回協定を皮切りに、計三回にわたって締結され、蔣介石の国民政府はソ連から供与された計二億五〇〇〇万ドルの借款で、航空機約四八〇機と戦車約八〇輌、各種機関銃七七二五挺、小銃五万挺、砲弾五〇万発、小銃／機関銃弾一億一〇〇〇万発、爆弾一万六五〇〇発などを購入した。

また、ソ連側は一九三八年五月の時点で一二四機のソ連製戦闘機と八五六人のソ連人パイロットを、義勇兵という名目で国民軍の戦列に加わらせたのに加えて、計九万人にのぼる国民軍の兵士をソ連国内に迎え入れ、各種の軍事教練を施していた。こうしたソ連から国民党への軍事援助は、日ソ関係を急速に悪化させる結果をもたらした。

それに伴い、満洲国とソ連およびモンゴルの国境では、日本／満洲軍とソ連／モンゴル軍の間で国境紛争が激化するようになり、一九三八年七月～八月の張鼓峰《ちょうこほう》事件（ソ連側呼称はハーサン湖の戦い）と、一九三九年五月～九月のノモンハン事件（同ハルハ川の戦い）によって、満洲国境における日ソ両国の軍事的緊張はピークを迎えた。

後者のノモンハン事件は、満洲国とモンゴルの境を流れるハルハ川流域の国境紛争だったが、ソ連側は重要な同盟国であるモンゴルの安全と国益を守るため、大規模なソ連軍の戦闘部隊と膨大な補給物資を現地へと送り込んでいた。

ゲリファンドの報告がモスクワに届いた翌日の一九三九年六月二十七日、モンゴル領内のタムツァク・ブラク（日本側呼称はタムスク）一帯を、一〇〇機を超える日本軍機が越境攻撃し、現地に展開していたソ連空軍に大きな損害を与えるという事件が発生した。

この日本軍による軍事行動の拡大により、ソ連側は否応なく、この国境紛争に本腰を入れて取り組む方針をとらざるを得なくなった。

だが、日本側がこの紛争をさらに拡大させたなら、ソ連側もそれに見合う兵力を、極東の辺境地に派遣する必要が生じる。そのため、スターリンはこれらの国境紛争の規模を、一定のレベルに抑える必要があると考え始めていた。

そんな時に提示されたのが、日本の同盟国ドイツが「日ソ間で発生している国境紛争を解決するために貢献する」との、ドイツ大使シューレンブルクの構想だった。

この段階では、この構想がシューレンブルクの私見に過ぎないのか、それともヒトラーやリッベントロップの意図を反映した外交上の「観測気球」なのかを判断するのは難しかった。しかし、その本来の主旨が「ソ連の脅威に対抗するための同盟」であるにせよ、ドイツと日本の同盟関係（防共協定）という構図は、ソ連の極東国境を安定化させるために、スターリンが利用可能な政治的要素であることは確かだった。

◆「天津租界の封鎖」への対応に追われるイギリス

ソ連の指導者スターリンが、ノモンハンで発生した国境紛争への懸念を募らせていたのと同じ頃、イギリスのチェンバレン政権もまた、ヨーロッパのドイツとポーランドの緊張という問題と並行して、極東で進展している新たな衝突への対応に追われていた。

日本軍が一九三九年六月に断行した「天津租界《てんしんそかい》」の封鎖である。

一九三九年四月九日、天津の英国租界で、親日派の中国人官吏・程錫庚《チエンシーグン》の暗殺などのテロ事件が、相次いで発生した。だが、イギリス総領事とロンドンの英本国政府間の連絡不備が原因となり、犯人の日本側への引き渡しが遅れるという事態が生じていた。

これに対し、日本側は報復として六月十四日に天津の英仏租界に通じる七つの道を封鎖し、犯人の即時引き渡しと共に、租界内での「法幣《ほうへい》」流通禁止と「法幣」に対する支援政策の停止を、イギリス政府に要求した。

「法幣」とは、中国の国民政府が緊急令を発して幣制改革を断行し、銀本位制の「銀円」に代わる通貨として、一九三五年十一月四日に導入を決定した、独自通貨のことである。蔣介石を指導者とする国民政府が「法幣」導入を発表すると、英政府はこれを全面的に支援する方針を打ち出し、法幣を英ポンドと固定為替でリンクさせる政策が採られた。

この国民政府の決定に際しては、同政府の財政顧問として同年九月に中国入りしたイギリスの経済専門家フレデリック・リース＝ロスの助言が、重要な役割を果たしていた。

これに対し、日本側は日中戦争の勃発から四か月後の一九三七年十一月以降、日本軍の軍票を現地通貨として大量に流通させたほか、一九三八年三月には北平（北京）で日本支配下の「中国連合準備銀行」を設立して「連銀券」と呼ばれる貨幣で対抗した。だが、イギリス政府が価値の維持を図る法幣には太刀打ちできず、連銀券は日本軍占領下の都市以外では全く相手にされなかった。

そのため、日本は国民政府の「法幣」を裏で支えるイギリスに対して、次第に憎しみを募らせており、親日派の中国人官吏が天津で殺害された事件に乗じて、国民党の「法幣」に対する支援を打ち切らせようと試みたのである。

これにより、中国における日本とイギリスの利害衝突は、円経済ブロックと法幣を含むスターリング（ポンド）経済ブロックの通貨戦争という新たな対立図式へと発展した。だが、ヨーロッパでドイツとポーランドおよび英仏の緊張が高まる中で、日英関係を極端に悪化させることは得策ではないと考えたハリファックス英外相は、いったん態度を軟化させ、七月十五日からの「有田《ありた》・クレーギー会談（日本の外相有田八郎《はちろう》と駐日英大使ロバート・クレーギーの会談）」で大幅な譲歩を行った。

そして、七月二十二日には「イギリスは中国における日本軍が自己の安全確保と治安維持に特殊の要求を持つことを理解し、その邪魔をしない」ことを承認する形で、天津問題に関する日英仮協定が調印された。

しかし、「天津租界」封鎖事件の収拾段階における、イギリス政府の日本に対する譲歩は、ヨーロッパの情勢にも思わぬ波紋を広げることとなった。

駐日および駐中国の大使や領事からの報告で、イギリス政府が日本に対して大幅な譲歩を行ったことを知ったヒトラーは、もはや「大英帝国」の威光は衰え、イギリスは世界各地で発生する個別の紛争に対処する力量を持たなくなったとの結論に到達した。

そして彼は、ドイツが今ポーランドと戦争を開始しても、これにイギリスが介入してくることはないとの確信を、さらに強めていったのである。

《ダンツィヒの緊迫と英仏＝ソ連交渉の再開》

◆一触即発の緊張に包まれたダンツィヒ

一九三九年五月から七月にかけての時期、ヨーロッパの集団安全保障をめぐる英仏両国とソ連の交渉は、互いの疑心暗鬼から暗礁に乗り上げ、ドイツとソ連もいまだ双方が関係改善の糸口を模索している足踏み状態にあったが、こうした外交面の停滞《ていたい》とは対照的に、人々の感情的な対立と衝突が、ますます熱を帯びている場所が存在した。

ヨーロッパにおける戦争の火種として燻り続けるダンツィヒ／グダニスクである。

五月二十日、まずダンツィヒ自由都市内のカルトホフという町で、ポーランドの税関監督官が、制服を着用したナチ党員に襲われる事件が起きた。

二日後の五月二十二日、今度はナチ党員がダンツィヒ市内で、何者かに撃たれて死亡する事件が発生した。この二つの事件を機に、三月初頭にいったん沈静化していたダンツィヒにおけるドイツ人とポーランド人の対立が再燃し、やがてドイツとポーランドの両国政府を巻き込んだ緊張状態へと発展していった。

ヒトラーは、私服を着せて観光客に偽装したドイツ軍人とナチ党の親衛隊および突撃隊員を、全面衝突に備えてダンツィヒに送り込むよう命じ、その数は五月末までに一万人に達していた。その中には、第4SS髑髏《どくろ》連隊の将校も含まれていたが、彼らはダンツィヒの若者を募集して、現地で「SS郷土部隊《ハイムヴェーア》」を編成するよう命令を受けていた。

六月一日、ドイツ外相リッベントロップは、国際連盟のダンツィヒ高等弁務官ブルクハルトと面会し、「もしポーランドの新聞が〔反ドイツ的な〕論調を抑制し、ポーランド政府が〔ドイツに対する〕敵対行為を差し控えるなら、ドイツはダンツィヒの緊張緩和に向けた努力を開始する」との説明を行った。

しかし、このリッベントロップの説明は、ドイツが当時進めていた行動を偽装するためのカモフラージュに過ぎなかった。

六月三日、ドイツ側のダンツィヒ市参事会は、ポーランド側に、ダンツィヒにおける税関監督官数の削減を要求した。六日後の六月九日には、ナチ党所属の武装勢力である突撃隊（SA）の参謀長（隊長はヒトラーの兼任とされているため、事実上の司令官）ヴィクトール・ルッツェがダンツィヒを訪問し、現地のドイツ人から熱狂的に迎えられた。

こうしたドイツ側の挑発行動に対し、ポーランド側は、弱腰の姿勢を見せたのではダンツィヒのドイツ復帰という既成事実を作られてしまうとの判断から、毅然とした態度で対処する方針を固めた。そして、ダンツィヒにおけるポーランド人の税関監督官の数は、現状では逆に少なすぎるとの理由で三二人増員するとドイツ側に通告し、六月十四日にはそのうちの二〇人がダンツィヒに入った。

ダンツィヒ市参事会は、このポーランド側の動きに強硬な抗議を行ったが、受け入れられないと知ると、ポーランド人の税関監督官二人をスパイ容疑で逮捕、拘束《こうそく》した。

◆ポーランド侵攻の準備を進めるドイツ軍

ドイツとポーランドの双方が、ダンツィヒ問題に関して強硬姿勢で相手と対峙する方針をとるようになると、両国の関係は再び、一触即発の状態にまで険悪化した。

ダンツィヒとポーランドの境界には、三本の鉄道線（越境地点は四か所）と七本の道路が存在したが、ポーランド側は、ダンツィヒに通じる主要な道路付近に対戦車壕の構築を開始し、境界の遮断機も木製から頑丈な鉄製へと作り替えられた。

対するドイツ軍上層部では、ポーランドに対する軍事侵攻に備えた命令が、指揮系統の各層で次々と下されていった。

六月十四日、第3集団軍司令官ヨハネス・ブラスコヴィッツ歩兵大将は、ドレスデンにある同集団軍の司令部から麾下《きか》部隊に対し、ポーランド攻撃のためのすべての準備を、八月二十日までに完了するよう命令した。

翌六月十五日、陸軍総司令部は第1集団軍（後の北方軍集団）司令官フェードア・フォン・ボック上級大将と、「ルントシュテット研究幕僚部」（後の南方軍集団）という秘匿名を付与された組織の司令官ゲルト・フォン・ルントシュテット上級大将に、対ポーランド戦の作戦計画を完成させるよう命じた。

二日後の六月十七日、ドイツの宣伝相ヨーゼフ・ゲッベルスはダンツィヒのドイツ系住民に対し、次のようなメッセージを送って、彼らの民族意識を煽《あお》り立てた。「我々の希望は、諸君の希望でもある。総統は、ダンツィヒはドイツの都市であり、ドイツに還ることになろうという、明確な発言をなされた。総統が、脅しを恐れて尻込みするとか、あるいは圧力に屈すると思うならば、それはきわめて危険な思い違いである」

それから五日後の六月二十二日、ドイツ国防軍総司令部は、ポーランド攻撃の時間表を作成するのと共に、秋季演習の名目で、予備役兵を召集することを決定した。六月二十四日には、ダンツィヒとポーランドの境界にあるヴィスワ川下流のディルシャウ（ポーランド側呼称はトチェフ）にある鉄道橋を、無傷で占領確保するための計画が作成された。ダンツィヒ市内からドイツ領東プロイセンへと直接通じている鉄道線は、一本もなかった（地図2を参照）。そのため、ドイツ軍が軍事作戦を有利に進めるには、ダンツィヒ市と東プロイセンを結ぶ鉄道線上にあるこの重要な鉄橋を、ポーランド軍が爆破する前に、迅速に占領・確保することが不可欠だった（第五章で詳述）。

六月末、ドイツ政府は海軍の軽巡洋艦ケーニヒスベルクをダンツィヒに親善訪問させる予定であると、ポーランド政府に通告した。その入港予定は八月二十五日だったが、ドイツ軍はこの軍艦がダンツィヒのポーランド軍兵営に向けて最初の一弾を放つのと同時に、ポーランドに対する全面的な軍事侵攻を開始する計画を立てていた。

国際連盟の管理下にあるダンツィヒの港へ、ドイツ海軍の軍艦が入港することを阻止する国際法上の権利を持たないポーランド政府は、黙って承認するしかなかった。しかし、ダンツィヒ市内では、ドイツ系住民が軍事訓練を繰り返していたため、国境のポーランド側ではポーランド国境警備隊の機関銃座が、不測の事態に備えて警戒態勢に入った。

◆ダンツィヒ問題の展開を注視する英仏ソ三国

七月二日から三日にかけての夜、極東のノモンハンでは、日本軍の第23〔歩兵〕師団と第1戦車団から成る大兵力が、ソ連軍とモンゴル軍に対する大規模な攻撃を開始した。

現地におけるソ連／モンゴル軍の指揮権は、国防人民委員（国防相）クリメント・ヴォロシーロフ元帥の命令により、六月五日付で当時の白ロシア軍管区副司令官ゲオルギー・ジューコフ中将に委ねられていた。第57特別軍団長という役職を与えられたジューコフは、手持ちの戦車旅団や装甲車旅団を積極的に前線へと投入して防御作戦を展開し、甚大な損害と引き換えに、ハルハ川の西岸へと進出した日本軍を撃退することに成功した。

だが、スターリンの鋭い視線は、極東の国境紛争だけでなく、ダンツィヒをめぐるドイツとポーランドの関係悪化という問題にも向けられていた。

七月七日付のソ連共産党機関紙『プラウダ』は、ダンツィヒのドイツ人義勇兵部隊を解散するよう、ポーランド政府がダンツィヒ市参事会に要求したことを報道し、二日後の七月九日付同紙では、ダンツィヒのポーランド税関局長室が、ドイツ秘密警察による捜索を受けたと報じた。

ドイツとポーランドの関係悪化は、ポーランドの隣国であるソ連にとっても決して他人事ではなかったものの、すぐにソ連政府が打てる妙手は何もなかった。そのため、ソ連側はヒトラー政権に対する直接的な批判を以前よりトーンダウンさせる代わりに、ダンツィヒ問題を意識的に大きく報道することで、ソ連側がこの問題に注目していることを示し、ヒトラーとポーランド政府の双方を牽制しようと試みたのである。

ポーランドと友好関係にある英仏両国もまた、ダンツィヒ問題の行方を懸念していた。七月十日、英首相チェンバレンは下院議会で演説を行い、「ダンツィヒは戦略的にも経済的にもポーランドにとっては死活問題であり、もしドイツが一方的な実力行使によってダンツィヒ自由都市の運命を左右しようとするなら、イギリスは武力によって干渉するつもりである」と、ヒトラーに警告を発した。

フランス国内では、右派と左派それぞれの一部が「フランス人がなぜダンツィヒのために死ななくてはならないのか」と、この問題にフランス政府が関与することに反対する主張を叫んでいたが、世論の大勢を動かすことはできず、フランス政府もまた、イギリス同様に「不測の事態が発生すれば介入する」との姿勢を崩さなかった。

しかしその一方で、英仏両国政府は、ポーランドが英仏の支援を過大評価して「気が大きく」なり、ドイツを不必要に挑発することを危惧していた。

七月十四日、英軍の海外展開軍総監エドムンド・アイアンサイド大将は、駐英ポーランド大使ラチンスキを訪問し、「ポーランドに対するイギリスの保障を、どのようにして行うかについて協議するため、自分はワルシャワを訪問するつもりである」ことを伝えた。

しかし実際には、アイアンサイドがポーランドを訪れる本当の目的は、ポーランドがイギリスの意図を誤解して、ドイツに対して過度に強気に出るのを抑えることだった。

七月十八日と十九日の二日間にわたって、ワルシャワで行われたイギリスとポーランド両軍高官の協議で、アイアンサイドは「ポーランド軍はイギリスの事前の了承なしに〔ドイツに対する〕軍事行動をとらないよう」強く要請した。ポーランド側はこれを了承し、問題がダンツィヒ問題に限定されている場合は、自分から軍事行動を起こすことは控えると、英軍代表のアイアンサイドに約束した。

そんな時、停滞していた英仏とソ連の交渉に関して、再開の糸口となる提案が、ソ連側から提示された。

七月十七日、ソ連外相モロトフは「ソ連の欲しているのは、政治と軍事の二つの協定ではなく、政治と軍事を包括《ほうかつ》した『単一の協定』である」として、ソ連が英仏両国と進めている政治と軍事の両協定の交渉をリンクさせることを主張したのである。

◆それぞれの思惑を秘めた英仏とソ連の交渉再開

ソ連側がこのタイミングで「政治と軍事の両方を包括した協定」の締結を急いだ背景には、前記したノモンハンでの国境紛争の激化と、ダンツィヒの緊張状態の高まりという、同時進行する二つの事件が存在していた。

広大な国土の両側面で発生した、これらの緊張および紛争に対し、ソ連は単独で対処することを避けたかった。最悪の場合、西のドイツと東の日本を同時に敵とする形になってしまうからである。

そのため、ヨーロッパと極東の両方に一定の影響力を持つ英仏との同盟関係構築は、少なくともこの時点では、ソ連にとって大いに価値のある選択肢だったのである。

これに対し、英政府では予想外の長期化という様相を呈しているソ連との交渉に疲れ、対ソ協調はイギリスの国益に寄与するという意見と、ソ連にはあまり期待すべきでないとする意見に分かれ始めていた。

駐ソ英大使シーズと共にモスクワで交渉に当たっていた、外務省中欧局長のストラングは、七月二十日、次のような言葉で、対ソ交渉の難しさを英本国に報告していた。

「ソ連政府には、ヨーロッパの問題から手を引いて孤立主義に回帰する選択肢と、ドイツとの和解という選択肢の二つがありますが、イギリスはポーランド保障などの義務を考慮した上で、戦争回避の『平和主義』を推進する選択肢しかありません」

英外相ハリファックスもまた、七月十九日の閣議で「ソ連との交渉が成功するかどうかは、もうあまり意味がないのではないか。なぜなら、条文内容をどんな形にしても、いざ戦争となったら、ソ連はおそらく自分に最も都合のいい行動をとるだろうから」と、一種の諦めとも言える言葉を口にしていた。

しかし、英首相チェンバレンは、逡巡《しゅんじゅん》の末にソ連との交渉継続を決心し、七月二十一日に「政治と軍事の両協定をリンクさせた英仏ソ三国交渉の開始」に同意するとの意向を、モスクワのシーズ大使を通じてソ連政府に伝達した。

七月二十五日、イギリス政府は、本格的な軍事会談の準備を開始するとソ連政府に伝達し、翌七月二十六日の閣議では、軍事会談に臨むイギリス代表団の基本的方針が討議された。この閣議で決定した内容は、次のようなものだった。

一、政治協定が締結に至るまでの間、軍事会談を「きわめて緩慢《かんまん》に進める」こと。

二、英仏側の軍事計画に関する情報をソ連には可能な限り与えず、ソ連側からは可能な限りその〔軍事計画の〕情報を聞き出すこと。

三、ソ連とポーランドの間に、良好な関係を作り出すよう努めること。

この基本方針に従い、英外務省と英陸軍参謀本部は、「イギリス代表団がソ連側から聞き出すべき軍事情報」について、二〇項目にも及ぶ詳細なマニュアルを用意した。

ストラングは、ソ連との軍事交渉開始に当たり、イギリス側が「本気」であることを示すために「少なくとも一名の軍高官を派遣する」ことを、本国政府に進言した。しかし英政府は、ダンツィヒの情勢が流動的であることから、今回もかなり長期間にわたると予想されるソ連との交渉に、貴重な軍高官を割り当てることはできないとし、既に退役していた英海軍のレジナルド・ドラックス提督を代表団長に任命した。

ドラックスは、前年までプリマス海軍司令部長官を務めた人物だったが、国際的な知名度は皆無に等しく、このような人選ではソ連側がイギリス政府の「本気度」に疑問を持つのではないかという懸念を、ストラングは抱いた。

そして、この代表団がモスクワ入りする道程について知らされた時、ストラングの懸念はより深刻なものとなった。

ロンドンからモスクワまでは、飛行機なら丸一日で移動できる距離だったが、英仏両国政府は、交渉成立に焦っている印象をソ連側に与えれば、相手に心理的な優位を奪われるとの判断から、急がずに「悠然《ゆうぜん》」とモスクワ入りすることにした。

彼らは、ヨーロッパの情勢が風雲急を告げているこの時期に、以前は南アフリカ航路で使用していた速度の遅い旧式の貨客兼用船「シティ・オブ・エクセター」で、海上をのんびり行くコースを選んだのである。

《対ソ交渉におけるドイツの大逆転》

◆水面下で歩み寄りを始めた独ソ両国

イギリスとフランスの両国政府が、ソ連との交渉再開を悠長に構えていた頃、交渉相手のソ連側は、英仏両国の知らないところで、ドイツへの歩み寄りを開始していた。

ベルリンに駐在するソ連大使館の参事官兼臨時代理大使ゲオルギー・アスタホフは、七月十九日付でモロトフに送付した書簡の中で、次のような情勢報告を行った。

「ドイツの上層部が関心を持っている主なテーマは、英仏とわが国〔ソ連〕の会談の行方です。〔ドイツ政府系メディアによる〕反ソ宣伝は、〔かつては盛んだったものの〕最近は下火になり、ボリシェヴィズムという〔政治的攻撃臭を帯びた〕語句を使わず、ソ連を〔自国と対等な〕国家として扱っています。

さらに、反ソ的な悪口雑言《あっこうぞうごん》の代わりに、イギリスと手を切ってドイツと仲良くし、ポーランドを独ソ両国で分割しようと『助言』してくる一連の匿名《とくめい》の手紙が、全権代表部〔ベルリンのソ連大使館〕へと送られてきます」

七月二十二日、ソ連国営タス通信は、ソ連とドイツの両国通商代表が会談を行い、通商とクレジット（貿易借款）に関する交渉を行っていると報道した。その四日後の七月二十六日、ドイツ政府はソ連に対し、一九二六年四月二十四日に独ソ間で締結された友好中立条約の再確認を求めた。

ヒトラーのドイツとスターリンのソ連が、今なお「犬猿の仲」だという固定観念に囚われていた英仏両国政府は、これらの報道に大きな衝撃を受けた。それでも、彼らはモスクワで英仏とソ連の交渉が進展すれば、東西からドイツを圧迫する強力な包囲環が出来上がるという楽観的な見通しを捨て切れなかった。

しかし、イギリス外交部の中には、このドイツとソ連の接近を、不安な眼差しで注視する人間も存在した。イギリスの駐独大使ネヴィル・ヘンダーソンは、七月四日に英外務次官カドガンへと送った報告書の中で、次のような不吉な予測を書き記していた。

「先日ベルリンでゲーリングと面会した際、彼は『ドイツとソ連は将来にわたって常に敵であるとは限らない』と言っていました。

縁起《えんぎ》でもないことですが、もしポーランドが自分たちの勇敢さについての態度を慎まないか、または自国の地理的位置の深刻さを熟慮しなかったなら、あるいは『第四次ポーランド分割』という恐ろしい事態を招くかもしれません」

◆ヒトラーの対ソ接近を早めたダンツィヒでの「事件」

七月二十七日、ドイツ陸軍総司令部はダンツィヒ平定作戦の命令書を作成し、あとはヒトラーが自身の署名と日付だけを記入すれば発効する状態となった。

同じ日、フランスのベルリン駐在代理大使は、次のような報告を本国に送付した。

「ヒトラーはまだ、最終的な〔対ポーランド〕戦争の決断を下していない模様です。

入手した情報によると、ドイツ政府内は現在、戦争の危険を冒すことなく今回もチェコの時と同様に〔英仏がドイツに譲歩して〕目的を達成できるという楽観論を唱えるリッベントロップ外相と、これ以上のドイツの行動は英仏両国との戦争を引き起こす可能性が高いという慎重論を唱えるゲーリング航空相の、二手に分かれて拮抗《きっこう》しているようです」

しかし、ドイツ人の民族意識が過熱する一方のダンツィヒでは、遂に現地の指導者が、ポーランドに対する重大な「挑発行為」を行い始めていた。

八月一日、ナチ党ダンツィヒ大管区長フォルスターは、同地のポーランド公使ホダツキに対し、もし八月八日までに問題解決の取り決めがなされないなら、ダンツィヒは東に隣接する〔ドイツ領〕東プロイセンとの国境を開放するつもりだと非公式に伝えた。

実際には、ダンツィヒのナチ党指導者に過ぎないフォルスターは、そのような決定を下す権限を持たなかったが、東プロイセンとの境界を取り除くということは、ダンツィヒのドイツへの併合を意味していた。

そして、ダンツィヒ市参事会は八月四日、フォルスターの発言を裏付けるかのように、八月六日以降は東プロイセンとダンツィヒの境界にある四か所の税関では、ポーランドの監督官には任務遂行の必要を認めないとの通告を、ポーランド政府に対して行った。

これを知ったベックは、ダンツィヒ市参事会の自国に対する重大な挑戦であると受け止め、今までにも増して強硬な対応策をとった。ポーランド政府は同日夕刻、ダンツィヒ市参事会に対して、二四時間以内にこの通告を撤回し、ポーランド人監督官の任務遂行を書面で保障するよう要求したのである。

また、ポーランド政府は、ダンツィヒ市参事会側の回答次第では「最も強硬な手段で対抗する」と警告した。これは、ポーランドがダンツィヒに対して発した、事実上の「最後通牒」であり、ドイツ側は「最も強硬な手段」との言葉を「武力行使」と理解した。

八月五日の朝、フォルスターはヒトラーの指示を仰ぐため、ヒトラーの山荘があるベルヒテスガーデンへと飛んだ。ここでヒトラーが出した指示に従い、ダンツィヒ市参事会議長グライザーが同日の午後にポーランド公使ホダッキを訪問し、「ポーランドの税関監督官は今後も、何ら妨害を受けることなく任務を遂行できることを保障する」と伝えた。

翌八月六日、ダンツィヒに戻ったフォルスターも、外交担当責任者ヴィクトール・ベッチャーと共に、国際連盟の高等弁務官ブルクハルトに面会を求め、市当局はポーランドの対応に驚いている、先の通告は「公式なものではない」のに、ポーランド側の対応は過剰《かじょう》である、と訴えた。

こうして、ドイツ側はダンツィヒでの全面的な軍事的衝突を回避するため、ポーランドに譲歩する方策をとった。ヒトラーは既に対ポーランド戦の開始を決意しており、ドイツ軍はその準備をほぼ整えていたが、イギリスとソ連の出方が判然としない現段階では、ドイツがポーランドと戦争状態に入るのは危険だと判断された。

言い換えれば、ヒトラーが対ポーランド戦争を開始できるタイミングは、スターリンの態度にかかっていた。それゆえ、ヒトラーはソ連がポーランド問題に不干渉の立場をとるよう仕向けるべく、ソ連との外交交渉を急ぐよう指示したのである。

◆英仏代表団の振る舞いに失望したソ連

八月十一日、国際連盟のダンツィヒ高等弁務官ブルクハルトは、ダンツィヒのナチ党大管区長フォルスターと共に、ヒトラーの専用機でベルヒテスガーデンに招待された。

ブルクハルトを出迎えたヒトラーは、八月四日にポーランドがダンツィヒに突きつけた最後通牒の内容を声高に非難した後、次のように述べた。

「もしポーランド側が、今後〔ダンツィヒに対して〕少しでも不審な動きを見せたなら、わが国は彼らが予想もしていないほど強力な兵器の全てを投入して、電光（ブリッツ）のごとく、彼らに襲いかかるでしょう」

それを聞いたブルクハルトが「それでは、新たな世界大戦を生むことになりますよ」と諫めると、ヒトラーはさらに強い調子で、こう言葉を続けた。

「もし、わが国が戦争を行わねばならないとしたら、私は明日ではなく今日、開戦することを選びます。私は、ヴィルヘルム二世〔第一次世界大戦時のドイツ皇帝〕のように、全ての兵器を全面的に投入することをためらったりはしません。やるとなったら〔持てる力の全てを投入して〕容赦なく、全力で戦うでしょう」

ヒトラーが、ポーランドとの戦争を既に覚悟しているらしいと悟ったブルクハルトは、少し心配になって「家族をこのままダンツィヒに留めておいて大丈夫でしょうか」と質問した。すると、ヒトラーは「スイスに帰されるのが賢明でしょう」と冷たく返答した。

ヒトラーはこの日を境に、ポーランドとの関係でダンツィヒ問題を第一に考えることをやめ、「ポーランド国内のドイツ系住民が〔ポーランド政府に〕迫害されている」という論点に切り換えて、ポーランドに対する政治的攻撃を開始した。

これは、チェコスロヴァキアの解体とチェコ併合に際して、ズデーテン問題を最初の口実にした時と同じパターンだった。

一方、ヒトラーとブルクハルトの会見が、ベルヒテスガーデンで行われていたのと同じ日、英仏両国の軍事交渉団が、六日間の長旅を終えてようやくモスクワに到着した。

八月五日にイギリスの港を出港した軍事交渉団は、北海からバルト海へと航行し、八月九日から十日にかけての真夜中にレニングラード港へと到着した。ここで船を下りた一行は、鉄道で丸一日かけてモスクワへと向かい、八月十一日にソ連側の出迎えを受けた。

八月十二日、英仏両国とソ連の軍高官による軍事会談の幕が開いた。ソ連側は、国防人民委員ヴォロシーロフと、参謀総長ボリス・シャポシニコフ上級大将という、ソ連赤軍のトップ二人が参加していたが、イギリスは前記したドラックス提督、フランスは第1地域軍司令官ジョゼフ・ドゥーマン大将という、ソ連側に較べると大きく見劣りする二線級の人物が代表団を率いていた。

会談の冒頭、さっそくソ連側を大きく失望させる出来事が発生した。

ソ連側は英仏両代表団に対して、このような重要な交渉を行う全権代表としての権限の明示を求めたが、フランス代表は全権委任状の書面を開示したものの、イギリス代表はこれを持参しておらず、ソ連側に示すことができなかった。

会談が始まると、ソ連側は有事の際における英仏両軍の軍事計画について尋ねたが、イギリス代表は政府から指示された通り、その情報の開示をやんわりと断った。こうした英仏代表団の振る舞いは、ぱっとしない代表団の人選や、長々と時間をかけてモスクワ入りした経緯も含め、ソ連側に強い不信感と失望感を与えるのに充分だった。

ソ連外相モロトフはこの日（八月十二日）、主に政治問題を討議する独ソ会談の開催に合意するとの意向を、モスクワ駐在のドイツ大使シューレンブルクに伝達した。

◆英仏を完全に出し抜いたドイツ外交

八月十四日、ドイツ外相リッベントロップは、モスクワのシューレンブルク独大使に、モロトフ外相か、できればスターリンに会って「バルト海と黒海の間には、ポーランド問題を含め、独ソ両国が完全に満足する形で解決できない問題はない」というドイツ側の認識を提示した上で、リッベントロップ自身がソ連政府と直接交渉するために、モスクワを訪問する意向であることを伝えさせた。

同日、シューレンブルクからこの内容を聞いたモロトフは、リッベントロップの訪ソについては即答を避けたが、次の二点について、ドイツ側に質問した。

「第一に、貴国〔ドイツ〕は、日本軍がわが国〔ソ連〕に対して〔極東で〕敵対的行動をとらないよう、日本政府を説得できますか？

第二に、貴国は、わが国との間で相互不可侵条約を締結する意志はありますか？」

リッベントロップはすぐに、この二つの質問に「イエス《ヤー》」と回答した。

同じ日（八月十四日）、モスクワで英仏両国の代表団との交渉を進めるソ連代表団は、「ソ連が相互援助義務を履行する場合、ソ連軍のポーランドおよびルーマニア領の通行権が認められるか否か」の回答を迫った。しかし、ポーランドとルーマニアは依然として、ソ連軍の領内通過を拒否するという姿勢を変えていないため、英仏代表団はこの質問にも明確な答えを出せず、会談は完全に行き詰まってしまった。

この英仏代表団の不誠実とも言える態度に疑問を抱いた駐ソ英大使シーズは、同日、イギリス本国政府の交渉態度を批判し、軍事会談を「意図的に緩慢に進める方針」や政治会談における「曖昧な一般論」を排すること、そして有事におけるソ連軍の領内通過を認めるようポーランド政府を説得することを、強く要請した。

八月十五日、イギリス外務省は「ソ連との交渉を意図的に緩慢に進める」との方針を撤回し、政治協定と切り離した形で軍事会談の進捗《しんちょく》を図るよう、モスクワの代表団へ訓令した。しかし、ポーランドとルーマニアがソ連軍の領内通過を頑なに認めない以上、会談の進行は不可能だった。

八月十七日、モロトフはドイツ側に「ただちに経済協定に調印できるなら、ドイツ外相を一週間以内にモスクワへと迎えられます」と返答し、その間にドイツ側が研究できるよう、ソ連側の作成した条約案をドイツ大使に手交した。

同じ日、英仏ソの軍事会談において、ソ連側の首席代表ヴォロシーロフは「ポーランドとルーマニアの二国から、ソ連軍の領内通過を認める回答が得られない限り、会談は無期延期とせざるを得ない」と通告し、八月二十一日を回答のタイムリミットに設定した。ポーランド政府の説得を、半ば諦めていたイギリス政府とは異なり、フランス政府は八月十日から一週間かけて、ソ連軍の領内通過に同意するよう、ポーランドに対して強い圧力をかけ続けていた。だが、ポーランド政府は八月十八日、フランスの懇願にもかかわらず、ソ連軍のポーランド領内通過を拒絶すると返答し、英仏両国を失望させた。

ポーランドの外相ベックは「ソ連のスターリンは〔ポーランドの敗北によって〕自国がドイツと国境を接する隣国になることを認めるはずがない」との理由から、ソ連はドイツに対する緩衝地帯としてポーランドの存続を望んでいるという思い込みに囚われており、モスクワで繰り広げられていた外交交渉の進展状況を甘く見ていたのである。

だが、この拒絶の回答は、ベックが予想もしなかった形で、重大な転機となった。

八月十九日の午後二時、シューレンブルクは次のような内容のリッベントロップからの親書を、モロトフに手渡した。

「ドイツ外相リッベントロップが、あらゆる問題を一括して、全面的かつ最終的に解決できる『全権』を〔ヒトラーから〕付与されて、モスクワを訪問したいと考えます。わが国〔ドイツ〕は、両当事国間に存在する権益、たとえばバルト地域の利益圏に関する合意等を規定する『特別議定書』に署名する用意があります」

これを読んだモロトフは、シューレンブルクに対し、こう返答した。

「その提案を我々が受諾するには、完全な準備を整える必要があります。まず最初に〔独ソ両国間で〕経済協定を調印すべきでしょう」

午後三時に会見が終わった後、シューレンブルクは「回答をはぐらかされた」とがっかりして、いったん大使館に戻った。だが、すぐにモロトフから電話があり、午後四時三〇分にもう一度来てほしいと伝えられた。ドイツ側の提案を読んだスターリンが、すぐに動いた方が得策だと判断して、交渉の進展を急がせたことによる対応だった。

夕方に再開された独ソの交渉は、英仏とソ連の交渉とは比べものにならないほど、迅速かつ実務的に進展した。会談終了後、シューレンブルクはベルリンのリッベントロップに向けて、次のような報告を送付した。

「会談は成功しました。ソ連側は、〔リッベントロップ〕外相のモスクワ訪問に同意しました。日程は、八月二十六日または二十七日。また、モロトフは、ソ連側が作成した不可侵条約の草案を、私に手渡しました」

《「独ソ不可侵条約」締結の衝撃》

◆自ら対ソ交渉の表舞台に出たヒトラー

八月二十日、極東のノモンハンでは、ジューコフに率いられたソ連軍とモンゴル軍が、日本軍および満洲国軍に対する大攻勢を開始した。戦車や火砲の数で圧倒的な劣勢に立たされた日本軍の部隊は、各地で奮戦したものの、包囲されて各個撃破されていった。

同じ日、ポーランド政府は改めて、ソ連軍のポーランド領内への通過権を承認しないとの強い意志を、英仏両国に伝えた。そのような権利を認めることは、ポーランドに対するドイツの宣戦布告を招くことになる、というのがその理由だった。

実際には、ポーランド政府が恐れたのは、ドイツの宣戦布告ではなく、有事の際にポーランド領内へと入ったソ連軍部隊が、そのまま東部の地域に居座り、そこでソ連の領有権を主張するという展開だった。

一九二一年三月十八日のリガ条約で、ソ連政府はポーランドとの国境を承認していたものの、ポーランド東部には今なお、三〇〇万人以上のウクライナ人と、二〇〇万人以上の白ロシア人が居住していた。そのため、もしソ連がドイツと同様に「ポーランド領内のウクライナ人や白ロシア人の権利回復」を口実に、それらの地域をソ連邦のウクライナや白ロシアへ併合すると宣言したなら、ポーランドの国土は東西に引き裂かれてしまう可能性が高かったからである。

だが、ポーランドを取り巻く情勢は、刻一刻と劇的に変化していた。

フランス政府は八月二十一日、ポーランドの意向を無視して、独断でその〔ポーランド領内通過の〕権利をソ連側に保障するという「裏技」さえ検討した。しかしイギリスは、そんなまやかしの手段は通用しないと反対し、フランス政府も思い留まった。

この日、ヴォロシーロフは遂にしびれを切らして「この〔ポーランドとルーマニアの領内通過権という〕問題が解決しない限り、〔英仏とソ連が〕話し合いを続けても無意味だ」

として、会議の中断を宣言した。

同じ日、ソ連の国営タス通信は「長期間にわたる会談の結果、八月十九日にソ連とドイツの通商借款協定が調印された」と報じた。

同日のソ連共産党機関紙『プラウダ』の論説は「この新協定は、〔独ソ間の〕緊張した政治関係によって阻害されてきた両国間の経済関係を大いに改善し、ソ連とドイツの貿易復興に寄与するだろう」とした後、次のような結論を書き記した。

「緊張した政治関係のもとで締結された新協定は、その〔緊張した〕空気を一掃する役割を果たすものである。それは、ソ連＝ドイツ間の経済のみならず、政治関係のさらなる改善にとって、重要な一歩となるだろう」

この通商借款協定の成立により、リッベントロップがモスクワ入りする道が開かれた。だが、ソ連との交渉において、一時的とはいえ、英仏よりもドイツが有利な状況が生じていることを見抜いたヒトラーは、あと一週間も待っていたのでは情勢が変わってしまうかもしれないと考え、一刻も早くスターリンとの条約を締結できるよう、自ら外交の表舞台に出て、ソ連を自国の側へと引き寄せようと試みた。

通商借款協定の調印翌日の八月二十日午後、ヒトラーはリッベントロップの代わりに、自らの名前でスターリンに電報を送り、八月二十二日か、遅くとも二十三日には、リッベントロップ外相をモスクワに迎えることを認めて欲しいと要請した。

ヒトラーは、ほとんど眠らずに、スターリンからの返事を待った。二四時間以上が経過した八月二十一日の午後九時三五分、ヒトラーはスターリンからの返信を受け取った。

「A・ヒトラー殿

貴書感謝します。独ソ不可侵条約の締結は、両国間の政治的関係を決定的に好転させるものと、私は期待しております。

両国の人民は互いに、平和的関係を必要とします。ドイツ政府が不可侵条約の締結に同意されたことは、両国間の政治的緊張を取り除き、平和と協力〔の関係〕を樹立する土台となることでしょう。

ソ連政府は、リッベントロップ氏が八月二十三日にモスクワに到着されることに同意したと、貴下に伝える権限を私に与えました」

ヒトラーはまたしても、壮大な博打《ばくち》で英仏両国を打ち負かしたのである。

◆ヒトラーとスターリンの利害の一致

スターリンの返信を読んで安堵《あんど》したヒトラーは、一瞬も躊躇《ちゅうちょ》せず、リッベントロップに全権を付与し、モスクワ行きの準備を命じた。

そしてヒトラーは、ソ連側の作成した不可侵条約の草案を何度も読み返したが、そこにはある重要な注記が含まれていた。

「本条約は、締約国〔ドイツとソ連〕が外交政策の分野において利害関係のある、いくつかの点を網羅《もうら》した『秘密議定書』に調印することによって、初めて発効する」

ソ連側は、不可侵条約の本文よりも、東欧はどのような境界で独ソ両国の勢力圏に区分されるのかという「戦利品の分け前」を明記した秘密議定書により大きな関心を寄せ、ドイツがこの議定書に調印しないなら、不可侵条約も締結しないとの意向を示した。

対するヒトラーにとっては、条約や議定書の内容よりも「独ソ不可侵条約の締結」そのものが重要な意味を持っていた。これにより、とりあえずポーランドとの戦争が終了するまでの間、ソ連が中立またはドイツに友好的な立場を維持し、東欧に「反ドイツの集団安全保障体制」が構築されるのを防ぐことが可能となるからである。

ヒトラーは、条約や議定書の内容など、自国に都合が悪くなればいつでも反古にできるものだと考えており、本書で述べてきた通り、一九三〇年代後半にはドイツの勢力圏を拡張するため、実際に数多くの条約を破棄していた。

八月二十二日の朝、ソ連のタス通信とドイツ国営通信は共に「独ソ両国が不可侵条約の締結に合意し、リッベントロップ独外相が八月二十三日に訪ソする」ことを報じた。

リッベントロップと独外務省の随行員（法務部長ガウス、経済政策局長ユリウス・シュヌーレ、首席通訳官パウル・シュミットなど）の計三七人から成る代表団は、八月二十二日、二機のコンドル輸送機に分乗して、飛行機でモスクワに向けて飛び立った。一行は、最初東プロイセンのケーニヒスベルクに立ち寄り、同地に一泊した後、二十三日午前七時にケーニヒスベルクを出発し、同日午前中にモスクワへ到着する予定だった。

一方、この情報を知った英仏両国は驚き、半信半疑のまま緊急閣議を召集した。

八月二十二日午後三時に始まったイギリス政府の閣議で、ハリファックス外相は「当初は大変友好的に始まった」英仏ソの軍事会談が、無期延期に至った経緯を報告した。続いて、七月二十二日に外務省が把握していた「電報第三五九号」の内容が、初めて閣僚に提示された。

この電報は、七月十七日に米国務次官がワシントンD.C.から暗号で発信し、翌七月十八日午前にイギリス側が受信したもので、その内容は「独ソ不可侵条約の可能性」や「極東における日本の侵略に対するドイツの支援停止」などに関する情報を含んでいた。暗号解読作業の遅れから、外務省は七月二十二日まで、その内容を把握していなかった。

ところが、問題の深刻さにもかかわらず、イギリス政府は驚くほど楽観的にこの情報を捉えた。独ソ不可侵条約の「噂」は、英仏を揺さぶるための「ヒトラーの常套《じょうとう》手段」であり、ソ連側はリッベントロップに対しても、英仏に対して行ったのと同様の「要求」を繰り出すはずだから、独ソ会談は長期化するだろうと観測したのである。

◆条約調印前夜における各国の動き

八月二十二日の夜、ワルシャワとロンドン、ローマ、そしてベルヒテスガーデンのヒトラーの山荘では、各国の首脳が慌ただしく動き回っていた。

ワルシャワでは、ポーランド外相ベックが、外務省の関係者を集めて対応を協議していた。外務次官ミロスワフ・アルチシェフスキは、独ソ不可侵条約の「噂」はドイツがポーランドに対して仕掛けた「心理戦」で、直接戦争につながるものではないという、英政府と同様の楽観論を主張した。しかし、事態を憂慮し、この晩は一睡もできなかったベックは、ロンドンとパリに駐在する大使に、それぞれの国と協議に入るよう通達した。

ロンドンでは、英チェンバレン内閣が緊急閣議を開き、次のような声明を発表した。

「かような出来事〔独ソ不可侵条約の締結〕は、我々が繰り返し述べ、かつ履行することを決意している、ポーランドに対する我々の義務に影響するものではない」

そして、イギリス政府は戦争の勃発に備えて予備役の召集を開始する一方、駐独大使ヘンダーソンにチェンバレンの書簡（後述）を送信し、ヒトラーに手渡すよう命じた。

ローマでは、英大使パーシー・ロレーンが、チアーノ伊外相を通じて、次のような内容のムッソリーニから英政府への親書を受け取った。

「もし、ポーランドがダンツィヒのドイツへの併合を承認するなら、イタリア政府はヒトラーと話し合いを行って、戦争回避に手を貸す用意がある」

そしてベルヒテスガーデンでは、ヒトラーが居並ぶドイツ軍の首脳部に、自らの心中を吐露《とろ》した。

「昨年〔一九三八年〕春までは、私は英仏両国との戦争を重視していた。しかし今では、わが国〔ドイツ〕が英仏と開戦した場合、ポーランドが背後からわが国を襲うであろうことが明白となった。

我々の決断は容易である。わが国には〔対ポーランド戦で〕失うものはなく、利益あるのみだ。わが国の経済は、ゲーリングがよく知っている通り、数年以上〔の戦争〕は持ちこたえられない状態にある。従って、我々には『行動』以外に、とるべき道はない。幸いにして、状況はわが国にとり、きわめて有利だ。地中海や極東、中東にも緊張が存在するゆえ、イギリスはこれらの地域にも関心を払わなくてはならないからだ。イギリスは、前大戦〔第一次世界大戦〕で弱体化した。フランスも同様だ。その他の国も〔対ポーランド戦の勃発に際して〕動くものはない。こうした幸運な状況は、あと二〜三年のうちには失われてしまうに違いない。それゆえに〔対ポーランドの〕戦争を行うのは、今しかない。

この〔ドイツとポーランドの〕戦争に、英仏が介入する可能性はきわめて少ない。両国は〔直接的に〕ポーランドを助ける手段を持たないからだ。両国は〔ドイツとポーランドの〕戦争に際して、ただ二つの〔間接的〕手段しかとり得ない。

一つは、経済封鎖だが、これは我々が東方に援助の源〔ソ連〕を獲得したことによって効力を失うだろう。もう一つは、西方からドイツへの軍事的攻撃だが、これを成功させることは〔ドイツ側の要塞により〕不可能であると思われる。

わが国は、八月二十六日を期して、ポーランドと戦争状態に入ることになろう」

この会合の後、ヒトラーは山荘の自室でモスクワからの報告を待ち続けた。

◆独ソ不可侵条約と秘密議定書の調印

八月二十三日の正午過ぎ、リッベントロップの一行はモスクワの空港に到着した。途中、ソ連領内のヴェリキエ・ルキ付近を飛行中、同機の飛行ルートを事前に知らされていなかったソ連軍の高射砲部隊が「正体不明機」に発砲する事件が起きたが、ヒトラーにとって幸運なことに（ポーランドにとっては不運にも）命中はしなかった。

ソ連側は、外務人民委員代理（外務次官）ウラジーミル・ポチョムキンが出迎えたが、空港には歓迎の装飾などは見られなかった。ただ一本用意されたドイツ国旗も、情勢の変化で急遽製作されたために、中央に描かれたナチ党のシンボルである「鉤十字（ハーケンクロイツ）」の向きが、左右逆の「卍」型となってしまっていた。

午後六時頃、ドイツ代表団はソ連政府のあるクレムリン宮殿へと赴き、リッベントロップはそこで初めてスターリンと面会した。国際情勢全般についての意見交換を慎重に行った後、独ソ両国の本格的な協議が開始されたが、スターリンは、条約締結後にラトヴィアのリバウ（リエパーヤ）とウィンダウの港を、ソ連のために譲ってくれるかと質問した。

リッベントロップは、いったん席を外してベルヒテスガーデンに連絡し、念のためヒトラーに確かめた後、この質問にイエスと回答した。

その頃ベルヒテスガーデンでは、ヒトラーがヘンダーソン英大使と面会し、彼が持参したチェンバレンの書簡を一読していた。

6 独ソ不可侵条約
1939年
8月23日
1939年8月23日の
独ソ勢力境界線
ドイツ勢力圏
ソ連勢力圏
0
100
200
km
ヘルシンキ
タリン
ナルヴァ
エストニア
バルト海
ウィンダウ
リガ
ラトヴィア
リバウ
シャウリアイ
ブラスワフ
リトアニア
カウナス
ヴィルノ
グディニア
ケーニヒスベルク
ダンツィヒ
ミンスク
東プロイセン
(ドイツ)
リダ
ドイツ
グロドノ
ソ
連
ピサ川
バラノヴィツェ
ムワヴァ
ビャウィストク
ナレーフ川
ヴィスワ川
モドリン
ピンスク
ポズナニ
ワルシャワ
ブーク川
ブジェシチ
(ブレスト)
ウージ
ラドム
サルヌイ
ピョートルクフ
コヴェル
ポー　ランド
オーデル川
ウツク
ザモシチ
サン川
クラクフ
ヤロスワフ
チェシン
ルヴフ
ベーメン=メーレン
保護領(ドイツ)
ザコパネ
ドロホービィチ
N
W
E
S
スロヴァキア
コウォムイヤ
ドイツ
ハンガリー
ルーマニア

ないと決意しています」

「一九一四年〔第一次世界大戦の勃発時〕に、わが国〔イギリス〕の政府が態度をもっと明確にしていたなら、あのような大災害〔戦争〕は避けることができただろうといわれています。この主張が正しいか否かはともかく、わが国の政府は今回、あのような轍《てつ》は踏まないと決意しています」

読み終わったヒトラーは憤激し、ヘンダーソンに「現在のような危機を引き起こした責任は、すべてイギリス政府にある」と、長々とした反論を行った。

ヘンダーソンが退去すると、ヒトラーは膝を叩いて言った。

「わが国とソ連の不可侵条約が締結されれば、チェンバレン内閣はおそらく一日と持たないだろう」

同じ頃、ポーランド外相ベックは、事態の急変に動揺し「ドイツの攻撃に共同で対処する場合、ソ連と協力する場合もあり得る」との発表を行い、それまで頑なに拒絶し続けてきた「ソ連軍の領内通過の承認」に含みを持たせる態度に出た。

しかし、ベックの方針転換は、あまりにも遅すぎた。

モスクワでは、独ソ双方の代表者による協議が、順調に進展していたからである。

この時点では既に、ドイツ軍のポーランド侵攻は「既定の方針」としてソ連側にも認識されており、東西に分割されるポーランドとバルト三国、それにルーマニア東部のベッサラビア地方における境界線の位置を規定する秘密議定書が、条約正文に付帯されることで合意に達していた。

午後八時過ぎ、リッベントロップはこれらの要点に関してヒトラーの了承を得るために再び席を離れ、ドイツ本国へと電話を繋がせた。約三時間の休憩後、総統の承認を得た彼が交渉に復帰し、日付が変わった二十四日の午前二時頃、両国の外相リッベントロップとモロトフが、独ソ不可侵条約の最終文書と附属の秘密議定書に署名した。

独ソ不可侵条約は、全部で七か条から成り、第一条では「独ソ相互間での攻撃や侵略的行動を禁じる」、第二条では「独ソの一国が第三国と戦争状態になった場合、他方はいかなる形態でもその第三国を支持してはならない」となっていたが、前記した通り、実際に重要な意味を持っていたのは秘密議定書だった。

その秘密議定書は、三つの条項で東欧全域の勢力範囲を区分していたからである。

第一項では、フィンランド、エストニア、ラトヴィアがソ連の勢力範囲に含まれ、リトアニアとヴィルノ（ヴィリニュス）がドイツの勢力範囲に含まれると規定されていた。

第二項では、ナレーフ、ヴィスワおよびサンの諸川の線に沿って、ポーランドの分割線が規定されていた。その上で、独ソ両国は「〔双方が領土を獲得した後に〕独立した形で〔スロヴァキアのように〕ポーランド〔の一部〕を残存させるべきか否か、その場合の同国の境界線はいかにすべきかの問題は、今後の政治情勢の進展過程において確定する」との補足が記されていた。

第三項では、ルーマニアのベッサラビアがソ連の勢力範囲に、それ以外のルーマニア領がドイツの勢力範囲に含まれると規定されていた。

国際情勢の急変に伴い、慌ただしく作成されたため、この歴史的な外交文書には、独ソ両国政府の正式な国璽《こくじ》がなく、外交文書では慣例の「封蠟《ふうろう》」すら付けられていなかった。

独ソ不可侵条約と秘密議定書の調印を無事に完了したリッベントロップは、八月二十四日の午後一時頃、モスクワからベルリンに向けて帰途についた。

これにより、ポーランドの運命は風前の灯火《ともしび》となったのである。

《土壇場で戦争開始を尻込みしたヒトラー》

◆ダンツィヒからの退去を始めた外国領事館員

八月二十四日、独ソ不可侵条約が締結されたとの発表を聞いた英チェンバレン政権は、予想外の急展開に大きなショックを受けた。

正午過ぎに召集された閣議では「英仏と交渉しながら、陰でドイツとも交渉していた」ソ連の二股《ふたまた》外交を「信義にもとる行為」と激しく非難したが、もはや手遅れだった。

イギリス外務省は、諜報員《スパイ》から寄せられる情報から、独ソ不可侵条約の締結が、ポーランドの分割についての秘密議定書を伴うものであることを把握していた。それを踏まえた上で、ドイツはポーランドという獲物をソ連と共に喰《く》った後、イギリスに対して軍備縮小の提案をしてくる可能性が高いと予想した。

だが、ハリファックス外相が「用のなくなった軍事代表団をモスクワから帰国させる」許可を求めたところ、チェンバレンは「まだ情勢はどう変わるかわからない」との判断を下したため、ドラックスらの代表団はしばらくモスクワに留まることとなった。

この日の午後、イギリス政府は、八月二十二日夜に駐伊英大使ロレーンが受け取った、ムッソリーニの申し出に対する返答を、イタリア側に伝えた。

「わが政府は、次の二点がドイツ側に保障されない限り、ポーランドに対してダンツィヒの放棄を求められません。

第一に、ポーランドの独立と、同国にとって重要な経済的権益〔ダンツィヒ港ならびにグディニア港の使用権〕が完全に確保されること。

第二に、それを保障する国際的な枠組みが、構築されること」

この二項目は、奇しくもリッベントロップが一九三八年十月にポーランド政府に対して提言し、ドイツ＝ポーランド関係悪化のきっかけともなった、本書冒頭の「八項目の新条約草案」と共通するものだった。しかし、ヒトラーは既に、ダンツィヒではなくドイツ系ポーランド人の処遇に、問題の焦点をシフトしていた。

言い換えれば、ポーランドがダンツィヒで譲歩しても、ドイツ側はポーランドとの戦争を始める意志を固めていた。ヒトラーの懸念材料はただ一つ、イギリスがこの戦争に介入するか否かという問題だけだった。イギリスが参戦しないと決断すれば、フランスもそれに同調することは、ほぼ確実だと思われたからである。

八月二十五日の朝、ヒトラーはムッソリーニに、ポーランドとの戦争が差し迫っていることを暗示する、長文の書簡を送付した。だが、その内容を読み誤ったムッソリーニは、独ソ不可侵条約の締結を「世界大戦の勃発を先送りする」として歓迎し、安堵した。

同じ日、モスクワでは英仏代表団が、ヴォロシーロフから「政治的情勢の変化から見て会談の継続はもはや無意味です」という、冷たい言葉を浴びせられていた。

言外に「用もないのに、いつまでここにいるつもりだ」という意思表示を見せられた英仏代表団は、間もなく（交渉成果の面で）手ぶらで、帰国の準備にとりかかった。

その頃、東プロイセン西方のバルト海では、ポーランドの領海手前までドイツ海軍の掃海艇に護衛されてきた練習艦シュレスヴィヒ＝ホルシュタインが、第一次世界大戦で沈んだ巡洋艦マクデブルクの追悼《ついとう》式典に参加するとの名目で、ダンツィヒ港に入港した。

当初予定されていた軽巡洋艦ケーニヒスベルクの代わりに来港したこの旧式戦艦は、翌二十六日未明に、ポーランド軍兵営があるダンツィヒのヴェステルプラッテ半島（第五章で詳述）を砲撃する命令を受けており、艦内には上陸作戦用の海軍歩兵一個大隊が乗船していた。

シュレスヴィヒ＝ホルシュタインのヴィルヘルム・クライカンプ艦長はこの日、ナチ党ダンツィヒ大管区長フォルスターと、同市参事会議長グライザー、ポーランド公使ホダツキ、高等弁務官ブルクハルトを表敬訪問した。フォルスターはこの後、同艦の士官とダンツィヒの名士を晩餐会《ばんさんかい》に招待したが、ホダツキはこれを辞退した。

同艦の入港が単なる表敬訪問ではないことは、誰の目にも明らかだった。ダンツィヒの各国領事館員は、戦争が目前に迫ったと判断して、慌ただしく退去の準備を開始した。

◆英仏両国の懐柔を図るヒトラー

八月二十五日の午後、ヒトラーは英大使ヘンダーソンと面会し、次のように伝えた。

「チェンバレン首相の〔八月二十四日の〕演説は、ドイツの対ポーランド政策には何の影響も与えません。ただ、貴国〔イギリス〕の態度が、新たな大戦を引き起こす恐れがあると思われることは、はなはだ遺憾《いかん》です。

わが国〔ドイツ〕は、大英帝国の存立を脅かすつもりはありません。もし、貴国がわが国の援助を必要とするなら、何時でも援助することを保障します。その上、適度な軍備制限を認め、またドイツの西方国境を現状のまま固定する用意があります」

午後二時半頃にヘンダーソンが退去するや否や、ヒトラーは国防軍総司令部総監カイテル上級大将を呼び出し、翌八月二十六日早朝を期してポーランドへの軍事侵攻を開始すべしというドイツ陸軍への命令《白の場合》に署名した。

同日の午後五時半頃、ヒトラーはフランス大使ロベール・クロンドルを迎え、ドイツとポーランドの戦争にフランスが介入することを回避すべく、説得を試みた。

「わが国と貴国〔フランス〕の間には、共に勇敢な国民の流血を正当化するような問題は何一つ存在しないと確信します。わが国は、アルザス＝ロレーヌ地方〔のドイツ復帰〕に何の野心も持っていません。このことをぜひ、ダラディエ首相にお伝え願いたい」

この時、フランスはポーランドとの間で一九二一年に締結した相互援助条約を、期限二〇年で継続していたのに加えて、一九三九年五月十九日には両国の軍代表によって、次のような合意が成立していた。

ポーランドに対するドイツの侵略、あるいはダンツィヒのポーランドの利益に対する侵害が起こり、ポーランドがそれに対して軍事行動をとった場合、フランス軍は自動的に、以下のような方法によって行動を開始する。

一、空軍による行動を即時実行。

二、動員三日目頃より限定的な陸上攻撃を開始。

三、ポーランドに対するドイツ軍の総攻撃が開始された場合、フランス軍はその主力によって、動員開始一五日頃より、対ドイツ攻撃を開始。

この合意は「政治的議定書が調印された後に発効」とされたが、ポーランドとフランスの政治的議定書の調印は先送りされており、結局開戦後の九月四日まで、調印されることはなかった。全ては、ヒトラーの思惑通りに進んでいるかに見えた。

しかしその時、今度はヒトラーを驚かせる報せが、彼の許に届いた。

グリニッジ標準時で八月二十五日の午後五時三五分、イギリスとポーランドの両国政府は、ロンドンで相互援助条約に調印したと発表したのである。

◆対決姿勢のイギリスと逃げ腰のイタリア

ようやく締結された、英ポ相互援助条約の本文は、全部で八項目から成っていたが、とりわけ重要なのは最初の二項目だった。

一、締約国の一方が、ヨーロッパの一国からの攻撃を受けて、同国と敵対関係に入った場合、他方の締約国は攻撃を受けた締約国に対して、即時に全力を挙げて一切の支持および援助を与えるものとする。

二、第一条の規定は、ヨーロッパの一国の何らかの行為が、直接または間接に、締約国の一方の独立を明白に脅かした場合にも適用される。

（後略）

イギリスとポーランドの相互援助条約は、調印と同時に公表されたが、これには独ソ不可侵条約と同様、非公開の秘密議定書が附属していた。そこでは「ヨーロッパの一国」とは常にドイツを指すこと、「間接に、締約国の一方の独立を明白に脅かした場合」とはダンツィヒ問題を指すことが明記されていた。

この条約締結の発表は、対ポーランド戦に際して、イギリスをポーランドから切り離そうというヒトラーの試みが失敗した事実を示していた。フランスもこの日、ドイツがポーランドを攻撃した場合にポーランドを援助するという国防会議の決議（八月二十四日）についてダラディエ首相が演説しており、イギリスに同調する可能性は高かった。

ヒトラーを驚かせたのは、これだけではなかった。フランス大使と入れ替わりに現れた駐独伊大使ベルナルド・アットーリコが、ムッソリーニの書簡をヒトラーに手渡したが、ヒトラーはその内容を読んで愕然《がくぜん》とした。

「もし貴国〔ドイツ〕がポーランドを攻撃し、その戦争が〔ドイツとポーランドの二国間の〕局地戦に限定されるなら、わが国〔イタリア〕は、あらゆる形式の政治的ならびに経済的援助を、貴国に提供できると思います。

しかしながら、もしポーランドの同盟国〔イギリス〕が、貴国に対して〔ポーランド側に立つ形で〕反撃を加える場合には、わが国が進めている戦争準備の現状に鑑《かんが》み、わが国は軍事作戦に積極的に関与すべきではないという点に、ご注意いただきたく思います。

以前の会議でもお伝えしましたように、我々はヨーロッパでの次なる戦争の開始時期を一九四二年以後と想定してきました。わが国は、その時までに充分な戦備を整える計画に従って、陸海空軍の準備を完成させるつもりです。従って、イタリア軍は、当分の間は外部に進撃する能力を持ち得ないでしょう。

わが国がそれ以前に、ヨーロッパでの戦争に介入する場合があるとするなら、英仏両国が我々「イタリアとドイツ」に対して行う攻撃に抵抗するために必要な軍需品や原料を、貴国がわが国に対して、ただちに提供して下さる場合のみです」

要するに、ムッソリーニは、戦争で使う武器や弾薬類、燃料、各種原料などを全部ドイツがイタリアのためにお膳立《ぜんだ》てしてくれない限り、ドイツと英仏の戦争が勃発してもイタリアは参戦しないとの意思表示を行ったのである。

予想外の報せが相次いでもたらされたことで、ヒトラーは激しく動揺し、八月二十五日の午後六時から七時の間に「交渉のために今しばらく時間が必要になった」との理由で、翌日に予定していたポーランド侵攻の中止を決断した。

連絡を受けたゲーリングは、ポーランド攻撃の中止は一時的なもの（つまり延期）か、それとも永続的なもの（全面的な中止）かをヒトラーに質問した。ヒトラーは「我々は、イギリスが介入を断念するかどうかを見極める必要がある」と答え、あくまで一時的な延期であることを伝えた。

◆スウェーデン人実業家ダーレルスの尽力

こうして、ドイツは八月二十五日の夜以降、イギリスのロンドン、フランスのパリ、イタリアのローマという三つの首都で、新たな外交交渉を展開した。このうち、最も重要なロンドンでの交渉は、ゲーリングの友人であるスウェーデン人の実業家ビルイェル・ダーレルスが中心的な役割を担った。

八月二十六日、イタリアは「自国がドイツと英仏の戦争に参戦する条件」として、膨大な軍需物資の援助要請をリッベントロップに渡した。

このリストの作成には、ムッソリーニ自身も積極的に参加して細目を増やす方向に手を貸し、やがてリストはチアーノの言葉を借りれば「雄牛を一撃で殺せるほど」膨大なものとなった。要求は全体で一七〇〇万トンに達し、石炭六〇〇万トン、石油七〇〇万トン、鋼鉄二〇〇万トン、材木一〇〇万トンなどが含まれていた。

ムッソリーニとチアーノは、ドイツが提供できないとわかっているほど大量の物資を、わざと要求することで、イタリアの参戦を回避しようと企てたのである。

ヒトラーは、このリストを見て「とりあえずすぐに送れるのは高射砲だけですが、技術的問題があるため、開戦前に送るのは不可能でしょう」と返答した。

するとムッソリーニは、すぐに自分の結論をヒトラーに伝えた。

「そうですか。それならば、残念ですが参戦は無理です」

一方、イギリス政府は、情勢を検討した後、ヨーロッパの大戦勃発を回避する唯一の方法は、ポーランドをドイツとの交渉の席に着かせ、ダンツィヒ問題でドイツに譲歩させるしかないとの結論に達していた。

同日、英政府はベルリンから帰国した駐独英大使ヘンダーソンを列席させて、閣議を開いた。ヘンダーソンが持ち帰った、ヒトラーの提案を読んだハリファックス外相は、その文面から「［ドイツに有利な形で］ポーランド問題を解決すること」と「イギリスとの戦争を回避すること」という矛盾した二つの目的の間でヒトラーの心が揺れ動いていると分析、チェンバレンもこれに同意した。

従ってポーランド問題を「〔ドイツに有利な形で〕解決する」ことができれば、英ポとドイツの戦争も回避できるとして、イギリス政府はポーランドに対し、ドイツとの交渉の席に着くようさらに強く求める方針へと切り換えた。

そして、ハリファックス外相は、ローマ駐在の英大使ロレーンに対し「ポーランドの独立を脅かすような解決法には同意できないが、もし問題をダンツィヒに限定できるのであれば、戦争なしの解決法を発見することも可能でしょう」という英政府の意向を、ムッソリーニに伝えるよう命じた。

この日、ドイツとポーランドを結ぶ鉄道線と航空路の交通は、全て閉鎖された。道路による国境越えの通行は、特別な許可がある場合にのみ承認された。

同日（八月二十六日）の夕刻、イギリス政府との秘密の接触を終えてベルリンへと戻ったダーレルスは、英外相ハリファックスからゲーリング宛の書簡（実はダーレルスがハリファックスを説き伏せて書かせたもの）を、ゲーリングに見せた。

「イギリスは平和を念願し、ドイツと了解に達することを希望しています」

文面を読んだゲーリングは、これは重要な内容だと言い、ヒトラーに見せるため、ダーレルスを連れて総統官房に向かった。到着してみると、ヒトラーは既に就寝していたが、ゲーリングはすぐに起こすよう言い、ダーレルスに手紙の内容を説明させた。

寝起きの頭で、ぼんやりと説明を聞いていたヒトラーは、突然それを遮り、脈絡のない言葉をつぶやき始めた。

「……わが国に抵抗することなどは不可能だ…… もし戦争になったら、私はUボート（潜水艦）を作ろう…… 私は飛行機を作ろう…… そして敵を全滅させよう……」

《平和な時代の最後の五日間》

◆戦争五日前・一九三九年八月二十七日

八月二十七日の正午過ぎ、ダーレルスは六項目から成るヒトラーからの新たな提案を携えてロンドンに到着し、英首相官邸でチェンバレンに手交した。

一、ドイツは、イギリスとの条約または同盟を希望する。

二、イギリスは、ドイツがダンツィヒおよびポーランド回廊を取り戻すことを援助する。しかしポーランドは、グディニアと、同地に通じる回廊を保持するために、ダンツィヒに自由港を持つ。

三、ドイツは、ポーランドの国境を保障する。

四、ドイツは、その植民地とそれに相当するものの返還を受ける。
五、ポーランドは、同国に居住するドイツ少数民族に対し、保障を与える。
六、ドイツは、大英帝国の擁護を約束する。

ヒトラーはこれらに加えて、次のようなことも申し添えた。

「自分は元来、芸術家肌の人間であり、政治家には向いていません。ですから、ポーランド問題が解決したなら、私は国務から手を引くつもりです」

ヒトラーの提案内容を読んだイギリス側は、八月二十五日にヘンダーソンがヒトラーから聞かされた内容と、この書簡の間に重要な違い（後者は新たに「ポーランド回廊」のドイツ復帰に言及）があることに気づき、混乱した。

ポーランド回廊とは、第一章で触れた通り、ダンツィヒとドイツ本土の中間に位置するポーランド北西部の土地であり、ヒトラーはこの領域で国際連盟管理下の住民投票を行って、ドイツとポーランドのどちらに属するかを決めさせようと提案した。

ダーレルスと協議した後、イギリス政府は次のような処理方法をとることにした。

「まず、正統な外交ルートを通していないダーレルスの提案に対しては非公式に返答し、ダーレルスがその返答内容をヒトラーに伝え、ヒトラーがそれに同意したなら、正統な外交ルートを通じて、先のヘンダーソンが受けた提案に公式な回答を公表する」

ポーランド回廊の住民は、九割がポーランド人であり、国民投票の実施は理不尽な要求だと、イギリスは判断した。また、ドイツの要求をベックが知れば、ポーランド政府はさらに態度を硬化させると予想したため、英政府はこの内容をベックには伝えなかった。

ダーレルスはさっそく、イギリス政府の回答を携えて同日（八月二十七日）の夜にベルリンへと戻り、午後一一時頃にゲーリングに手渡した。

イギリス政府の回答は、原則としてドイツと合意することを希望していたが、ポーランドに対する彼らの保障義務は放棄しないと明言していた。

また、イギリス政府は、国境問題やポーランド国内のドイツ系住民の問題などを解決するために、ドイツとポーランドの直接交渉を勧告するのと共に、その結果はドイツだけでなく、ヨーロッパ諸国によって保障される必要があると述べた。

イギリス政府はさらに、戦争の威嚇による植民地返還を拒否し、またドイツによる大英帝国の擁護の申し出を明確に断った。

ゲーリングは、ダーレルスが持ち帰ったイギリス政府の意向を読み、これではヒトラーは満足しないだろうと頭を抱えた。ところが、ヒトラーは意外にも、英政府が公式の外交ルートで公表する内容と一致していたらという条件で、この内容に同意すると言った。

◆戦争四日前：一九三九年八月二十八日

ダーレルスは、日付が変わった八月二十八日の午前二時、ベルリンに駐在するイギリス代理大使を訪問し、ヒトラーがイギリス政府の「非公式返答」を受諾したことを本国に伝えるよう要請した。

これで、ボールはロンドンへと投げ返され、ヒトラーとドイツ政府首脳はイギリス政府が行う「公式発表」に注目した。ゲーリングは、戦争回避はまだ可能だと楽観していた。ポーランド外相ベックもまた、独英交渉の行方を静かに見守りつつ、この日側近に「情勢はわが国にとって、それほど悪くないようだ」と漏《も》らしていた。

同日夕方、ヘンダーソン英大使がベルリンに帰任した。

午後十時半に、彼が総統官房に出向くと、ドイツ軍の儀仗兵《ぎじょうへい》が彼を出迎えた。ヘンダーソンがロンドンから持ち帰った「公式回答」は、ダーレルスの報告を確認したものだったが、それには「万事は〔ドイツと〕ポーランドとの解決の性質と、その解決に達する手段方法のいかんによる」と明らかにしてあった。

イギリス政府は「わが国〔イギリス〕に対して申し出られたどのような利益供与によっても、わが国が保障を与えた国〔ポーランド〕の独立を危うくするような解決策を黙認することはできない」と述べ、ポーランドに対する保障義務を履行する意志をイギリスが今なお保持していること、そして「イギリス政府の見解では、次の段階はドイツとポーランド両国政府間の直接交渉の開始である」と結んでいた。

これにより、外交のボールは再びベルリンに投げ返された。

ヒトラーは「わが国〔ドイツ〕はポーランド回廊に加えて、〔ヴェルサイユ条約で一部がポーランド領となった〕シュレージェン地方の国境変更も要求する」と述べたが、イギリスの申し出については、ヘンダーソンにその場では回答を与えず、リッベントロップおよびゲーリングと相談の上、八月二十九日に回答すると約束した。

もし、ヒトラーがポーランドとの戦争回避を望んでいるなら、このイギリスの提案は、有効な「助け船」となるはずだった。しかしヒトラーは、数か月前から対ポーランド攻撃の意志を固めており、彼は単に「イギリスがドイツのポーランド侵攻に介入しないこと」を望んでいただけだった。従って、ヒトラーが求めたのは、対ポーランド戦の責任を、ドイツ以外の何者かに転嫁《てんか》できる状況だった。

こうした思惑を心に秘めながら、ヒトラーは「わが国〔ドイツ〕は今まで、ポーランドの死活的権益を脅かしたり、ポーランドの独立国家としての地位に異義を唱えたことは一度もなく、わが国はポーランドとの交渉を行う意志がある」ことを表明して、イギリスの心証を良くし、ポーランド戦争への介入の意志を挫《くじ》こうと考えたのである。

◆戦争三日前：一九三九年八月二十九日

八月二十九日の午後四時、ポーランド政府は軍の総動員を発令する予定であると英仏両国政府に伝えた。

ポーランドは既に、ドイツとの緊張の高まりに伴い、段階的に部分動員を進めており、総動員開始による兵力の増加は、一〇個師団前後に留まるものと考えられた。

しかし「総動員」という言葉は、ポーランドが全力でドイツとの戦争に備えることを意味し、その政治的影響は絶大だった。

特にフランスは、第一次世界大戦の勃発に際して、ロシアがオーストリア＝ハンガリーを威嚇する目的で宣言した「総動員の開始」が、ドイツの安全を脅かし、最終的にドイツをフランスとの戦争に追いやった経緯を忘れてはいなかった。

ポーランド政府の決定を知ったイギリスは慌て、「ポーランドの動員開始はドイツの穏健派までも戦争支持へと押しやってしまう」として、三十日の午後四時まで総動員を延期するよう要請、二十九日の夕刻にポーランド参謀本部はこれを受諾した。

八月二十九日の午後七時一五分、駐独英大使ヘンダーソンが、ヒトラーを訪問した。彼が、上着のボタン穴に赤いカーネーションを差しているのを見たドイツ側は、イギリス政府はまだドイツを敵視していないと考えて、少し安心した。

ドイツ側はヘンダーソンに対し、「ポーランドが過去に幾度もドイツの提案を拒絶し続けたこと」や「ポーランドがこれまでドイツに与えた挑発や威嚇、ポーランド国内のドイツ系住民に与えた迫害」などを指摘した上で、次のような通牒を手交した。

「ドイツ政府は、ポーランド側との直接交渉が成功する見込みについては、懐疑的ではあります。しかしながら、ポーランド側もわが国との友好条約を希望しているという文書が存在することに感動させられたので、イギリスの提案を容れて、ポーランド政府との直接交渉に入る用意があります。

このような次第ですから、ドイツ政府は、全権を帯びたポーランド政府の代表者をベルリンに急派するよう斡旋《あっせん》するという、英国の申し出を受諾することに同意します。ドイツ政府は、この使者の到着を八月三十日中に期待します」

このドイツからイギリスへの通牒は、実は巧妙に考案されたトリックだった。ポーランド側がこの交渉に参加するためには、わずか二四時間のうちに全権代表を決定し、政府の方針を確認し、彼がベルリンへ着くようにしなくてはならない。問題の複雑さと重大さを考慮すれば、時間的猶予《ゆうよ》はゼロに等しかった。しかも、ベック自身が全権を携えてベルリンへと出向くことは、ドイツへの屈服を意味していた。

オーストリア首相シュシュニクやチェコの大統領ハーハと同じく、ベックが自らベルリンに赴いたなら、そこで戦争の恫喝を受けてドイツの要求受諾を迫られることは明白だった。そして、もしポーランドがドイツの要求を拒絶すれば、形式上ドイツは「外交交渉による解決に全力を尽くしたが、ポーランドの頑なな態度によって破談に終わった」と主張できるようになる。

これにより、ボールはポーランドへと投げられた。

ベルリンの英大使ヘンダーソンと仏大使クロンドルは共に、ドイツとの交渉開始を受諾した方がいいと、ポーランド大使リプスキに進言した。しかし、ロンドンのイギリス政府は、前年のミュンヘン会談の時とはまったく異なる態度を見せた。

イギリス政府は、ポーランド側が全権代表をベルリンに派遣するよう要求してほしいというドイツの要求を拒絶し、このトリックに協力しなかったのである。

◆戦争二日前：一九三九年八月三十日

八月三十日の午前一一時三〇分、ロンドンで閣議が開かれたが、英政府の閣僚たちは、ヒトラーの真意を巡って、激しい議論を戦わせた。

イギリス政府は最終的に、洪水のように寄せられる諸々の情報から、ヒトラーは必死に「窮状を脱しようとしている」、つまり戦争を回避しようとしていると判断し、ドイツ政府との交渉にはまだ望みがあるとの結論に達した。

だが、それらの情報の中には「ヒトラーの支持率はドイツ国内で急落している」「ハルダーが抗議して参謀総長を辞職する意向だ」あるいは「独政府中枢で反ヒトラー運動が起こっている」といった、根拠の乏しい「噂」も数多く紛れ込んでおり、「ヒトラーは戦争を回避しようとしている」という英政府の見立ては、事実から大きくかけ離れていた。

より正確に言えば、ドイツ政府の上層部には、イギリスが期待したような意味において「戦争を回避しようと努力している」重要人物が、一人だけ存在していた。

航空相兼空軍総司令官のヘルマン・ゲーリングである。

ゲーリングは、ドイツ空軍の実体が、周辺の中小国を「威嚇」するには充分だが、英仏両国と正面からぶつかるような大戦を戦い抜くには力不足であることを承知していた。

ゲーリングはこの日の早朝に、ダーレルスをロンドンに派遣し、戦争回避に最後の望みをつないだ。ダーレルスは、午前一〇時三〇分にチェンバレン首相とハリファックス外相に面会したが、イギリス政府は独ポ交渉をベルリンで行うことに反対し、別の中立的な場所で行うべきだとドイツ側に要求したため、英独の交渉は不調に終わった。

その頃、ポーランド国内では、ドイツに対する激しい非難と、自国は絶対にドイツの恫喝には屈しないという強硬な意見が、市民の間から沸き上がっており、もはやベックが交渉でドイツに譲歩することを許さない空気が、同国の全土を覆い尽くしていた。

この日の夕刻、ダンツィヒの国際連盟高等弁務官ブルクハルトの公邸では、ドイツ側とポーランド側双方の要人を招いた晩餐会が催されていた。

ナチ党ダンツィヒ大管区長フォルスターと、同市参事会議長グライザー、練習艦シュレスヴィヒ＝ホルシュタインのクライカンプ艦長、ポーランド公使ホダツキらが招かれ、豪勢な料理が振る舞われたが、出席者は全員、明日にでも戦争が始まりうることを承知しており、このような時にブルクハルトが晩餐会を開いた意図を理解しかねていた。

話題は天気や狩猟など無難なものに限られたが、まったく会話は弾まず、狩りの話でも裏の意味を勘ぐられないよう、慎重に言葉を選ばなくてはならなかった。

ブルクハルト夫人が後に「私が今までに出席しました中で、最も陰鬱《いんうつ》で恐ろしい晩餐会でございました」と述べた集まりは、最後まで盛り上がらないまま閉会を迎えた。ドイツ側の出席者は食後のコーヒーを飲み終わるとすぐに、一斉に立ち上がって退室したが、ブルクハルトはその後ろ姿を、悲しげな視線で静かに見送った。

夕方、ドイツに戻ったダーレルスは、ゲーリングに「英政府の態度は依然として頑なではありますが、なお問題の解決に熱心な様子です」と伝えた。同日の深夜、ダーレルスは空軍の司令部が置かれている専用列車でゲーリングと会い、今後の対処法を相談した。

この時、ゲーリングは、ヒトラーが同日に作成した新しい「提案」を、ダーレルスに見せた。新しい提案の中では、ヒトラーは「ポーランド回廊」の要求を縮小していた。八月二十七日の提案では、ブルトゥスク＝ゾルダウ＝トルン（トルニ）＝グネーゼン＝ロッズ（ウッジ）までを含み、ポーゼン（ポズナニ）から約八〇キロも東に入り込んでいたのに対し、ヒトラーの新しい案では、マリエンヴェルダーから、グラウデンツ＝クルム＝ブロンベルクを経て、シェーンランケに至る北部の領域だけを、国民投票の投票地域にすると規定していた。

ベルリンでは、英大使ヘンダーソンがこの日の午後一一時三〇分に、リッベントロップと面会の約束をしていた。しかし英本国との調整が遅れ、三〇分ほど到着が遅れた。

リッベントロップは、ポーランドに対する一六項目の要求から成る声明書を作成して、ベルリンで待ち構えていた。それには、ダンツィヒの返還、国際連盟管理下での「ポーランド回廊」の帰属を決める国民投票の要求、ドイツ本国と東プロイセンを結ぶ治外法権的な交通路の要求、住民の交換および少数民族の権利保障などが記されていた。

同日深夜の、日付が三十一日へと変わる頃、リッベントロップはヘンダーソン英大使と会見した。

ヘンダーソンがまず、前日のドイツ側提案について「たった一日の猶予でポーランドに全権代表を派遣せよというのは、非現実的ではありませんか?」と質問したが、リッベントロップはそれには答えず、用意した一六項目の声明を、一気に読み上げた。

「一、ダンツィヒはドイツに返還される。二、いわゆるポーランド回廊の住民は、ドイツに属するかポーランドに属するか、住民投票で帰属を決定する。三、一九一八年一月一日〔つまり第一次世界大戦の終結直前〕に、同地に居住していたドイツ人とポーランド人が投票権を持つ。四、グディニアはポーランド領として留まる。……(後略)」

そして、ポーランドの全権代表が出頭する期限(八月三十日)が過ぎたという理由で、その声明文をヘンダーソンに手渡すことは拒否し、乱暴に「これはもう不要となりましたね」と言って、机の上に文書を投げ出した。

この挑発的な態度に、ヘンダーソンは怒りを露わにし、両者の間では激しい口論が発生して、部屋の空気は険悪化した。この時、ヘンダーソンは交渉の決裂を確信した。

その後、一六項目要求の声明文をイギリス側に手渡すよう、ダーレルスから説得されたゲーリングは、独外務省とは別ルートでヘンダーソンへと手渡した。内容を確認したヘンダーソンは、すぐにそれを駐独ポーランド大使リプスキへと転送した。

ポーランド政府は、イギリス政府からの強い要請に押し切られる形で、リプスキに「至急リッベントロップと会見し交渉開始に努めるよう」命じた。だが、ポーランド憲法は、国土の変更に関する交渉の権限を、政府が個人に付与することを認めておらず、ポーランド側がドイツの求めるような交渉に応じることは「憲法上不可能」な行為だった。

◆戦争一日前：一九三九年八月三十一日

八月三十一日の午前、ハリファックス英外相はチアーノ伊外相から電話で「状況が変わらなければ、数時間以内に〔ポーランドで〕戦争が起こるでしょう」と伝えられた。チアーノはイギリスに、事態は一刻を争うから、イギリス政府はすみやかにポーランド政府を説得し、ドイツとの会談に参加させるよう求めた。

一二時四〇分、ヒトラーは第二次世界大戦で最初の戦争指導に関する命令書「総統指令（フューラーヴァイズング）第一号」を下達したが、その内容は次のようなものだった。

一、ドイツ東部国境は、これ以上容認できない状態となり、平和的解決を目指す政治手段が尽き果てるに至り、私はここに武力による解決を決意した。

二、ポーランドへの攻撃は、先の『白の場合』に規定した準備に準拠し、いまや完了段階にある軍の戦備に応じ、いくつかの選択を考慮しつつ、実施する。戦車の配分や作戦目的には、変更はない。開戦日は、一九三九年九月一日とし、ダンツィヒ湾のグディニアおよびディルシャウ橋の作戦にも、同日時を適用する。

三、西部正面においては、英仏に先に手を出させて、開戦責任を間違いなく両国に負わせることが重要である。（中略）オランダ、ベルギー、ルクセンブルクおよびスイスに対する、わが方の中立保障は、当面は厳守すること。ドイツの西部国境では、私の明確な命令がない限り、いかなる地点においても、越境を認めない。

（中略）

四、英仏両国がドイツに対して戦端を開く場合、西部正面で行動する〔ドイツ〕国防軍部隊は、極力戦力の消耗を防ぎつつ、対ポーランド戦の勝利をまず第一として、そのための条件保持に努めること。

（後略）

午後一時前、英外相ハリファックスは再び、伊外相チアーノから電話を受けた。

「イギリスの〔八月二十六日の〕提案に基づく国際会議を、九月五日に開催することを計画中です。この会議の目的は、ヴェルサイユ条約によって生じた紛糾を総合的に検討し、問題点を是正《ぜせい》することで、ドイツとソ連、イタリア、ポーランド、イギリス、フランスの六か国を参加国とします」

ハリファックス外相は、これを聞いて「まだ戦争回避の望みはある」と判断し、イタリアの提案に乗ることにした。

イギリスから事情を伝えられたベックは、とりあえず駐独ポーランド大使リプスキに、独外相リッベントロップないし次官のヴァイツゼッカーに面会するよう命じたが、全権は委ねず「ただ会って話を聞くだけにせよ」と伝えた。また「その場ではいかなる文書も受け取らないこと、なぜならその内容は最後通牒である可能性が高いから」とも伝えた。

同日の午後五時、ベルリンのゲーリング邸では、戦争回避に向けた英独間の最後の交渉が行われていた。

ドイツ側からはゲーリングとダーレルス、英国側からはヘンダーソンと英大使館の高官が参加し、表面的には穏やかな会話が交わされたが、ポーランドの対応がまだ不明である以上、両者の歩み寄りはなく、話し合いは平行線のままで終わった。

イギリス側の意図は「ドイツ軍のポーランド侵攻を回避すること」だったが、ドイツ側の意図は「ドイツの〔既に決定している〕ポーランド侵攻にイギリスが介入しないこと」だった。従って、双方が同意できる結論を見出せる可能性は、ほぼゼロに等しかった。

午後六時、駐独ポーランド大使リプスキは、独外相リッベントロップと会見した。リプスキは「直接交渉についてのイギリス政府の提案は、わが国〔ポーランド〕の政府から好意的に受け止められています。わが国の政府は、数時間以内に回答を用意する予定です」と告げた。

だが、リッベントロップは、リプスキがポーランドの「全権代表」ではなく、ドイツ側の提案を受諾する全権を帯びていないことを確かめると、「私が貴方とこれ以上の話し合いを続ける必要はありません」と言って、会見を一方的に切り上げた。

ソ連外相モロトフはこの日、英仏との交渉が失敗に終わった理由について説明した。「英仏両国は、〔ソ連軍の〕通過権の保障が必要であることを、ポーランド側に納得させることについて、全力を尽くしたようには見えなかった。それゆえ、英仏両国がソ連との間で条約や協定を結ぶことを、真剣に望んでいるとは思えなかったのです」

同日、午後九時、ベルリンのラジオ放送は、ポーランドに対する「ヒトラーの寛大さ」を示すものとして、一六項目の声明文を読み上げた。そして、ポーランド側は交渉開始を拒み、一六項目をあらゆる点で拒絶したと説明した。

同じ頃、ポーランドとの国境に近い、ドイツ南東部のグライヴィッツという町で、ある不可解な「事件」が発生していた。

ポーランド軍の軍服を着た一団が、同地のラジオ放送局を占拠し、周辺のオーバーシュレージェンに住むポーランド系住民に対して、ポーランド語でナチ党政権に対する非難と〔ドイツに対する〕ストライキの呼びかけを放送した。

間もなく、現場に急行したドイツの警察は「犯行グループ」の一人の死体を発見し、この事件を「ポーランド軍人の襲撃」と断定した。だが、この奇妙な事件を取り仕切ったのは、実はナチス親衛隊のラインハルト・ハイドリヒ大将であり、ポーランド軍の軍服を着た集団の正体も、現場に遺棄された「死体」を除く全員が親衛隊員のドイツ人だった。

つまりこの事件は、ドイツがポーランドを攻撃する「口実」の一つとしてヒトラーが利用するために用意された、自作自演の芝居《しばい》だった。

戦争の歯車が、大きく軋《きし》む音を響かせながら、ゆっくりと動き出したのである。

《ドイツ軍のポーランド侵攻と英仏両国のドイツへの宣戦布告》

◆戦争一日目：一九三九年九月一日

九月一日の午前四時四五分、ポーランドとの国境に集結していたドイツ軍部隊が、北と西、そして南から、一斉にポーランド領内への攻撃を開始した。

ドイツ軍のポーランドに対する軍事侵攻作戦が、その幕を開けたのである。

午前七時頃、英首相チェンバレンは電話で起こされ、ドイツ軍が国境を越えてポーランドを攻撃しているとの情報を知らされた。

もし、ドイツの攻撃がポーランドの「独立」を脅かす規模の大作戦であれば、英仏両国政府には、ポーランドに対する「援助義務発生事由（カースス・フォエデリス）」が発生する。だが、イギリス側はまだ、ドイツ軍の攻撃が限定的な「局地紛争」に留まる可能性があると考え、すぐに「ポーランド援助」の声明を出すことは控えた。

ダンツィヒ高等弁務官ブルクハルトの公邸では、前日まで彼に「閣下」と恭《うやうや》しく仕えていたドイツ人執事が、別人のように態度を変えて、邸内のドアを叩いて回った。

「起きろ！　今や栄光の終わりだ！　ブルクハルトは、すぐに階下まで降りろ！」

午前八時頃、ナチ党ダンツィヒ大管区長フォルスターが部下を引き連れて公邸を訪れ、冷たい口調でブルクハルトに怒鳴った。

「貴下は言語道断なるヴェルサイユ体制の代表であった。しかし、その体制は総統によって倒されたのだ！　貴下は二時間以内に、このダンツィヒから立ち去らねばならん！」

そしてフォルスターは、ダンツィヒが遂にドイツへ復帰したと、高らかに宣言した。

午前一〇時、国会で演説したヒトラーは、「わが国（ドイツ）はポーランド側から仕掛けられた挑発行為に応戦している」だけだと説明し、「戦争」という言葉や、そのような印象を与える表現を慎重に避けた。ヒトラーは、昨日だけで一四件のポーランド人による「犯罪」が国境付近でドイツ人に対してなされたと説明したが、その中には前記した「グライヴィッツ事件」も含まれていた。

午前一〇時三〇分、ロンドン駐在のポーランド大使ラチンスキは英外務省を訪れ、ドイツがポーランドに軍事侵攻を開始したと告げ、イギリスによる相互援助条約に基づく援助の発動を要請した。これに対し、ハリファックス外相は、ドイツの侵略が事実であれば安全保障義務が発生すると述べたが、まだ事実関係が明らかでないとして、すぐに「発動」を約束せず、ただちにドイツ大使館に事実を確認させると述べた。

ロンドンのドイツ大使館は、ドイツ軍によるポーランド侵攻やポーランド領内の爆撃を否認し、ドイツ軍はただ、国境でポーランド側から仕掛けられた「銃撃戦」に応戦しているだけだと返答した。

午前一一時三〇分に開かれた英政府の閣議では、「現在のところポーランドでいかなる戦闘行為が生じているか、確定的な情報は得られていない。従って、事態の内容について決定的な確証が得られるまでは『取り返しのつかない行為〔ドイツに対する宣戦布告〕』を差し控える」ことを確認した。

言い換えれば、この期に及んでもまだ、イギリス政府はドイツのポーランド攻撃を「戦争」とは見なさなかった。この時、英首相チェンバレンの脳裏に影を落としていたのは、ムッソリーニが八月三十一日に提案した「国際会議案」だった。

イギリス政府は、ヒトラーとムッソリーニの盟友関係を勘案し、ヒトラーが表向きポーランドに対して強硬姿勢をとりつつ、ムッソリーニを通じてイギリスに和平の糸口を示すという「役割分担」をしているのではないかと疑っていた。それゆえ、このイタリア主導の「国際会議案」に、新たな大戦を回避する最後の望みを託していたのである。

しかし実際には、ムッソリーニはヒトラーと事前に相談などしておらず、硬軟織り交ぜた「役割分担」を演じているつもりもなく、ただイタリアにとって不都合であるとの理由から、世界大戦の勃発を先送りしようとしていただけだった。

英仏両国が、第二次世界大戦の勃発を回避できる「希望の光」と考えた「国際会議案」は、ヒトラーの思惑とは何の関係もない、いわば幻影に過ぎなかったのである。

一二時一五分、英政府はワルシャワからの報告により、ドイツのポーランドへの軍事侵攻の事実を確認した。ただちに開かれた閣議では、ドイツに提示する「通告」の内容が審議されたが、最終的に決定した文面は、次のようなものだった。

「ドイツ政府が、ポーランドに対する全ての侵略行為を停止し、ポーランド領から軍隊を速やかに撤退させる用意がある旨、わが〔イギリス〕政府に対して満足すべき保障を与えられたい。もし、それがなされなければ、わが国〔イギリス〕は躊躇なく、ポーランドに対する援助義務を発動するつもりである」

午後三時から四時までの間に、ムッソリーニはヒトラーから書簡を受け取った。その中で、ヒトラーはドイツがポーランドへの攻撃を決断した理由について説明した後、「イタリアはドイツに断り無く、調停者として勝手に動くことをしないように」と警告した。

午後六時、チェンバレンは下院議会において、ドイツへの通告内容を明らかにし、この「最後の警告」に対する回答が不満足な場合、駐独英大使ヘンダーソンはベルリンを退去する予定であり、強い口調で「我々は戦う用意がある」と演説した。そして午後九時三〇分、ヘンダーソンはベルリンでリッベントロップと会見し、英政府の通告を手渡した。

◆戦争二日目：一九三九年九月二日

ドイツ軍のポーランド侵攻開始から一夜明けた九月二日の午前、駐独イタリア大使アットーリコはドイツ外務省を訪問し、ムッソリーニの書簡を読み上げた。

「わが国〔イタリア〕は、次のような条件を基礎として、枢軸国〔独伊〕と英仏ソおよびポーランドの国際会議を開くことを提唱します。

第一に、ドイツとポーランドは即時休戦し、軍隊を現在の位置に留め置くこと。

第二に、二～三日中に会議を開催すること。

第三に、現在の情勢に照らして、ドイツとポーランドの紛争を、ドイツに有利となる形で解決すること」

ムッソリーニは、この国際会議の素案がフランス政府にも支持されていることを付言した上で、「このような会議で問題を解決すれば、ドイツは全ての目的を達成した上、異常に長期化する可能性のあるヨーロッパの全面戦争を回避できるはずです」と説明した。

午後二時過ぎ頃、ドイツ政府はイタリア政府に対し、公式の回答を送った。

「貴国からの提案は、検討に値するものですが、前日に英仏両国から寄せられた『通告』が問題となっています。もし、この通告がイギリス政府からの『最後通牒』すなわち『妥協の余地がない一方的な要求』であるなら、もはやいかなる会議の開催も交渉継続も無意味ですから、まずは英仏両国の真意を問い質《ただ》すことが必要でしょう」

これにより、イタリアからドイツに投げられたボールは、イギリスへと投じられた。

ドイツ側の言い分を閣議で検討した英政府は、次のような内容の返答文を作成した。

一、九月一日付の通告は、「最後通牒」ではなく「警告」であり、ドイツ政府は本日（九月二日）の二四時までに回答されたい。

二、いかなる形式の会議であれ、開催の前提条件は、ポーランド領内およびダンツィヒから「ドイツ軍を撤退させるとの保障」であることに留意されたい。

この二項目の条件は、ドイツに対する「最後通牒」として作成されたが、フランス側にこの内容を知らせたところ、フランス政府は自国の戦争準備の不備を理由に、回答期限をさらに二〇時間延期して、九月三日の午後八時にしてほしいと要望した。

フランス陸軍参謀本部は、「技術的理由から九月四日午後九時より前の参戦は困難」と政府に進言しており、チェンバレンも「もしドイツと英仏が戦争となったら、今回も〔第一次世界大戦と同様〕主要な負担を担うのはフランスだから、フランスに配慮する必要がある」として、フランス政府の意向を「最後通牒」に反映させようと考えた。

しかし、英首相が九月三日の昼に演説する時には「最後通牒の期限が切れた」と告げる必要があり、もしそうしないでドイツとポーランドの戦争が拡大すれば、チェンバレン内閣は「ヒトラーへの政治的敗北」により倒壊する可能性が高いと考えられた。

午後七時三〇分に開かれた下院議会では、与党（保守党）・野党（労働党、自由党）を問わず、多くの議員はチェンバレンがドイツへの最後通牒を読み上げるのを期待した。しかし、チェンバレンが発したのは、次のような緊張感に欠ける言葉だった。

「もしドイツ側が、すぐに軍隊を撤退させることに同意するなら、わが政府は今までに生じた一切〔の責任〕を〔ドイツ側に〕問わず、外交交渉を継続するでしょう」

演説を終えたチェンバレンが着席したが、誰一人拍手しなかった。続いて野党労働党の党首代理アーサー・グリーンウッドが演説すると、沈んでいた議場の空気は一変した。

「今では［イギリスが対独宣戦布告を行う］一分の遅れが、［ポーランドでの］人命の損失を意味し、わが国の利益、わが国の名誉の土台そのものを危うくしています」

もはやチェンバレンの「宥和政策」を支持する議員は少数派となり、大臣の多くはドイツへの即時参戦を首相に進言した。その結果、ドイツ側の回答期限を「九月三日の午前一一時」に設定した最後通牒を提示するとの方針が、この日の午後一一時過ぎに決まった。

◆戦争三日目：一九三九年九月三日

九月三日の午前九時、駐独英大使ヘンダーソンは独外相リッベントロップと会見し、同日午前一一時までに「九月一日付の英仏両国の通告を受諾する」とドイツ政府がイギリス政府に通知しなければ、その瞬間にイギリスとドイツの間に戦争状態が発生する、というイギリス政府の「最後通牒」を伝えた。

これにより、期せずして英仏両国政府を三日間にわたり困惑させた、ムッソリーニの国際会議案は、事実上「廃案」となった。

午前九時過ぎ、外務省主席通訳官シュミットから、イギリスの「最後通牒」を知らされたヒトラーは、イギリスに対するポーランド戦争への「不介入工作」が、期待に反して失敗に終わったショックで呆然《ぼうぜん》となった。そして、自らの見込み違いを八つ当たりするかのように、同じ部屋にいたリッベントロップを、鋭い視線で睨みつけた。

だがヒトラーには、英仏の「九月一日付通告」を受諾するつもりなどなかった。

既に五〇個師団以上がポーランド領内で侵攻作戦を開始している以上、その中止を前提とする「同通告の受諾」を決断することは、ヒトラーの国家指導者としての威信の失墜《しっつい》、すなわち政治家としての最期を意味していたからである。

その間にも、英仏両国には、公式・非公式のあらゆるルートを通じて、一刻も早く「援助義務に基づく介入」を行って欲しいとの要請が、ポーランドから届けられた。

午前一一時一五分、英首相チェンバレンはラジオを通じて国民に状況を説明した上で、ドイツに対する宣戦布告を行った。

「ドイツ軍がポーランドから撤退するとの保障は、得られませんでした。従って、わが国〔イギリス〕は現在、ドイツと戦争状態にあることを、ここに宣言いたします」

イギリスの宣戦布告を知ったワルシャワ市民は、すぐに市内のイギリス大使館前に集って、チェンバレンの「英断」を歓迎した。ポーランド大統領モシチツキは、イギリス国王ジョージ六世に宛てて、感謝の電報を打った。

一二時三〇分、ベルリンのフランス大使クロンドルがリッベントロップを訪問し、イギリスと同様の最後通牒を手渡した後、もし本日午後五時までに回答がなければ、フランスはドイツと戦争状態に入ると通告した。

リッベントロップは「わが国〔ドイツ〕は、貴国〔フランス〕に対して、何の敵意も抱いてはおりません。貴国が先にわが国を攻撃した場合に限り、わが国は貴国と戦います。その場合、侵略戦争の責任はフランス側にあることになります」と訴えた。

クロンドルは「それがフランス政府の最後通牒に対するドイツの公式な回答ですか」と質問したが、リッベントロップは「そうです」と答えた。

これを聞いたクロンドルは、冷静に反論した。

「宣戦布告なくしてポーランドを攻撃した上、そのような侵略を停止するよう求めた英仏両国の提案を拒絶した重大な責任は、貴国〔ドイツ〕が負うべきであることを、私は指摘しなくてはなりません」

そして、同日午後五時を期してポーランドに対する援助義務を発動する〔ドイツに宣戦布告する〕ことを、改めて通告した。

これにより、戦争を回避するために行われた全ての外交交渉に、ピリオドが打たれた。

言葉に詰まったリッベントロップは、苛立ちを露わにして「フランスは侵略者になるおつもりか！」と恫喝したが、クロンドルは冷静に聞き流し、一言だけ返答した。

「その審判は、歴史が下すことになるでしょう」

フランス大使が部屋から退出すると、その背後で、扉が閉じる音が重く響き渡った。

それから四時間三〇分後の九月三日午後五時、フランス政府はイギリスに続き、ドイツへの宣戦布告を行った。

第二次世界大戦は、こうして始まったのである。

第二部
ポーランドと第二次世界大戦

第五章
ドイツ軍に蹂躙されたポーランド

《ドイツ軍とポーランド軍の実状》

◆開戦時のドイツ軍兵力

ポーランド侵攻開始前日の一九三九年八月三十一日時点で、ドイツ陸軍は二七三万人の人員を持つまでに規模を拡大しており、計一〇二個師団の戦闘部隊を保有していた。ドイツ東部のポーランド国境と東プロイセン、親ドイツのスロヴァキア領内には、そのうちの五五個師団（約一五〇万人）が配備され、フランスと対峙する西部国境には三三個師団が展開し、残る一四個師団は総司令部予備として後方に控置《こうち》された。

当時のドイツ陸軍が保有していた自動車化部隊は、七個装甲（戦車）師団と四個軽（准戦車）師団、四個自動車化歩兵師団の計一五個師団で、その全てがポーランド侵攻作戦に投入された。装甲師団には二～四個（第3装甲師団のみ五個）、軽師団には各二個の戦車大隊が配属され、戦車大隊の合計は三四個に達していた。

一九三九年八月三十一日にドイツ軍が保有していた各種戦車は、総計で三四七二輌だったが、実際にはそのうちの約半数は、対戦車戦闘力を持たないI号戦車と指揮戦車で、対戦車戦闘力を持つ三七ミリ砲以上の火砲を搭載した戦車の数は五八九輌だった。

ドイツ軍の装備戦車の中には、チェコの併合で接収した同国製の35年式（ドイツ軍の制式呼称は「35（t）」）戦車二〇二輛と38年式（同「38（t）」）戦車七八輛が含まれていた（tとはドイツ語での「チェコ」の頭文字）。

これらの戦車のうち、実際に部隊に配属されてポーランド侵攻作戦に投じられたのは、予備部隊も含めて二六九〇輛（総保有数の七七パーセント）だった。

また、ドイツ空軍はこの時点で、将校一万五〇〇〇人と下士官兵三七万人、そして各種航空機四一六一機を保有していた。

装備機の内訳は、戦闘機七七一機、水平爆撃機一一八〇機、急降下爆撃機三三六機、駆逐機（双発戦闘機）四〇八機、輸送機五五二機などで、ポーランドへの航空攻撃とそれに伴う諸任務（ドイツ東部の防空など）には、全体の約半数（第一線機に限れば三分の二）に当たる一九二九機が投入された。

ドイツ海軍は開戦時、巡洋戦艦二隻と装甲艦三隻、重巡洋艦一隻、軽巡洋艦六隻、駆逐艦二一隻、潜水艦（Uボート）五七隻などを保有しており、将校五〇〇〇人と下士官兵七万四〇〇〇人の人員を擁していた。

ただし、ドイツ海軍は組織拡大と建艦の両面で再建途上にあり、またポーランド海軍が小規模な艦船しか保有しなかったことから、対ポーランド戦では開戦の第一撃を担う練習艦「シュレスヴィヒ＝ホルシュタイン」を除いて、補助的な役割しか与えられなかった。

◆開戦時のポーランド軍兵力

一方、ポーランド軍の平時戦力は約二八万人だったが、一九三八年のチェコ危機と一九三九年三月のチェコ併合、そして同年八月の対ドイツ関係悪化に際して約九〇万人の予備役兵が段階的に動員されており、開戦時には一二〇万人近い兵力へと拡大されていた。

しかし、ポーランド軍は装備兵器においてもその運用法（ドクトリン）においても、いまだ第一次世界大戦の延長線上にあり、戦車と自動車化部隊、急降下爆撃機などを有機的に組み合わせた新たな運用法（のちに英米のメディアで「電撃戦＝ブリッツクリーク」と評されるが、ドイツ軍が用いた用語ではない）を完成させつつあったドイツ軍と比較すると、実際の戦争遂行能力において、兵員数の数字以上の大差が開いていた。

ポーランド軍の装備兵器の近代化や、運用法の改革を阻害した原因の一つは、他ならぬ「独立回復の立役者」ピウスツキの存在だった。

一九三九年九月一日当時、ポーランド軍には九八人の将軍が存在したが、軍総監リッツ＝シミグウィや参謀総長ヴァツラフ・スタヒエヴィチ少将をはじめ、そのうちの七五人が、第一次世界大戦当時のポーランド軍事機構でのピウスツキの側近または部下だった。

保守的な思考の持ち主だったピウスツキとその後継者は、次の戦争においても機動戦の主役は伝統的な騎兵であると信じており、ドイツや英仏両国が開発に力を注いでいた戦車や軍用自動車は、あまり重視していなかった。

【表1】ドイツとポーランドの軍事費（1935年〜1939年）

※単位は億ドル

	ドイツ (a)	ポーランド (b)	(a)：(b)
1935	30	1.4	21:1
1936	30	1.4	21:1
1937	35	1.4	25:1
1938	47	1.6	29:1
1939	97	1.8	54:1
1935-1939	239	7.6	31:1

出典: Zaloga & Madej *The Polish Campaign 1939* p.11.

【表2】ポーランドの国家予算（1933年〜1939年）

	ズウォチ	同時期のライヒスマルク換算
1933-1939	140億	63億

出典: Bethell *The War Hitler Won* p.31.

【表3】ドイツの軍事費（1934年〜1939年）

※単位は百万ライヒスマルク

	全体	うち陸軍	うち空軍	うち海軍
1934-1939	69,857	25,698	17,125	5,910

出典: 栗原優『第二次世界大戦の勃発』p.514.

例えば、一九三八年から一九三九年にかけて、ポーランド軍が騎兵科に投じた予算は五八〇〇万ズウォチだったが、戦車の開発と製造に投じられた額は、その四分の一にも満たない一三七〇万ズウォチに過ぎなかった。

また、農業国ポーランドの工業国への転換の遅れも、軍備に悪影響を及ぼしていた。ポーランドが限られた国家予算の中から、軍備に投じることのできた予算は、一九三九年に限ればドイツのわずか五四分の一に過ぎず、総合的な経済力の差が、そのまま装備兵器の質にも色濃く反映していた。

その結果、ポーランド軍は開戦時に三六個歩兵師団と一〇個騎兵旅団、二個機械化（中核は騎兵）旅団、そして各種戦車九〇六輛を保有していたものの、完全に自動車化された部隊は旅団以上では一つもなく、独立戦車大隊もわずか三個（第1、第2、第21）だった（旅団の部隊規模は師団の半分ないし三分の二程度、大隊は師団の一割程度）。

装備戦車の内訳は、国産の偵察戦車TK3型（および派生型のTKS型）が計五七四輛で最も多かった。だが、その実体は「豆戦車（タンキエトキ）」という別名が物語るように、全長約二・五メートルの小さな車体に二人乗りの、戦車というよりは「自走式の歩兵支援装置」とも言うべき、攻撃力でも防御力でも貧弱な小型兵器だった。

本格的な戦車は、国産の7TP型軽戦車を一三五輛保有していたが、対戦車能力を持つ三七ミリ砲搭載型は、このうちの九五輛だった。このほか、四七ミリ対戦車砲や三七ミリ砲を搭載するイギリス製とフランス製の各種戦車を、計一九七輛装備していた。

航空戦力の分野では、将校と下士官兵併せて六三〇〇人から成るポーランド空軍（陸軍の管轄下）は、戦闘機と爆撃機を併せて八八八機（ドイツ空軍の約半分）を保有し、その装備機のほとんどは国立航空機製作所（ＰＺＬ）で製造されていた。

だが、主力戦闘機のＰ７ａ型とＰ11ｃ型は共に、開放式コクピットや固定脚など、設計思想が古く、ドイツ空軍の主力戦闘機と比較すると、性能的に大きく見劣りした。

ポーランド海軍は、総員三一〇〇人の将兵と、駆逐艦四隻と潜水艦五隻、掃海艇六隻、機雷敷設艦一隻などで構成されていたが、大型の主力艦（戦艦や巡洋艦）を持たず、ドイツ海軍に正面から水上戦を挑む能力を有してはいなかった。

そして、保有する四隻の駆逐艦のうち、フランス製の「ブルザ（嵐）」と国産の「グロム（雷光）」および「ブウィスカヴィツァ（電光）」の三隻は、開戦直前の八月三十日、イギリス海軍と合流するためにグディニアを出港し、デンマーク海峡へと向かっていた。

◆ポーランドの国土防衛構想

一九三九年三月、つまりドイツ軍のポーランド侵攻開始から七か月前には、ポーランドの「仮想敵国」は東方の大国・ソ連邦だと見なされていた。既に述べた通り、西の隣国ドイツは、長らくポーランドにとっての「友好国」だったからである。

一九二一年三月のリガ条約で、ソ連との講和が成立して以来、ポーランドは同年二月に調印した秘密軍事協定（第二章を参照）に基づき、フランスと協同で国の安全保障問題を研究してきたが、当初はソ連とドイツを同時に敵とする「二正面戦争」の可能性も想定して、いくつかの戦争計画案を作成していた。ドイツのみを敵とする《N計画》や、ソ連のみを敵とする《R計画》、ドイツとソ連を同時に敵とする《N+R計画》、そしてポーランドとフランスが協同でドイツと戦争を行う《フォッシュ計画》などである。

だが、一九二六年にピウスツキが軍の最高実力者の座に返り咲くと、彼はポーランドの国力では二正面戦争など非現実的であるとして、東方のソ連との戦争に重点を置いて備えるよう、参謀本部に命じた。

一九三五年五月にピウスツキが死去すると、軍の実権は彼の側近であるエドヴァルト・リッツ=シミグウィ元帥の手に移ったが、リッツ=シミグウィは一九三六年から《W計画》と呼ばれる対ソ戦の戦略および作戦研究を、参謀本部に行わせた。「W」とはポーランド語で「東方」を意味する「ヴスホード」の頭文字だった。

しかし、一九三九年二月にダンツィヒで発生した学生同士の衝突をきっかけに、ポーランドとドイツの関係に暗雲が垂れ始めると、リッツ=シミグウィは対ソ連に加えて対ドイツ戦争にも備える必要性を感じ、戦争計画を早急に完成させるよう、参謀本部に命じた。

こうして、ポーランド軍参謀本部は、ポーランド語で「西方」を意味する「ザホード」の頭文字にちなんで《Z計画》と名付けられた、対ドイツ戦争の研究と計画立案作業を急いだが、一九三九年八月までに完成したのは、動員開始から戦争勃発後の「第一段階」ま

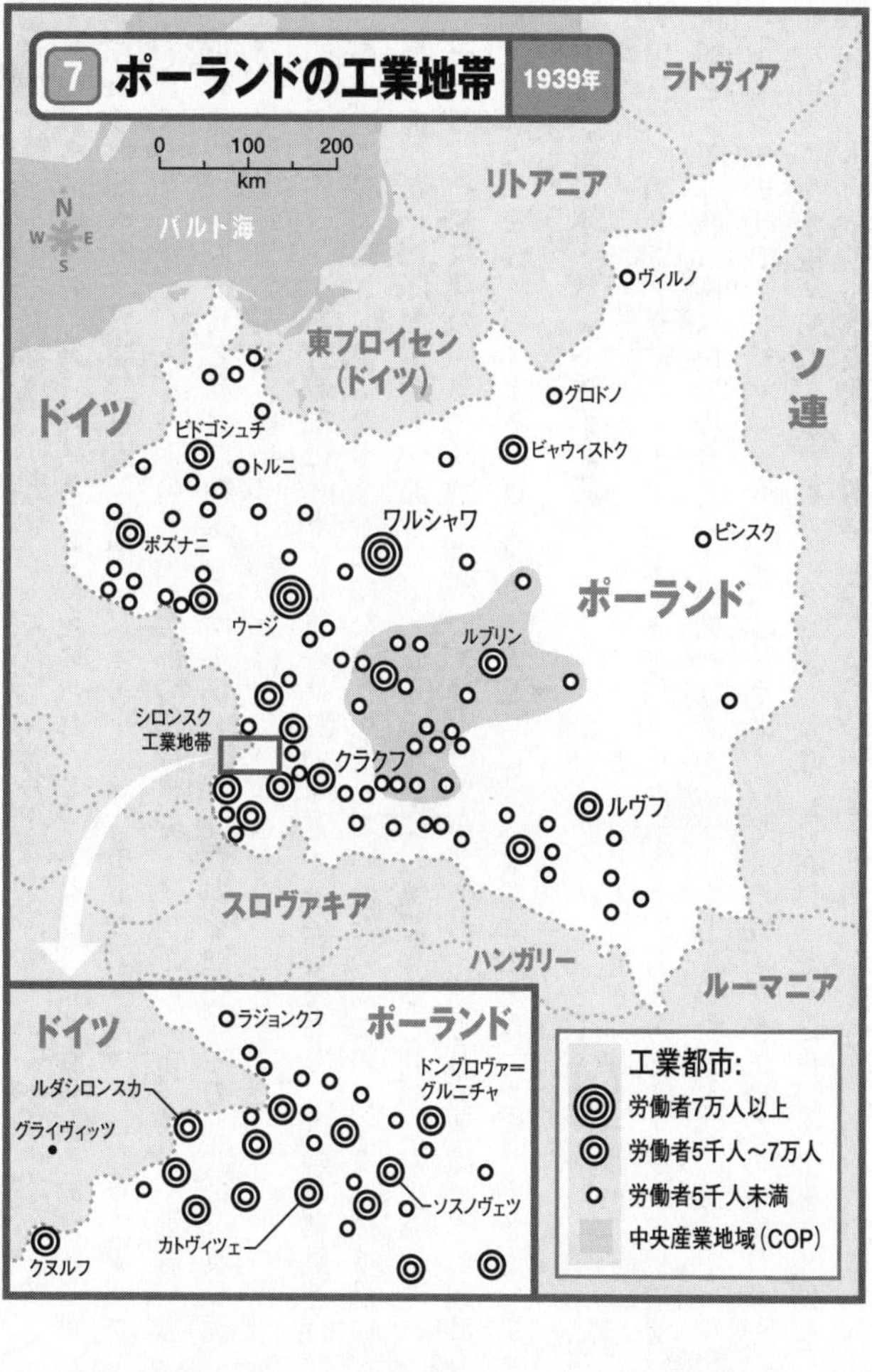
7 ポーランドの工業地帯 1939年
0 100 200 km
N W E S
バルト海
ラトヴィア
リトアニア
ソ連
東プロイセン（ドイツ）
ドイツ
ヴィルノ
グロドノ
ビドゴシュチ
トルニ
ビャウィストク
ワルシャワ
ピンスク
ポズナニ
ポーランド
ウージ
ルブリン
シロンスク工業地帯
クラクフ
ルヴフ
スロヴァキア
ハンガリー
ルーマニア
ドイツ
ラジョンクフ
ポーランド
ドンブロヴァ＝グルニチャ
ルダシロンスカ
グライヴィッツ
ソスノヴェツ
カトヴィツェ
クヌルフ
工業都市:
労働者7万人以上
労働者5千人〜7万人
労働者5千人未満
中央産業地域（COP）

でを扱った計画のみだった。

この《Z計画》の「第一段階」として定められた基本方針は、まず動員済みの部隊を可能な限り西部のドイツ国境付近に展開し、ポモージェ、モドリン、ポズナニ、ウージ、プルースィ、クラクフ、カルパトの各軍司令部の指揮下でドイツ軍の「第一撃」を前線で食い止めつつ、予備役兵の動員を継続してポーランド軍の戦力を強化するのと共に、英仏両軍がドイツに対して西から攻勢に出るのを待つというものだった。

当時のポーランド軍首脳部は、ドイツ軍の機動力を過小評価しており、戦線の移動速度は第一次世界大戦と同様に緩慢なものになると想定していたため、このような「国境沿いに薄く伸びた」部隊配置でも、充分にドイツ軍の攻撃に対処できると判断した。

そして、それ以降の「第二段階」については、全軍が共通の指標として認識できる「計画案」のないまま、ポーランドはドイツとの戦争に突入することとなったのである。

◆ドイツ軍のポーランド攻撃計画

第三章で触れたように、ドイツ陸軍参謀本部は一九三九年四月から、ポーランド侵攻を主題とする作戦計画《白の場合》の本格的な研究をスタートしていた。

ドイツ軍の場合も、チェコ併合以前に作成された、いくつかの予備的研究の成果に基づいて研究作業が進められ、最終的に立案された侵攻計画案は、北部と南部の二個軍集団による、古典的な包囲殲滅《せんめつ》戦を目指すものだった。

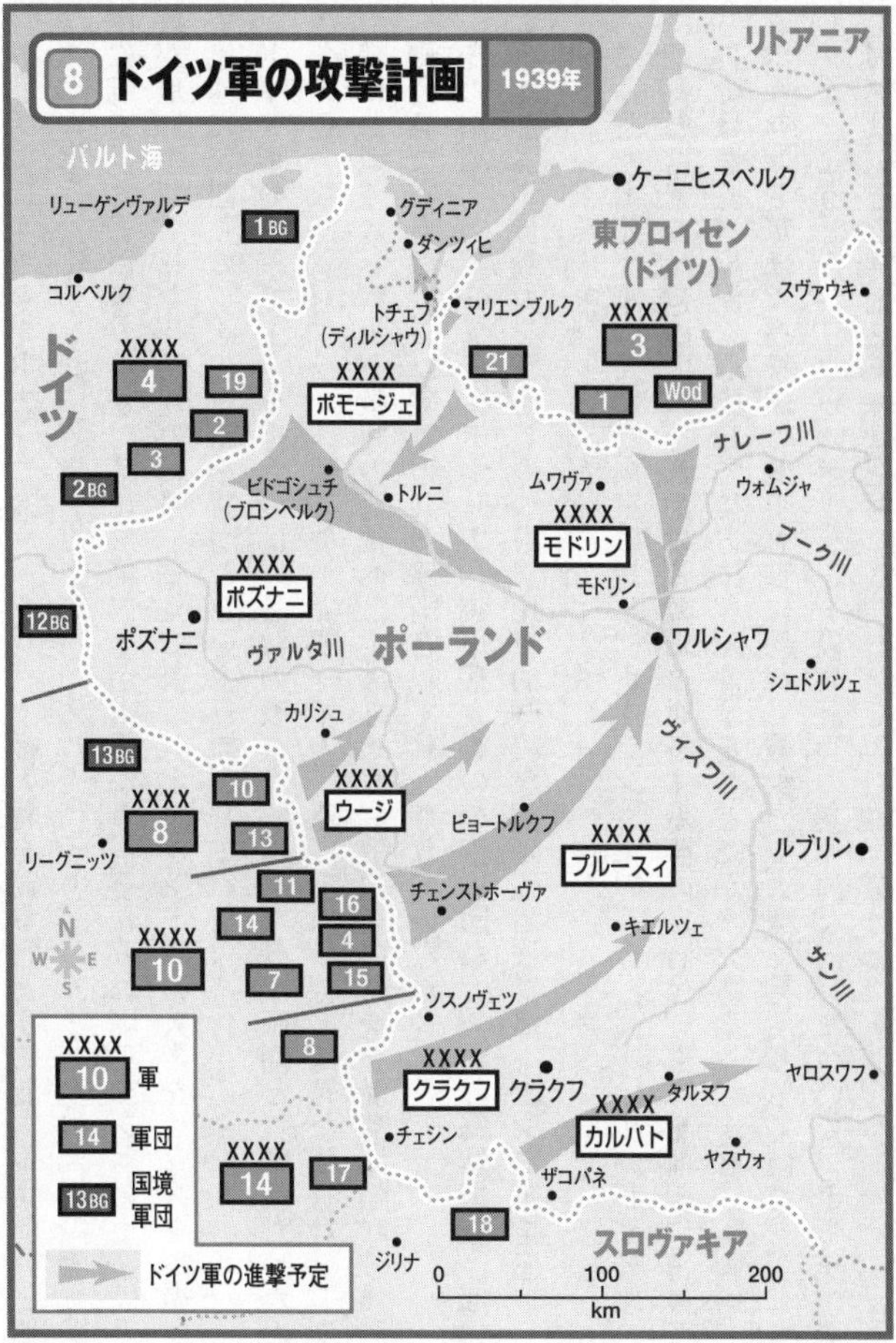
8 ドイツ軍の攻撃計画 1939年
リトアニア
バルト海
ケーニヒスベルク
リューゲンヴァルデ
1BG
グディニア
ダンツィヒ
東プロイセン
（ドイツ）
コルベルク
スヴァウキ
トチェフ
（ディルシャウ）
マリエンブルク
XXXX
3
ドイツ
XXXX
4
19
XXXX
ポモージェ
21
1
Wod
2
3
ナレーフ川
2BG
ビドゴシュチ
（ブロンベルク）
トルニ
ムワヴァ
ウォムジャ
XXXX
モドリン
ブーク川
XXXX
ポズナニ
モドリン
12BG
ポズナニ
ヴァルタ川
ポーランド
ワルシャワ
シエドルツェ
カリシュ
ヴィスワ川
13BG
XXXX
ウージ
10
XXXX
8
13
ピョートルクフ
XXXX
プルースィ
ルブリン
リーグニッツ
11
16
チェンストホーヴァ
14
4
キエルツェ
N
W
E
S
XXXX
10
7
15
サン川
ソスノヴェツ
8
XXXX
10
軍
XXXX
クラクフ
クラクフ
タルヌフ
ヤロスワフ
XXXX
カルパト
14
軍団
チェシン
ヤスウォ
XXXX
14
17
13BG
国境軍団
ザコパネ
18
スロヴァキア
ドイツ軍の進撃予定
ジリナ
0
100
200
km

具体的には、フェードア・フォン・ボック上級大将を司令官とする北方軍集団の二個軍（第3、第4）が北と北西から、ゲルト・フォン・ルントシュテット上級大将の南方軍集団に所属する三個軍（第8、第10、第14）が南西から、それぞれポーランド領土に侵攻し、敵が地形を利用した長期戦の態勢を整える前に、ポーランド軍の大半をヴィスワ川の西岸で迅速に包囲して、その退路を断つことを主目標としていた。

ドイツ軍の攻撃で主力を担うのは、多数の戦車を装備した装甲師団と軽師団だったが、翌年の西方攻勢（対フランス戦）や一九四一年のソ連侵攻の場合とは異なり、対ポーランド戦においては「戦車を敵陣の背後へと突破させて、敵の指揮系統を混乱に陥れる」という機動的な戦術は、まだ陸軍の共通原則として確立されていなかった。

そのため、ハインツ・グデーリアン装甲兵大将の第19軍団など一部の例外を除けば、自動車化部隊の機動力を活かしつつも、比較的堅実な部隊運用法でポーランド軍を圧迫し、包囲環へと押し込むという方針が採用された。

こうしたドイツ軍の攻勢計画案に対し、ポーランド軍の《Z計画》は、いわば最悪の部隊配置と言えた。包囲殲滅を意図する敵軍と対峙する際の定石は、部隊を前線に密集させるのではなく、縦深を形成して後方にも配置することだからである。しかも、防御側であるポーランド軍は、攻撃側のドイツ軍に較べ、機動力で大きく見劣りしていた。

だが、こうしたドイツ軍のポーランド侵攻計画の具体的な内容について、ポーランド軍上層部は、その詳細を正確に把握することができていなかった。

ポーランド軍参謀本部は、ドイツ軍が使用する暗号機「エニグマ」の初期型を、一九三四年に解読することに成功していたが、一九三八年末にドイツ軍が技術的な改良を加えてからは、ポーランド側はエニグマ暗号を一切解読できなくなっていた。

ポーランド軍による「エニグマ」暗号機の研究データは、後にイギリス情報機関に引き継がれて大きな成果を上げ、第二次世界大戦の中盤以降における連合軍の勝利に、多大な貢献を果たすことになる。しかし、一九三九年のポーランド戦争では、有用な「成果」は全く得られず、彼らは研究内容を自国の防衛に役立てることはできなかったのである。

《戦火に包まれたドイツ＝ポーランド国境》

◆ディルシャウ鉄橋をめぐる戦い

一九三九年九月一日の午前四時四五分、ドイツ軍の地上部隊はバルト海からカルパチア山脈に至る全戦線で、ポーランドに対する軍事侵攻作戦を開始した。

しかし厳密には、その五分前に、ドイツ空軍の爆撃機が最初の爆弾をポーランド領内の目標に向けて投下していた。ディルシャウ鉄橋の爆破阻止作戦である。

前記した通り、ドイツ軍はポーランド攻撃に際し、第一次世界大戦後に「ポーランド回廊」によって陸上での連絡を遮断されて飛び地となった東プロイセンと、ドイツ本土を結ぶ鉄道線の迅速な確保を重視していた。東プロイセン領内には、開戦までに充分な補給物資が備蓄されておらず、同地を出撃するドイツ第3軍がポーランド領内で攻勢作戦を継続するためには、大量の補給物資を東プロイセンに輸送する必要があったからである。

こうした観点から、ドイツ側はヴィスワ（ヴァイクセル）川下流のディルシャウ（ポーランド側呼称はトチェフ）にある、全長八三七メートルの鉄道橋と道路橋の確保を、戦争初期における最重要目標の一つに位置づけていた。

この鉄橋は、東プロイセンの西にあるマリエンブルクからダンツィヒを経由して、最短距離でドイツ本国に通じる鉄道線の通過点だったが、もしドイツ軍が確保する前にポーランド軍によって爆破されたなら、東プロイセンとダンツィヒならびにドイツ本土を結ぶ鉄道線の迅速な確保という目標は、大きな障害に直面することになる。

そのため、ドイツ軍は陸軍と空軍が連携して行う、次のような奇襲攻撃を計画した。

まず、通常の貨物列車を装った特別列車を、東プロイセンからディルシャウへと向かわせる。そして、開戦直前の午前四時四〇分に、ドイツ空軍の急降下爆撃機が、ポーランド軍が鉄橋のそばに設置した爆砕用点火施設を精密爆撃で破壊し、それにタイミングを合わせて同鉄橋の間近に停車した貨車から、工兵科のゲアハルト・メデム大佐が率いる戦闘団（一個大隊と支援部隊）が「トロイの木馬」よろしく飛び降り、混乱するポーランド軍の橋梁《きょうりょう》守備隊を撃ち倒して、ディルシャウの鉄橋を占領・確保する。

9 ダンツィヒ周辺の戦い
1939年9月1日
0 300 600 m
ヴェステルプラッテの攻防
弾薬庫
37ミリ対戦車砲
ヴェステルプラッテ
機関銃陣地
バルト海
75ミリ砲
37ミリ対戦車砲
弾薬庫
ボルトヴィ運河
機関銃陣地
ドイツ軍の攻撃
開戦時のシュレスヴィヒ＝ホルシュタインの射撃位置
ノイファールヴァッサー（新港）
ドイツ海軍歩兵突撃中隊
N W E S
ディルシャウ橋奪取作戦
ポーランド
ツォポト
※上の図を参照
ヴェステルプラッテ
オリファ
ノイファールヴァッサー
バルト海
ダンツィヒ（グダニスク）
ボーンザック
ステーゲン
ダンツィヒ自由都市（国際連盟管理下）
SSダンツィヒ郷土部隊
ティーゲンホフ
ヴィスワ川
ホーヘンシュタイン
マリエンゼー
ギュットランデ
エルビング
ノイタイヒ
ジモンスドルフ
東プロイセン（ドイツ）
0 10 20 km
トチェフ（ディルシャウ）
メデム戦闘団
マリエンブルク
ドイツ軍の攻撃

この任務のため、ドイツ空軍は第1急降下爆撃航空団から、三機編隊のJu87B急降下爆撃機《略称シュトゥーカ》を出撃させた。そして、メデム戦闘団を橋の対岸から支援すべく、ダンツィヒ自由都市から「SSダンツィヒ郷土部隊」の本隊（一二〇〇人）が、北西からディルシャウに向かうこととされた。

SSダンツィヒ郷土部隊は、開戦前にドイツからダンツィヒへと送り込まれた第4SS髑髏連隊第3大隊を基幹に、ダンツィヒ出身のドイツ人志願者を多数編入して編成されたナチス親衛隊（SS）所属の戦闘部隊で、組織の総人員数は一五〇〇人だった。

同部隊に志願したダンツィヒ出身のドイツ人青年たちは、開戦前の一九三九年五月から七月までの間、密かにベルリン入りしてそこで軍事訓練を受けており、自らの「郷土」を祖国ドイツに復帰させる戦いということで、兵士の士気は高かった。

しかし、メデム戦闘団のドイツ兵を満載した特別列車は、いったんポーランド側が運行を管理するダンツィヒ自由都市領内の鉄道線に入ったものの、ディルシャウ目前のジモンスドルフという停車場で停止させられてしまう。そして、同列車に続いて来たドイツ軍の装甲列車を見て、不審に思ったポーランド側の鉄道管理官が、ディルシャウ鉄橋の警備部隊に警戒を促すための信号弾を夜空に撃ち上げた時、ドイツ側の奪取計画は破綻《はたん》した。

ドイツ兵を乗せた列車は、そのまま強行突破を図ったが、すぐに鉄製の遮断機によって行く手を阻《はば》まれ、間もなく両軍兵士の間で銃撃戦が開始された。

九月一日の午前四時四〇分（四時三四分とする資料もあり）、シュトゥーカが投下した爆弾は、爆砕用点火施設へと命中した。だが、この混乱に乗じて橋を奪取するはずのメデム戦闘団は、いまだヴィスワ東岸のジモンスドルフ停車場で銃撃戦を続けていた。間もなく爆撃の混乱から立ち直ったポーランド軍は、爆薬点火用の電線を修理した。

爆撃から約一時間五〇分が経過した午前六時三〇分頃、二本ある鉄橋に設置された爆薬が炸裂《さくれつ》し、ディルシャウの鉄橋は轟音《ごうおん》と共にヴィスワ川に水没した。

メデム戦闘団は、戦闘の末、翌九月二日の朝にディルシャウ（トチェフ）の街を占領したが、同地の鉄道橋確保という任務は、完全な失敗に終わったのである。

◆ヴェステルプラッテとダンツィヒ市内の激闘

このシュトゥーカの爆撃から五分後の九月一日午前四時四五分（四七分または四八分とする資料もあり）、ダンツィヒ港に面したポルトヴィ運河に浮かぶ練習艦「シュレスヴィヒ＝ホルシュタイン」が、突然砲塔をヴェステルプラッテ半島に向け、そこにあるポーランド軍の兵営に対し、二八センチ砲と一五センチ砲による艦砲射撃を開始した。

大半を森に覆われた、長さ二キロメートル、最大の場所で幅六〇〇メートルという細長い半島であるヴェステルプラッテには、十九世紀初頭からプロイセンによって砦が築かれていたが、第一次世界大戦後にダンツィヒが国際連盟管理下の自由都市となった後、一九二四年八月四日に成立したポーランド政府とダンツィヒ市参事会の合意に基づき、港湾業務の安全確保という名目で、ポーランド軍の駐屯が例外的に認められていた。

そして、ドイツ軍の攻撃が開始された時、ヴェステルプラッテにはヘンルィク・スハルスキ少佐を指揮官とする、二〇五人のポーランド軍守備隊が駐留していた。

ダンツィヒ港の入口を衛兵のように威圧するこの駐屯地には、七五ミリ砲一門と三七ミリ対戦車砲二門、および数か所の機関銃陣地があり、コンクリート製の掩蔽壕《えんぺいごう》には弾薬が豊富に備蓄されていた。

艦砲射撃に続いて、ドイツ海軍の歩兵突撃中隊が、半島の付け根からポーランド軍守備隊への突撃を開始した。だが、幅がわずか二〇〇メートルほどしかない半島の付け根に、ポーランド軍は砲火を集中して反撃したため、ドイツ海軍の歩兵は甚大な損害を被り、突撃の一時中止を余儀なくされた。

その後、ドイツ軍はこの日だけで二回の突撃を敢行したものの、いずれも撃退され、頑強なポーランド軍の抵抗拠点を粉砕することはできなかった。

ダンツィヒ市内では、ポーランド側管理下の中央郵便局に対し、ドイツ警察部隊が襲撃を仕掛けたが、要塞化された頑強な建物には、ポーランド軍予備役将校三八人を含む五九人のポーランド人市民が武器を取って立て籠もり、ドイツ側の攻撃は激しい抵抗に遭遇《そうぐう》して、いったん撃退された。だが、同日夕方にADGZ八輪装甲車を装備したSSダンツィヒ郷土部隊の一部を増派して攻撃が再開されると、壮絶な近接戦闘の末に、中央郵便局のポーランド人守備隊は全滅した。

開戦から一週間、ポーランド軍のヴェステルプラッテ守備隊は、空と海、そして陸の三方向から叩き込まれる砲弾と爆弾に耐えて孤立無援の中で必死の防戦を繰り広げ、ドイツ軍の前進を阻み続けた。しかし、九月七日、半島の倉庫に備蓄されていた弾薬と食糧、そして医療品が遂に底をつき、敗北を悟った守備隊長スハルスキは、降伏を決断した。

ヴェステルプラッテの戦いで、ポーランド軍の損害は戦死者一四人と負傷者五三人だったが、ドイツ側はそれを大きく上回る二〇〇ないし三〇〇人もの死傷者を出していた。

◆「スピード重視」のグデーリアン流用兵術

北方軍集団麾下の二個軍のうち、ドイツ本土と東プロイセンの中間に位置する「ポーランド回廊」を西から攻撃したのは、ギュンター・フォン・クルーゲ砲兵大将率いるドイツ第4軍の九個師団（装甲一個、自動車化歩兵二個、歩兵六個）だった。

第4軍の中核は、ドイツ陸軍における「戦車部隊創設の父」とも称される、ハインツ・グデーリアン装甲兵大将の第19軍団（第3装甲師団と第2および第20の二個自動車化歩兵師団）で、軍団長グデーリアン自身も「ポーランド回廊」がドイツ帝国領だった時代（一八八八年）に同地のポーゼン（ポーランド側呼称はポズナニ）地方にあるクルム（ヘウムノ）という町で生まれたことから、今回の任務には特別な感情を抱いていた（第4軍司令官クルーゲも同じくポーゼンの生まれ）。

対するポーランド軍は、この地域にヴワディスワフ・ボルトノフスキ中将を司令官とするポモージェ軍の五個歩兵師団と一個騎兵旅団を配備していたが、師団数でドイツ軍に劣る上、ドイツ本土と東プロイセンの両面から挟撃される不利な陣形となっていた。

そのため、ボルトノフスキは長期的な抵抗は不可能だと考え、ドイツ軍の侵攻が開始されたなら、敵部隊の前進を遅らせつつ、麾下の部隊を迅速に南東へと退却させるという計画を立てていた。

九月一日午前四時四五分、グデーリアンの第19軍団は国境を越えて、旧ドイツ領ポンメルン（ポーランド側呼称ポモージェ）への進撃を開始した。だが、最初の関門であるブルダ（ドイツ側呼称はブラーへ）川畔へと到達した彼は、第3装甲師団が、同日中に渡河せよという命令を無視して、敵情把握のために停止しているのを見つけて激怒した。

グデーリアンは、自動車化部隊はそのスピードこそが最大の武器であり、常に移動して相手を翻弄《ほんろう》し、敵指揮官と兵士を心理的に動揺させることで、自軍の勝機を拡大できると確信していた。彼はすぐに、前進を停止して一服している第3装甲師団の将校と下士官兵を叱咤《しった》し、ただちに渡河の準備を開始するよう命じた。

同じ第19軍団に所属する独第20自動車化歩兵師団は、ブルダ川沿いに生い茂る森を前進中、突然ポーランド軍の騎兵部隊による奇襲攻撃を受けて、パニックに陥った。

攻撃を仕掛けたのは、ポモルスカ騎兵旅団に所属する第18槍騎兵連隊の精兵だった。

ポーランドの「槍騎兵」は、九月一日のモクラの戦い（後述）を除いて、この戦争では実戦で長槍を使うことはなく、前時代的な長槍は儀典でしか使用されない伝統的な小道具となっていた。同部隊の戦術は、サーベルの抜刀による騎馬突撃か、または戦場へと迅速に移動した後で馬を降りて、歩兵として小銃や機関銃で戦うかのどちらかだった。

サーベルを構えて木々の間から突進したポーランド第18槍騎兵連隊は、ドイツ軍歩兵部隊を蹴散らして、一時的に戦場で優位を確保した。だが、間もなくドイツ軍の増援として装甲車部隊が到着すると、戦況は瞬く間に逆転した。

戦車に較べると薄いとはいえ、鋼鉄の鎧《よろい》に覆われた装甲車に対して、ポーランド騎兵は全く歯が立たず、連隊長のマステラシュ大佐は戦死し、残りの騎兵も大損害を受けて東へと退却した。

《序盤は陸空両面で苦戦したドイツ軍》

◆ドイツ軍の戦車対ポーランド軍の「装甲列車」

ドイツ南東部からスロヴァキア北部にかけての正面に、ドイツ軍は南方軍集団指揮下の第8、第10、第14の三個軍（二八個師団）を配備し、ポーランド側はウージおよびクラクフ（クラカウ）の二個軍（九個師団と五個旅団）を展開して対峙していた。

ドイツ軍三個軍のうち、最も重要な任務を与えられていたのは、ヴァルター・フォン・ライヒェナウ砲兵大将の第10軍だった。同軍は、国境のポーランド軍戦線を迅速に破った後、首都ワルシャワに向けて直進し、ヴィスワ川の西でポーランド軍主力を包囲殲滅するという大計画の「南の鎌」という役割を担っていた。

九月一日の午前四時四五分、ドイツ第10軍に所属する一三個師団が、国境を越えてポーランド領内へと突撃を開始した。同軍には、装甲師団二個（第1、第4）と軽師団三個（第1、第2、第3）、自動車化歩兵師団二個（第13、第29）が配属されており、戦車の台数は計一〇四一輌（ドイツ軍がポーランド戦に投入した戦車総数の約四割）に達し、ポーランド戦争におけるドイツ軍の「攻勢主力」と位置づけられていた。

ところが、作戦初日における独第10軍の戦いは、期待されたほど芳しいものではなかった。その中でも、とりわけ激しい抵抗に遭遇したのが、ポーランドのウージ軍（ユリウシュ・ロンメル中将）とクラクフ軍（アントニ・シュリング少将）の作戦境界付近に位置する鉄道沿いの村、モクラだった。

九月一日の午前八時頃、独第4装甲師団の第35戦車連隊に所属する戦車二五輌が、歩兵の支援を受けないまま、西から村へと不用意に接近した。

その時、ポーランド軍ヴォウィンスカ騎兵旅団の第21槍騎兵連隊が装備するボフォース製三七ミリ対戦車砲が火を吹き、ドイツ軍戦車はあっけなく撃退された。

午前一〇時頃、独第4装甲師団は再び砲兵の支援を受けて、モクラ村周辺のポーランド軍陣地を強襲した。しかし、ポーランド側も、村に近い鉄道線路に展開していた装甲列車第53号「シミャウィ（勇敢）」の火力支援を受けて、これに応戦した。

ポーランド軍は開戦時、装甲列車と呼ばれる九輛編制の軍用戦闘列車を、計一〇本（第11～15号と第51～55号）保有していた。各装甲列車の中央には強力な馬力を持つ蒸気機関車と装甲指揮車、歩兵を乗せた装甲兵員輸送車が位置し、その前後に各一輛ずつ、大型回転砲塔二基と機関銃用小砲塔一基、機関銃座六門などを搭載（列車ごとに多少異なる）した砲車が連結され、さらに軽戦車や豆戦車を搭載する小貨車も繋がっていた。

砲車に一〇〇ミリ砲二門と七五ミリ砲二門を搭載し、さらに列車全体で計二二門（片方の側面と回転砲塔だけでは一二門）の機関銃を持つ、装甲列車第53号「シミャウィ」は、その火力を発揮して、独第4装甲師団の攻撃を数回にわたり撃退した。

だが、この無敵に見える怪物にも弱点があった。鉄道線路沿いにしか移動できず、対空機関砲を搭載していないため、空襲にはきわめて脆弱だったのである。

午後二時頃、ドイツ軍の急降下爆撃によって損害を被った装甲列車第53号は、全損を避けるため戦線から後方へと離脱した。だが、独第4装甲師団はこの日だけで四〇輛の戦車を失い、第10軍司令官ライヒェナウは予想外の損害に大きな衝撃を受けた。

ちなみに、ドイツ軍も前記したディルシャウ鉄橋の奪取作戦に現れた装甲列車第1号をはじめ、計四輛の装甲列車をポーランド戦に投入したが、進路が限られるという性質上、攻撃に用いられることはなく、主に占領地で鉄道路線の警備任務に割り当てられた。

◆上シロンスク地方での戦い

森林と湿地が広がる「ポーランド回廊」のポモージェ地方とは異なり、ポーランド南西部国境のポーランド側は、シロンスク工業地帯をはじめとする経済拠点が林立しており、ポーランド側は簡単に退却してこの地をドイツ軍の手に渡すわけにはいかなかった。

一九一九年のヴェルサイユ条約で、住民投票により帰属を決定すると定められ、その結果としてポーランド人が多数派を占める東部地域がポーランド領へと分割併合された上シロンスク（ドイツ側呼称はオーバーシュレージェン）は、第一次世界大戦以前にはドイツ帝国有数の工業地帯であり、ポーランド領に併合された地域には、同地の炭田二八〇〇平方キロの八割と、炭坑の八割、亜鉛坑の八割、製鉄所の七割、高炉の六割が含まれていた（いずれも併合当時の数字）。

この地域の防衛を担うクラクフ軍の司令官シュリング少将は、ドイツ軍の侵攻を可能な限り前線で食い止めて持久戦に持ち込むことを求められた。このため、同軍は四個歩兵師団と一個山岳兵師団、一個山岳兵旅団に加え、開戦の時点で動員と編成を完了していた唯一の自動車化（実際には騎兵と混成）旅団である、スタニスワフ・マチェック大佐率いる第10自動車化騎兵旅団を、機動予備としてクラクフの西方に配置していた。

九月一日の朝、ドイツ軍の最南翼を担う、ヴィルヘルム・リスト上級大将の第14軍に所属する四個軍団（第8、第17、第18、第22）は、西と南から、シロンスク地方のポーランド軍に襲いかかった。独第22軍団の第2装甲師団と第4軽師団は、ヤブウォンカ（ヤブロニカ）峠を越えてクラクフの南へと前進したが、この動きを重大な脅威と見たクラクフ軍司令官シュリングは、ただちに予備の第10自動車化騎兵旅団を差し向けた。

ポーランド第10自動車化騎兵旅団は、小川と起伏を利用した防御線を形成して騎兵と対戦車砲を配置し、五日間にわたって独第22軍団の進撃を阻止することに成功した。

戦争の初日が終わった時、クラクフ軍の司令官シュリングは、上シロンスクにおける戦況は決して自軍に不利なものではないと考えていた。戦線が突破された場所はひとつもなく、部隊の退却も全体としては想定に近い範囲に収まっていたからである。

ところが、ポーランド側はこの地で、予想もしなかった「新たな敵」の出現に悩まされることになる。上シロンスクの少数民族として、不満を抱きつつ生活してきたドイツ系住民が、ドイツの侵攻を助ける形で、次々と武装蜂起したのである。

ドイツ側の対外諜報・工作機関「国防軍対外情報・防諜局（アプヴェーア）」はポーランド戦の開始に先立ち、秘密裡に武器と弾薬をポーランド国内のドイツ系住民へと送り届けており、銃を手にした「シュレージェンのドイツ系住民」は、上シロンスク各地で決起して、ポーランド軍および国境警備隊との間で紛糾を引き起こした。

貧弱な武器しか持たないドイツ系住民の蜂起は、すぐに鎮圧されたが、後背地における彼らの存在は、ポーランド軍の戦闘能力を分散させる役割を果たしたのである。

◆想定外のスタートとなったドイツ空軍の作戦

対ポーランド戦争の初期におけるドイツ空軍の航空作戦の優先順位は、第一位が「ポーランド空軍を撃滅して戦場の制空権を確保すること」、第二位が「陸海軍との協力」で、後者の実行に際しては、敵地上部隊への直接攻撃よりも、敵後方の交通路や物資集積所、部隊集結地などを空から襲撃・破壊するという「間接的な支援」が重視された。

また、地上作戦が順調に進展して、航空支援の必要性が薄れた場合には、ポーランドの軍需産業に対する爆撃へと任務を拡大することも視野に入れていた。

こうした方針に従い、ドイツ空軍は九月一日未明の第一撃において、首都ワルシャワをはじめとするポーランド領内の飛行場と格納庫、それに付随する航空機の修理施設、地上に駐機する敵航空機に対する大規模な航空攻撃を計画していた。

ところが、夜が明けてみると、北部を中心にポーランド領内の多くの場所で、目標が深い霧と厚い雲に覆われていたため、開戦初日の早朝に「第一目標」であるポーランド空軍への奇襲攻撃を実行することができなかった。しかも、ポーランド空軍は、総動員が発令された八月三十日に、前線の第一線機を後方へと避難させて掩体壕《えんたいごう》へと隠し、ドイツ軍の奇襲攻撃で破壊されることを回避していた。

九月一日の昼前頃、天候がやや回復し、ドイツ空軍のハインケルＨｅ111水平爆撃機の編隊がワルシャワ上空に飛来し、市南部のオケンチェ飛行場などに爆弾を投下した。

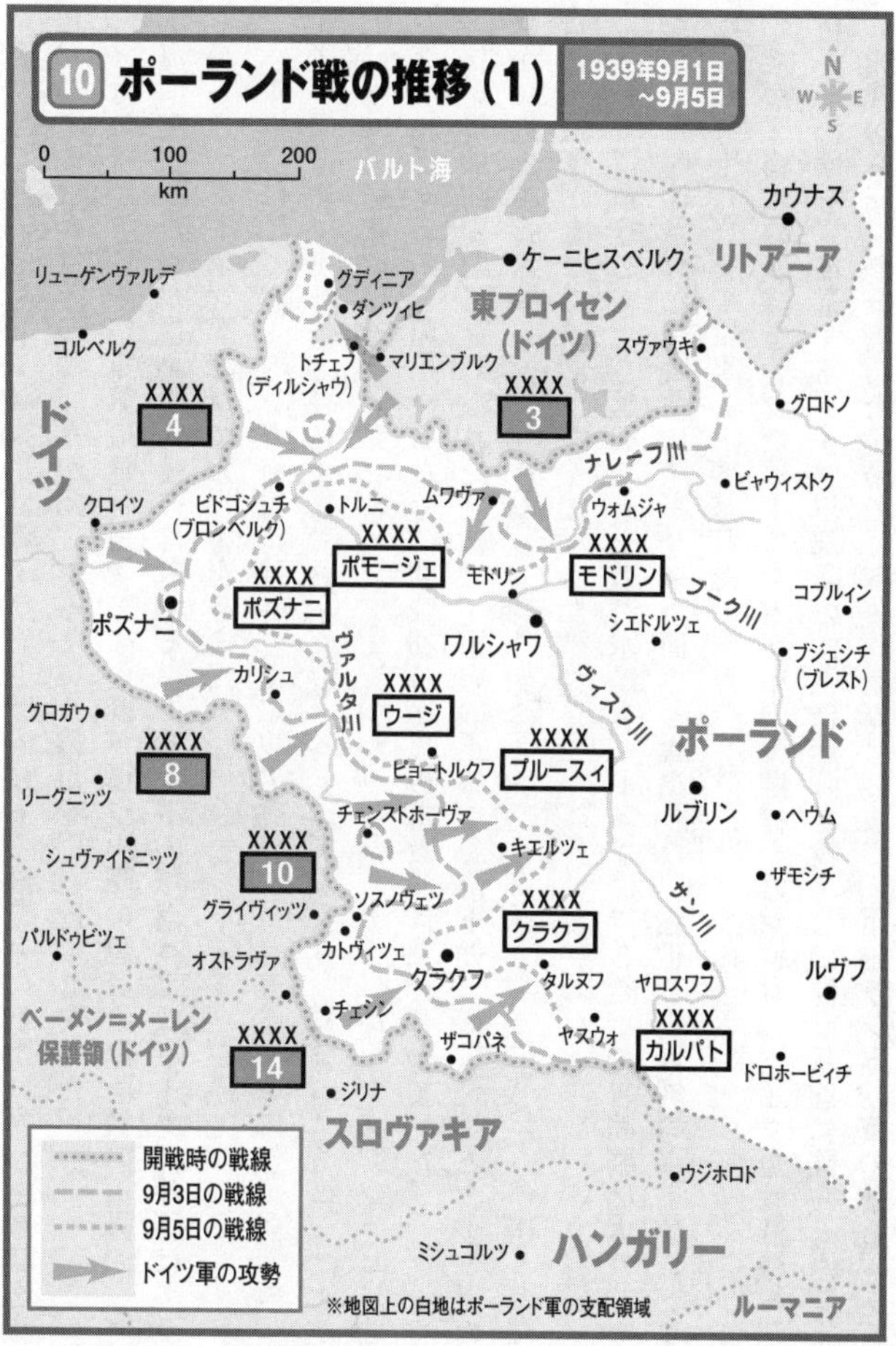
10 ポーランド戦の推移（1）
1939年9月1日~9月5日
N
W
E
S
0
100
200
km
バルト海
カウナス
リトアニア
ケーニヒスベルク
リューゲンヴァルデ
グディニア
ダンツィヒ
東プロイセン（ドイツ）
コルベルク
トチェフ（ディルシャウ）
マリエンブルク
スヴァウキ
XXXX 4
XXXX 3
グロドノ
ドイツ
ナレーフ川
ビャウィストク
クロイツ
ビドゴシュチ（ブロンベルク）
トルニ
ムワヴァ
ウォムジャ
XXXX ポモージェ
XXXX モドリン
XXXX ポズナニ
モドリン
ブーク川
コブルィン
ポズナニ
ワルシャワ
シエドルツェ
ブジェシチ（ブレスト）
ヴァルタ川
カリシュ
XXXX ウージ
ヴィスワ川
グロガウ
XXXX 8
ポーランド
XXXX プルースィ
ピョートルクフ
リーグニッツ
ルブリン
ヘウム
チェンストホーヴァ
シュヴァイドニッツ
キエルツェ
XXXX 10
ザモシチ
グライヴィッツ
ソスノヴェツ
サン川
XXXX クラクフ
パルドゥビツェ
オストラヴァ
カトヴィツェ
ルヴフ
クラクフ
タルヌフ
ヤロスワフ
チェシン
ベーメン＝メーレン保護領（ドイツ）
XXXX 14
ザコパネ
ヤスウォ
XXXX カルパト
ドロホービィチ
ジリナ
スロヴァキア
開戦時の戦線
9月3日の戦線
9月5日の戦線
ドイツ軍の攻勢
ウジホロド
ミシュコルツ
ハンガリー
※地図上の白地はポーランド軍の支配領域
ルーマニア

翌九月二日には、ドイツ空軍はポーランド国内にある計二七の都市に対して爆撃を実施し、一〇〇〇人以上の民間人が死亡するという惨事を引き起こしていた。

九月三日、ドイツ空軍第186飛行連隊第4急降下爆撃中隊の急降下爆撃機の編隊が、バルト海に突き出たヘル半島の先端に位置するポーランドの軍港ヘル（ドイツ側呼称はヘラ）を爆撃し、ポーランド海軍に大損害を与えた。

ヘル軍港には、ポーランド海軍に残された二隻の艦艇、二二五〇トンの機雷敷設艦「グルィフ（ギリシャ神話に登場する、獅子と鷲を合わせた架空の動物グリフォン）」と一五七〇トンの駆逐艦「ヴィヘル（竜巻）」が停泊しており、ドイツ海軍がダンツィヒに物資を海上輸送するのを阻止するため、開戦初日から機雷敷設作業を行っていた。

狭い軍港内に閉じ込められた両艦は、狙いの正確な急降下爆撃機《シュトゥーカ》の襲撃から逃れられなかった。同日夕方、「グルィフ」と「ヴィヘル」は共に、命中した爆弾による損傷がもとで、あえなく沈没した。

そして、辛うじて生き延びた若干の潜水艦も、ドイツ海軍と空軍の包囲網により一隻また一隻と撃沈され、開戦前にイギリス方面へと脱出した駆逐艦三隻以外のポーランド海軍は、九月十六日までに事実上壊滅した。

だが、緒戦の壊滅を免れたポーランド空軍の戦闘機や爆撃機は、ドイツ軍戦闘機の隙を突いて出撃し、前進するドイツ軍部隊の頭上に爆弾を投下して混乱状態に陥らせた。

開戦から三日が経過した段階で、ドイツ空軍はいまだ、ポーランド空軍の撃滅、あるいはポーランド一帯の制空権掌握という目標を、達成できていなかったのである。

《徐々に押し込まれるポーランド軍》

◆ポーランド回廊の封鎖とワルシャワへの接近

九月四日、ドイツ本国から出撃した独第3装甲師団と、東プロイセンから前進した独第21歩兵師団が、「ポーランド回廊」の街グルージョンツで合流した。

これにより、ヴェルサイユ条約によって分断されていたドイツ本土と東プロイセンを結ぶ、陸上での連絡路が確保され、この線より北のグディニアとヘルの軍港を守るポーランド海軍歩兵二個旅団は、逆にポーランド軍の主力から切り離された状態となった。

南方軍集団の戦区では、独第10軍の正面に立ち塞がるポーランド軍が、ドイツ軍の陸空からの連携攻撃で大打撃を被っていた。九月四日の夕方頃、ポーランド軍のウージ軍とクラクフ軍の境界部には幅三〇キロにわたる戦線の空白部が生じ、ドイツ軍の攻勢主力である第10軍の目前には、ワルシャワまでの進撃路が開かれた。

一方、ポーランド軍の上層部も、戦前の対独戦争計画《Z計画》において、ドイツ軍がシュレージェン（上シロンスク）地方からワルシャワに向けて攻勢主力を投入する可能性を想定しており、この中間には戦略予備のプルースィ軍（ステファン・ドンプ＝ビェルナツキ中将）を配備する手《て》筈《はず》となっていた。

ところが、この軍を構成する三個歩兵師団と一個騎兵旅団のうち、開戦時までに動員を完了して予定地への配備が完了していたのは一個歩兵師団のみで、残りの師団はドイツ空軍の爆撃による混乱と命令伝達の不備により、いまだ配備予定地へと移動中だった。

九月五日の朝、プルースィ軍に所属するポーランド第19歩兵師団は、ドイツ軍の戦車部隊が接近中との報せを受けて、第2軽戦車大隊と協同でドイツ軍への反撃を実施した。

7TP軽戦車四九輌を装備する第2軽戦車大隊は、前進してきた独第1装甲師団を待ち伏せて迎え撃ち、二輌の損害と引き換えに、一七輌のドイツ軍戦車と二輌の自走砲、一四輌の装甲車を撃破するという戦果を挙げた。しかし、この戦術的勝利も局地的なものに過ぎなかった。態勢を建て直したドイツ軍の攻撃により、ポーランド第19歩兵師団は壊滅的な損害を被り、師団長クファチシェフスキは敗走中にドイツ軍の捕虜となった。

九月五日の夜、ウージ軍とクラクフ軍の間に穿《うが》たれた大穴は一〇〇キロ近くにまで広がり、そこを塞《ふさ》ぐはずのプルースィ軍はいまだ各師団とも配置がバラバラで、戦線を形成できる状態にはなかった。この状況を見た独第10軍司令官ライヒェナウは、第16軍団の第1と第4装甲師団をピョートルクフに向ける一方、第2と第3軽師団から成るヘルマン・ホート歩兵大将の第15軍団をクラクフ軍とプルースィ軍の間隙部にあるキエルツェに向け、装甲兵力を二手に分ける方策をとった。

新たに出現したプルースィ軍という敵の戦略予備を、戦車部隊の「二本の鎌」で包囲し、ワルシャワの手前で殲滅しようと考えたのである。

この独第10軍の両翼攻撃により、クラクフ軍は「上シロンスク地方での持久」という戦略を捨てざるを得ない状況へと追い込まれた。クラクフ軍司令官シュリングは、配下の部隊に対し、国境に近いシロンスク工業地帯を放棄し、古都クラクフとタルヌフを結ぶ線まで後退するよう、第10自動車化騎兵旅団などの配下部隊に命令を下した。

◆戦略方針の転換を行ったドイツ・ポーランド両軍

前線ではポーランド軍部隊の退却が各地で本格化しつつあったが、ドイツ軍とポーランド軍の上層部では共に、九月五日に戦略方針の見直しが行われていた。

言い換えれば、開戦から最初の五日間における戦局の推移は、ドイツとポーランドの双方にとって、事前の想定とは異なる形で推移していたのである。

ドイツ軍上層部は、戦前の計画ではポーランド軍の防御線を突き崩しながら南北から前進し、ヴィスワ川の西でポーランド軍の主力を包囲殲滅するはずだった。ところが、期待していた戦車部隊の突進力が、ポーランド軍対戦車砲の活躍により、緒戦の五日間では事前の想定ほどには発揮されておらず、このままではポーランド軍主力の退路をヴィスワ川の西で南北から封鎖するという戦略上の大目標を、達成できない可能性が高かった。

そのため、北方軍集団司令官ボックと、南方軍集団司令官ルントシュテット、そして両者の指揮下で作戦を指揮する野戦軍の司令官たちは、敵を大包囲する「ハサミ」を拡大して、その先端をヴィスワ東岸にまで広げ、そこで南北両軍集団の先頭部隊を合流させるという案を、陸軍総司令官ブラウヒッチュに上申した。

ドイツ陸軍の作戦指導を取り仕切る、参謀総長ハルダー砲兵大将や参謀本部の第一部長カール＝ハインリヒ・フォン・シュテュルプナーゲル歩兵大将らと協議の上、ブラウヒッチュは九月九日に攻勢拡大案を承認し、東からヴィスワ川へと流れ込む支流のブーク川方面にも部隊を進ませるよう、北方軍集団司令官ボックに命令した。

一方、ポーランド軍上層部では、ドイツ軍の進撃速度が事前の想定より速いことから、当初予定していた「国境付近での持久戦略」は不可能であるとの認識が広まっていた。

とりわけ、独第10軍の戦車部隊が槍の穂先のように首都ワルシャワへと突き進んでくる状況は、前線の戦いが第一次世界大戦と同様の「戦線の押し合い」になると予想していたポーランド軍幹部に、強い危機感を抱かせた。このまま持久戦略を続けたのでは、戦力が各方面に分散したまま、互いの連絡を絶たれて各個撃破される恐れが高かった。

ワルシャワの司令部で事態の推移を見守っていたリッツ＝シミグウィは、九月五日の夜、ウージ、クラクフ、プルースィの三個軍に対し、当初の戦略から一転して、ヴィスワ川の東岸へと撤退せよと命令した。また、西部に展開するタデウシュ・クトシェバ中将のポズナニ軍に対しても、当面は首都ワルシャワを目指して東進するよう命じた。

だが、本来なら合理的判断であるはずの、この戦略的撤退の命令は、結果的にポーランド軍の戦争継続力に、計り知れないほどの打撃を与えることになってしまう。

なぜなら、ポーランド軍の前線部隊と後方司令部を結ぶ命令系統は、完全に無線通信で行われることなく、有線電話にも依存する比重が大きかったため、いったん部隊が長距離の移動を開始したなら、途中段階での連絡の途絶などにより、上層部は各部隊の行動と正確な現在位置を把握できなくなってしまったのである。

◆独第10軍の前進とイヴジャ（イルザ）の激戦

九月六日、独第14軍は拠点を捨てて東へと撤退を開始したポーランド軍部隊を追撃し、ポーランド南部の大都市クラクフを、ほぼ無血で占領した。

独第14軍の第2装甲師団と第4軽師団は、全力で東に退却する敵を追撃しながら、九月八日にタルヌフを占領し、九月十日にはヴィスワ川の支流であるサン川へと到達した。第4軽師団は、四日間で一二〇キロ（一日平均三〇キロ）という快進撃を見せたが、ポーランド軍の第10自動車化騎兵旅団は、彼らの追撃を振り切ってサン川の東岸へと逃れた。

サン川の対岸では、カジミエシュ・ソスンコフスキ少将を司令官とするマウォポルスカ軍（九月六日にカルパト軍から改称、司令官もカジミエシュ・ファブリツ中将から交代）司令部が、退却してくる部隊を必死に再編成して戦線を再構築しようと試みていた。

九月七日、ドイツ空軍の偵察機は、独第10軍の右翼付近に敵の大部隊が集結しているのを確認した。この報告を受けた独第10軍司令官ライヒェナウ元帥は、翌九月八日にそれらの部隊を包囲するよう、指揮下の三個軍団（第4、第14、第15）に命令した。

九月八日の朝、独第15軍団は、第3軽師団の部隊を抽出して「ディトフルト戦闘団」を編成し、オストロヴィエツからイヴジャ（ドイツ側の呼称はイルザ）、ラドム周辺の偵察に派遣した。正午頃、ディトフルト戦闘団はイルザ東方の村ピラトカに進出した。

彼らはそこでポーランド軍の前衛部隊と接触し、両者の間で銃撃戦が始まった。イルザとその西に隆起する二四一高地には、ポーランド軍の部隊が展開していたが、日が落ちて周囲が夜の帳《とばり》に隠された頃、反撃の機をうかがっていたポーランド軍部隊はドイツ軍のディトフルト戦闘団に対し、組織的な「夜襲」を決行した。

少数ながら戦車の支援を受けたポーランド軍は、ドイツ軍の防衛線に対して一晩中、強襲を繰り返し、午後八時過ぎには激戦の中でドイツ側の指揮官ディトフルト大佐が戦死した。だが、ドイツ軍の危機を救ったのは、ディトフルト戦闘団に配属されていた空軍の高射砲部隊と、本来は上空の照射に使用される二基のサーチライトだった。

第22高射砲連隊第1大隊長ヴァイサー少佐は、後方の安全な位置に二基のサーチライトを離して設置し、敵がその位置を正確に確認できないほどの短時間のみ点灯して、交互に戦場一帯を照射させた。そして、二センチ対空機関砲と八・八センチ高射砲の一斉射撃により、ポーランド軍の強行突破の試みをことごとく撃退していった。

日付が九月九日に変わってもなお、ポーランド軍の猛攻は続き、午前四時頃にはヴァイサー少佐も敵弾に倒れた。しかし、本隊から遅れていた独第67戦車大隊第2中隊の戦車四輌が戦場に到着すると、イルザ東方の戦局はドイツ側の優位へと傾いていった。

《ワルシャワの戦いとポーランド軍の大反撃》

◆ワルシャワ市内に突入した独第4装甲師団

九月七日、独第10軍第16軍団に所属する独第4装甲師団のドイツ兵は、街道を進撃中に「ワルシャワまで一二五キロ」と書かれた道路標識を見つけた。

この日の夜、ポーランド軍総司令官リッツ＝シミグウィは、ワルシャワは一週間以内に包囲される見込みだとの報告を受けて驚き、すぐにポーランド軍の総司令部を、ワルシャワからブーク川沿岸の要塞都市ブジェシチ（ブレスト）に移転させるよう命じた。

リッツ＝シミグウィは、総司令部を（この時点で）安全な東方に移すことで、長期戦に備えようと考えていた。しかし、結果的にこの総司令部の移転はポーランド軍の継戦能力をさらに低下させる大失策となってしまう。地方の小都市に過ぎないブジェシチには、大規模な軍の指揮系統を担えるほどの通信インフラが存在しなかったからである。

そのため、ヴィスワ川の防衛線構築という危機的な時期に、ポーランド軍の指揮系統は大混乱を来たし、連絡の途絶や命令伝達の不備が各地で発生した。

九月八日の午後、ドイツ空軍の戦闘機と急降下爆撃機に援護された第4装甲師団は、ワルシャワ市街の外縁へと到達した。この報告を受けた第10軍司令官ライヒェナウは、同日の午後五時、ワルシャワを白兵戦で占領せよと第4装甲師団に命じた。

翌九月九日朝、ドイツ空軍の第4航空艦隊は、ワルシャワへの最初の大規模爆撃を実行した。一四〇機の急降下爆撃機は、市内の軍事施設へと正確に爆弾を投下したが、水平爆撃機から放たれる爆弾は広範囲に散らばり、大勢の市民が犠牲となった。

そして、第4装甲師団長ラインハルト少将は、師団の兵力を三個の戦闘団に分け、午前一〇時から同市南西部のモコトゥフ、オホタ、ヴォラの各地区へと突入させた。

この時、ワルシャワ市内には、八月二十七日から九月三日にかけてルヴフ軍管区で動員されたばかりのポーランド第5歩兵師団だけしか配置されていなかった。だが、同師団のポーランド兵は、市街地の地形を利用した防御陣地を構築して、ドイツ軍を待ち構えた。

九月九日の昼過ぎ、第4装甲師団の第35戦車連隊と第12狙撃兵連隊の先鋒は、市中心部のワルシャワ中央駅へと突進したが、ドイツ軍の戦車はポーランド軍対戦車砲による防御射撃で甚大な損害を被り、それ以上は動けなくなった。

ドイツ軍戦車は、グレーの車体に白または白フチ付きの黄色で国籍マークの十字と車体番号を描いていたが、この十字が敵の照準を助けていることに気づいたドイツ側は、白や黄色のペイントを前線で削り取って見えにくくした。

状況の深刻さを理解したラインハルトは、ワルシャワの電撃的な占領という目論見を放

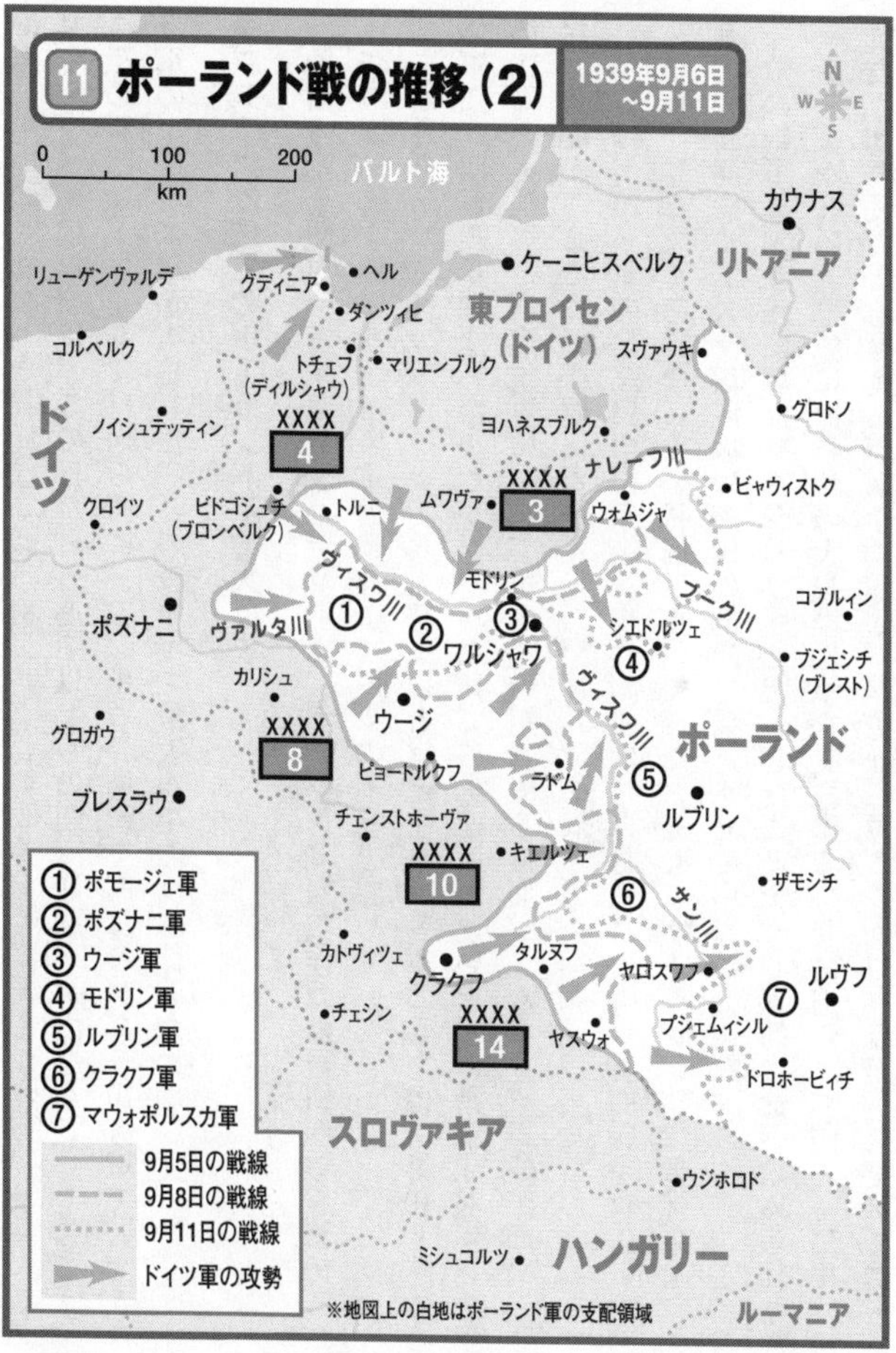
11 ポーランド戦の推移（2）
1939年9月6日
～9月11日
N
W
E
S
0
100
200
km
バルト海
カウナス
リトアニア
リューゲンヴァルデ
グディニア
ヘル
ケーニヒスベルク
ダンツィヒ
東プロイセン
（ドイツ）
コルベルク
トチェフ
（ディルシャウ）
マリエンブルルク
スヴァウキ
グロドノ
ドイツ
ノイシュテッティン
XXXX
4
ヨハネスブルク
ナレーフ川
XXXX
3
ビャウィストク
クロイツ
ビドゴシュチ
（ブロンベルク）
トルニ
ムワヴァ
ウォムジャ
ヴィスワ川
モドリン
ブーク川
コブルィン
ポズナニ
ヴァルタ川
ワルシャワ
シエドルツェ
ブジェシチ
（ブレスト）
カリシュ
ウージ
ヴィスワ川
ポーランド
グロガウ
XXXX
8
ピョートルクフ
ラドム
ルブリン
ブレスラウ
チェンストホーヴァ
XXXX
10
キエルツェ
ザモシチ
サン川
カトヴィツェ
タルヌフ
クラクフ
ヤロスワフ
ルヴフ
チェシン
XXXX
14
ヤスウォ
プジェムィシル
ドロホービィチ
①ポモージェ軍
②ポズナニ軍
③ウージ軍
④モドリン軍
⑤ルブリン軍
⑥クラクフ軍
⑦マウォポルスカ軍
スロヴァキア
9月5日の戦線
9月8日の戦線
9月11日の戦線
ドイツ軍の攻勢
ウジホロド
ミシュコルツ
ハンガリー
※地図上の白地はポーランド軍の支配領域
ルーマニア

棄し、いったん市外へと撤退するよう師団の各部隊に命じた。そして、ドイツ軍によるワルシャワへの総攻撃は、この日から二週間以上もの間、延期を余儀なくされてしまう。

その原因は、ワルシャワから西に一〇〇キロの場所を流れるブズラ川流域で、ポーランド軍のポズナニ軍が実施した、この戦争中で最大規模の反撃作戦だった。

◆ブズラ川流域でのポーランド軍の大反攻

独南方軍集団司令官ルントシュテットは、ポーランド侵攻作戦の当初から、第10軍の左翼で側面防御を担当する第8軍の戦力に、多少の不安を感じていた。

ヨハネス・ブラスコヴィッツ歩兵大将を司令官とする第8軍の兵力は、第10と第13の二個軍団（四個歩兵師団）だったが、歩兵主体で移動速度が遅い上、自動車化部隊を擁する第10軍が奥地へと前進するにつれて第8軍の担当する側面が長くなり、単位正面当たりの兵力密度が薄まることが確実だったからである。

例えば、第8軍の最左翼を担う第30歩兵師団は、九月八日の時点で四〇キロ以上の戦線を単独で守らなくてはならない状況となっていた。そしてポーランド軍は偶然にも、この師団が展開するブズラ川流域に大量の部隊を接近させていた。

敵の戦車部隊が遂に首都ワルシャワへと突入したことで、心理的に追い詰められたリッツ＝シミグウィは、早急に何らかの大規模反撃を実施する必要に迫られていた。最後に残された「切り札」とも言えるポズナニ軍が、西方からワルシャワへと接近していることを確かめた彼は、すぐにブズラ川流域で反撃を実施するよう命令を下した。

九月九日の夜、ポズナニ軍に所属する第14、第17、第25の三個歩兵師団が、ブズラ川を渡河して独第30歩兵師団に襲いかかった。一九三九年のポーランド戦では珍しく、兵力比でポーランド軍が優勢である上、完全な奇襲攻撃となったこの夜襲により、独第30歩兵師団はパニックを起こして南へと敗走し、九月十日の朝までに一五〇〇人のドイツ兵が死傷した上、三〇〇〇人近くがポーランド軍の捕虜となった。

独第8軍の側面で、敵軍の大反撃が開始されたとの報告を受けたルントシュテットは、恐れていた事態が現実になったと動揺し、ワルシャワ攻撃の一時中止と、周辺に展開する部隊のブズラ川流域への急派を命じた。

だが、ポーランド戦を通じて唯一とも言える、ドイツ軍の戦略的規模での危機を救ったのは、またしてもドイツ空軍の爆撃機だった。ルントシュテットは九月十一日朝、ポーランド軍が集結しているクートノ地区に対し、爆撃を行って欲しいと空軍に要請した。

九月十一日午前、前線視察中のヒトラーが、幕僚を引き連れて専用機でクニスキエに到着した。独第10軍司令官ライヒェナウは、ヒトラーに「作戦開始から一〇日もしないうちにわが装甲師団はワルシャワ市内へと突入しました」と誇らしげに報告したが、ブズラ川で現在進行中の危機については、誰もヒトラーに説明しなかった。

九月十一日の午後、ドイツ空軍はルントシュテットの要請に応えて、クートノとその周辺部に対し、猛烈な爆撃を実行した。ブズラ川に架かる鉄橋は落ち、道路は穴だらけとなり、移動中だったポーランド軍の戦車や各種車輌の縦隊は壊滅させられた。

九月十二日には、独第8軍所属の第10、第17、第24の三個歩兵師団がブズラ川流域の前線に到着し、ポーランド軍の攻勢は、いったんブズラ川から南に二〇キロほどの位置で停止させられた。そしてブズラ川方面の戦線が安定すると、ドイツ軍の砲兵部隊が迅速に展開して防御支援の砲列を敷き、ポーランド軍歩兵の突撃を撃退した。

◆ブロンベルク（ビドゴシュチ）で起きた二度の「血の日曜日」

ポーランド軍がワルシャワ西方のブズラ川で大反撃に転じていた頃、ヴィスワ川下流のビドゴシュチ（ドイツ側呼称はブロンベルク）では、軍事作戦とは異なる性格の、悲劇的な事件がいくつも引き起こされていた。

ビドゴシュチ／ブロンベルクは、ポーランド王国がロシア・プロイセン・オーストリアに分割併合される以前の十三世紀に創建された都市で、当時からポーランド人とドイツ人が仲良く共存して生活を営んでおり、市内にはフリードリヒ大王時代の一七八〇年に建てられた、優美な外観の倉庫なども現存していた。

こうした由来から、同市を中心とするビドゴシュチ郡には一九三〇年代に入った後も、ドイツ系市民が一定数居住しており、一九三一年の統計では郡の人口約一八万人の約一割がドイツ系ポーランド人だった。だが、ドイツ軍のポーランド侵攻が開始されると、ビドゴシュチ／ブロンベルクではダンツィヒやシロンスクと同様、ドイツ系住民とポーランド

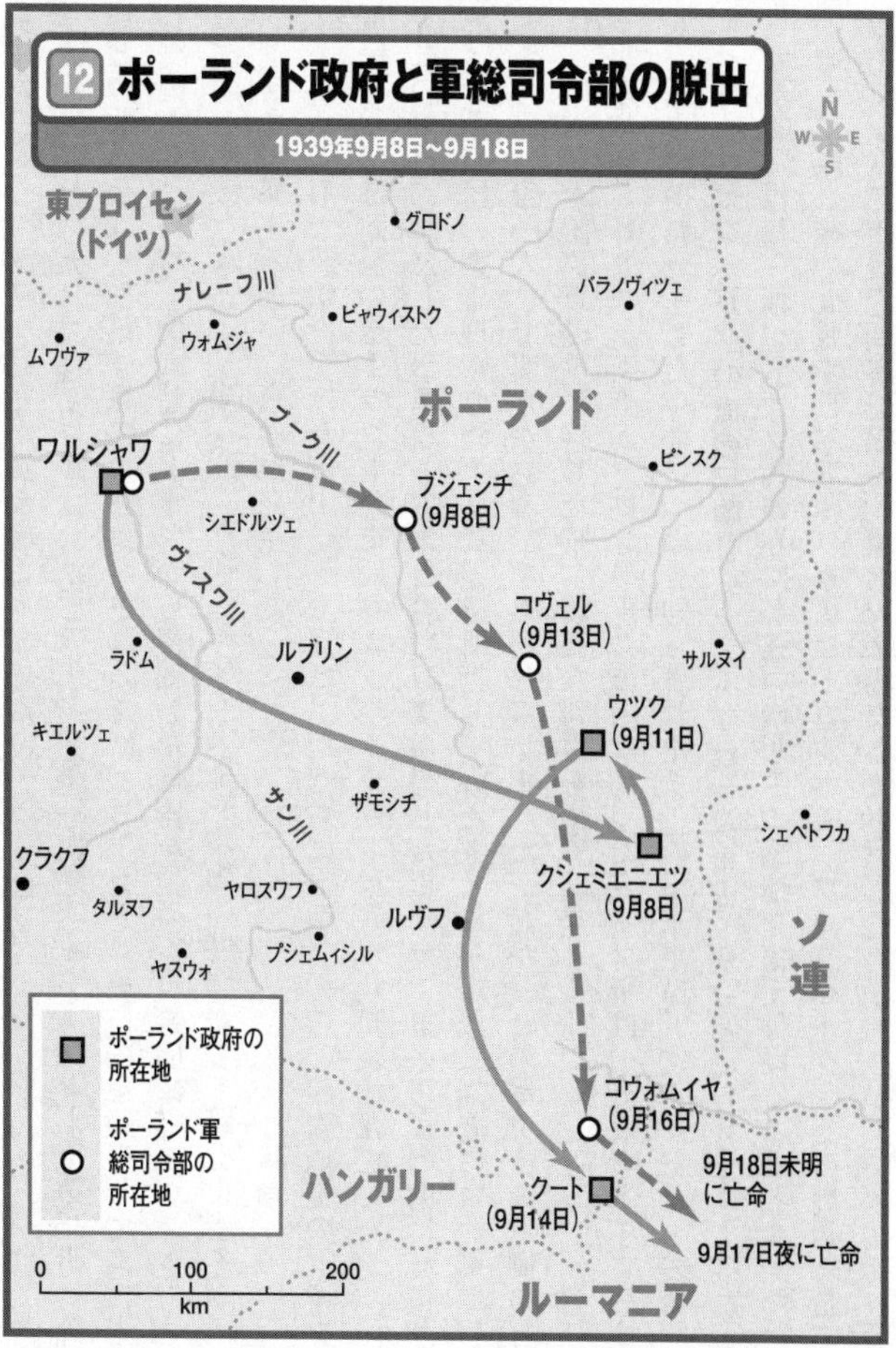
12 ポーランド政府と軍総司令部の脱出
1939年9月8日～9月18日
N
W
E
S
東プロイセン
(ドイツ)
グロドノ
ナレーフ川
バラノヴィツェ
ビャウィストク
ウォムジャ
ムワヴァ
ポーランド
ブーク川
ワルシャワ
ピンスク
ブジェシチ
(9月8日)
シエドルツェ
ヴィスワ川
コヴェル
(9月13日)
ラドム
ルブリン
サルヌイ
ウツク
(9月11日)
キエルツェ
ザモシチ
サン川
シェペトフカ
クラクフ
クシェミエニエツ
(9月8日)
タルヌフ
ヤロスワフ
ルヴフ
プシェムィシル
ヤスウォ
ソ連
ポーランド政府の所在地
ポーランド軍総司令部の所在地
コウォムイヤ
(9月16日)
9月18日未明に亡命
ハンガリー
クート
(9月14日)
9月17日夜に亡命
0
100
200
km
ルーマニア

系住民の間で、深刻な対立が沸き起こっていた。

開戦三日目の九月三日（日曜日）、ポモージェ軍に所属するポーランド軍第15歩兵師団などの敗残兵は、独第4軍の包囲から逃れるため、ビドゴシュチ市内を通過して南に退却していた。この時、開戦前にドイツから密輸した武器を持つ「自警団（ゼルプストシュッツ）」と称するドイツ系市民の一部が、教会の尖塔や建物の屋根から、路上を歩くポーランド兵を狙撃するという事件が発生した。

予期せぬ形で銃撃を受けたポーランド兵は、ただちに応戦し、二〇〇人以上のドイツ系市民と、ほぼ同数のポーランド系市民およびポーランド軍人が銃撃戦で死亡した。

この事件に激怒したポーランド軍と警察は、激昂したポーランド系市民の助けを借りてドイツ系市民の家を捜索した上、武器を所持していたドイツ系市民（調査によって二〇〇人から二〇〇〇人まで開きがある）を処刑してしまった。だが、このポーランド側の行動は、同市がドイツ軍の手に落ちた時、凄惨《せいさん》な報復を招く結果となった。

九月五日、ビドゴシュチ／ブロンベルク市内に入ったドイツ軍は、そこでドイツ系住民から、二日前に発生した事件について知らされた。この出来事は、すぐにドイツの新聞によって「ブロンベルクの血の日曜日（デア・ブロンベルガー・ブルトゾンターク）」として大々的に報じられ、ドイツ兵の心にも強い憎しみの感情を植え付けることとなった。

そして五日後の九月十日、ドイツ軍はビドゴシュチ／ブロンベルクとその周辺一帯で、ポーランド系市民を問答無用で拘束し、広場などで射殺した。

この二度目の「血の日曜日」に、ビドゴシュチ／ブロンベルクでドイツ軍に殺害されたポーランド系市民の数は、約三〇〇〇人といわれている。

◆ブジェシチ（ブレスト・リトフスク）要塞の陥落

九月十日、ウォムジャの東でナレーフ川の南に進出したドイツ軍の第10装甲師団は、翌十一日から十二日までの二日間で七〇キロ近く進撃し、ブジェシチ（ブレスト）から三〇キロほどの位置にまで前進した。

この時、ブジェシチには前記した通り、ポーランド軍総司令部が疎開《そかい》していたが、周辺にはナレーフ作戦集団の指揮下にある第33歩兵師団しかおらず、しかもブジェシチから二〇キロ近くも離れた西方を南に退却中だった。そのため、リッツ＝シミグウィは慌てて、ポーランド軍総司令部をブジェシチから南東一二〇キロの位置にあるコヴェルへと再移転させるよう命じ、間一髪のところで脱出に成功した。

九月十一日、情勢を悲観したリッツ＝シミグウィは、前線で戦う全てのポーランド軍部隊に、ポーランド南東部のルーマニアとの国境へと撤退するよう命じた。

ブーク川の両岸に跨《また》がる形で、ロシア帝国時代の一八四二年に建設されたブジェシチ・リテフスキ（リテフスキは「リトアニアの」の意）要塞と、その北東に隣接するブジェシチ市街は、ワルシャワとモスクワを結ぶ重要な街道上に位置しており、両大都市間の鉄道もこのすぐ北を通過していた。

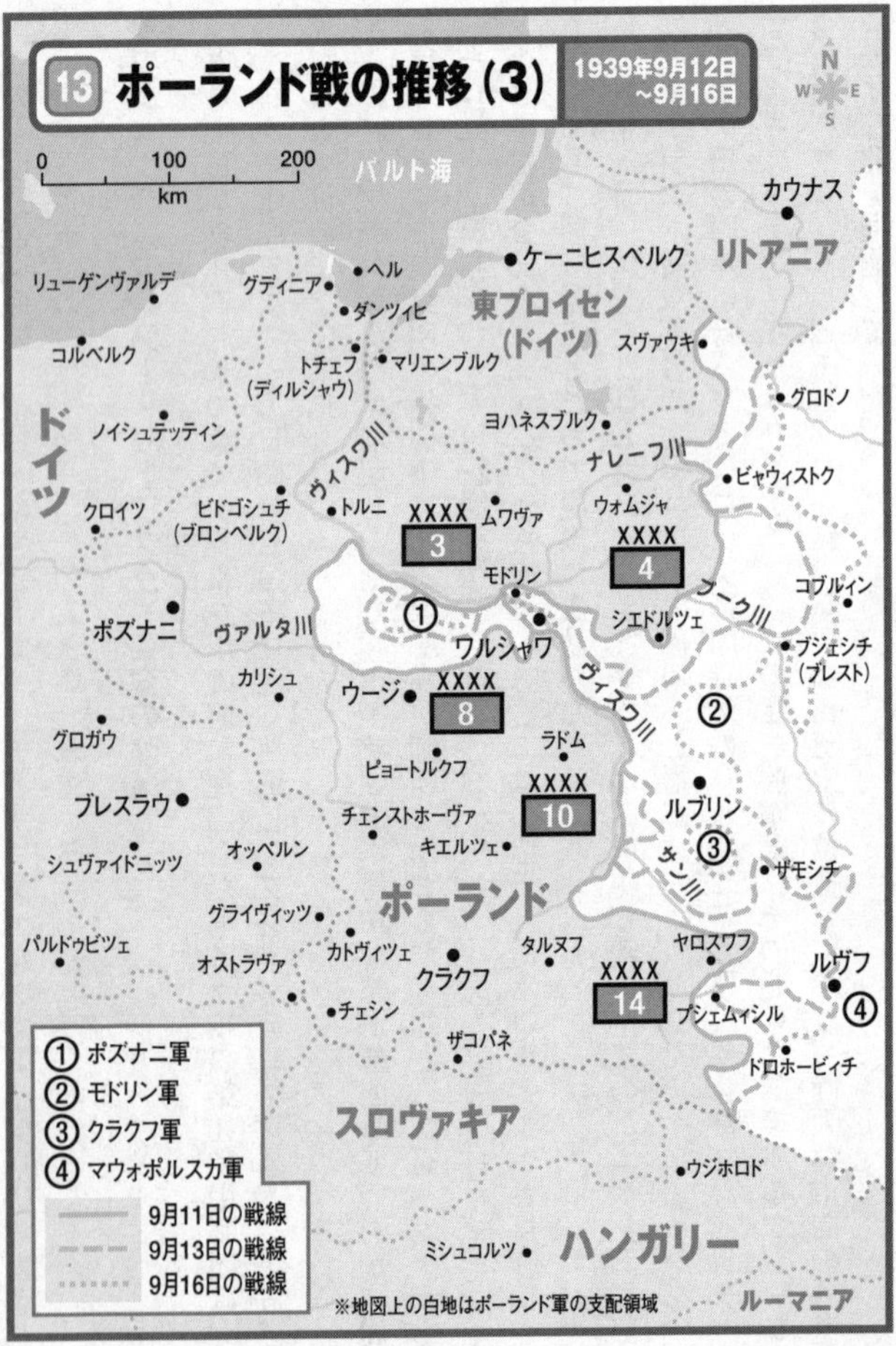
13 ポーランド戦の推移（3）
1939年9月12日 ~9月16日
N
W
E
S
0
100
200
km
バルト海
カウナス
リトアニア
ケーニヒスベルク
ヘル
グディニア
ダンツィヒ
リューゲンヴァルデ
東プロイセン（ドイツ）
コルベルク
トチェフ（ディルシャウ）
マリエンブルク
スヴァウキ
グロドノ
ドイツ
ノイシュテッティン
ヨハネスブルク
ナレーフ川
ヴィスワ川
ビャウィストク
ウォムジャ
クロイツ
ビドゴシュチ（ブロンベルク）
トルニ
ムワヴァ
XXXX
3
XXXX
4
モドリン
コブルィン
ブーク川
①
シエドルツェ
ポズナニ
ヴァルタ川
ワルシャワ
ブジェシチ（ブレスト）
カリシュ
ウージ
XXXX
8
ヴィスワ川
②
グロガウ
ラドム
ピョートルクフ
XXXX
10
ルブリン
ブレスラウ
チェンストホーヴァ
キエルツェ
サン川
③
シュヴァイドニッツ
オッペルン
ザモシチ
ポーランド
グライヴィッツ
パルドゥビツェ
カトヴィツェ
タルヌフ
ヤロスワフ
ルヴフ
オストラヴァ
クラクフ
XXXX
14
④
プシェムィシル
チェシン
ザコパネ
ドロホービィチ
① ポズナニ軍
② モドリン軍
③ クラクフ軍
④ マウォポルスカ軍
スロヴァキア
ウジホロド
9月11日の戦線
9月13日の戦線
9月16日の戦線
ミシュコルツ
ハンガリー
※地図上の白地はポーランド軍の支配領域
ルーマニア

九月十三日、独第10装甲師団の先遣部隊は、ブレスト／ブジェシチの外縁部に到達し、翌十四日に市街地への攻撃を開始したが、要塞部への突入の試みは失敗に終わった。

九月十六日、グデーリアンは第10装甲師団と第20自動車化歩兵師団の二個師団に、ブレスト（ブジェシチ）要塞に再度の総攻撃を行わせた。孤立した状況から考えて、もはやブジェシチ要塞の長期持久の道は断たれたと確信した守備隊長のプリソフスキ少将は、九月十六日の深夜に要塞の放棄を決断し、守備隊には南への脱出を命じた。

九月十七日の早朝、ゴルニック大佐に率いられた独第76自動車化歩兵連隊（第20自動車化歩兵師団）が、ブレスト要塞に突入した。だが、前日までドイツ軍を苦しめた抵抗拠点のほとんどは、既にもぬけの殻となっており、同連隊はほとんど抵抗に遭遇することなく、頑強なブレスト要塞の全域を占領下に置いた。

そして、同じ九月十七日には、弱体化したポーランド軍にとどめを刺すかのような報せが、ブジェシチよりもさらに東の国境地帯からもたらされた。

ソ連軍の大兵力が、突然国境を越えてポーランド領内へと雪崩《なだ》れ込んできたのである。

第六章

独ソ両国によるポーランドの分割併合

《ソ連軍のポーランド介入に至る道のり》

◆警告されていたソ連軍の動向

ドイツ軍がポーランド侵攻作戦を開始した九月一日から七日までの一週間、ポーランド軍参謀本部第二部は、ドイツ軍の軍事作戦に関する各種の情報を全力で収集したが、国外からはソ連軍の動向についての、不気味な情報が次々と寄せられていた。

それによると、ソ連国内のモスクワ軍管区から、西部国境の軍管区への航空部隊の移送が目立つようになり、大量の燃料も国境に隣接する軍管区へと輸送されているという。また、九月六日には、国防人民委員ヴォロシーロフの命令で、西部国境沿いの軍管区で兵役満期者の除隊が中止され、七日からは部分動員が開始されたとの情報も入った。

ポーランド政府と軍の上層部は、これらの情報を特に重視していなかった。独ソ不可侵条約の締結により、ヒトラーとスターリンがポーランドの処理に関して何らかの取り決めを行ったことは確実だと考えられたが、現段階では「ポーランドでの戦乱が自国に波及することを防ぐための、予備的な防御措置」とも解釈できたからである。

しかし、ポーランド側のこうした認識は、情勢を大きく読み違えていた。

ソ連の最高指導者スターリンは、自国の利益を追求する意図で、ドイツとの戦争を行っているポーランドの東部に大規模な軍事介入を行うつもりだったのである。

九月一日にドイツ軍がポーランドへの侵攻を開始した時、ソ連側はすぐに東からポーランドに攻め込むことはせず、事態の推移を見守る姿勢をとった。動向が注目された英仏両国が、九月三日にドイツへと宣戦布告したため、迂闊《うかつ》にポーランド戦争へと介入すれば「英仏対独ソ」の戦争に発展する可能性があったからである。

しかし、九月五日までの戦況が、当時の主な軍事専門家の予想を上回る速度でドイツ側の優位へと傾いたことで、ソ連側も緊急の対応策を準備しなくてはならなくなった。

もし秘密議定書の勢力境界線よりも東の領域までドイツ軍部隊が進撃し、占領の既成事実を作って駐屯を開始してしまったなら、後でソ連軍部隊が入ろうとしても、ドイツ軍が口実を設けてそこから退去しない場合がありうると考えられたからである。

九月八日、ポーランドに隣接する白ロシア特別軍管区とウクライナ特別軍管区は、それぞれ「白ロシア方面軍」と「ウクライナ方面軍」に改組され、準戦時体制の「特別（アソブィ）軍管区」から戦時体制の指揮系統への転換が開始された。

三日後の九月十一日には、ソ連国内で部分的ながら動員が開始されたが、ドイツ軍部隊が場所によっては一日で二〇キロ以上も前進していることに焦りを募らせたスターリンは、一刻も早くソ連軍の作戦準備を完了させるよう、ヴォロシーロフに命じた。

◆ポーランドに派遣されたソ連軍兵力

ソ連軍のポーランド介入作戦は、プリピャチ沼沢地《しょうたくち》を境界とする南北二個の方面軍によって実施された。

ミハイル・コヴァリョフ大将を司令官とする、北部の白ロシア方面軍は、第3、第4、第10、第11の四個軍と、実質的に軍と同等の規模を持つジェルジンスク機械化騎兵集団から成り、方面軍全体で二〇個狙撃兵（歩兵）師団と六個騎兵師団、八個戦車旅団、一個自動車化狙撃兵旅団を指揮下に置いていた。

一方、セミョン・ティモシェンコ上級大将の指揮する南部のウクライナ方面軍は、第5、第6、第12の三個軍で構成され、方面軍予備を含めると、一五個狙撃兵師団、六個騎兵師団、八個戦車旅団、一個自動車化狙撃兵旅団の兵力を有していた。

ソ連軍がポーランド侵攻に投入した各種戦車は、合計すると三七三九輌で、ドイツ軍がこの戦いに投じた二六九〇輌を上回っていた。しかも、機関銃の小砲塔だけで対戦車戦闘の能力を持たない、非力な水陸両用の偵察戦車T37およびT38は九七輌だけで、残りの戦車はドイツ軍やポーランド軍の戦車とも充分に戦える能力を有していた。

最も数が多かったのは、快速戦車BT5およびその派生型のBT7で、全一七六四輌のうち白ロシア方面軍に七三八輌、ウクライナ方面軍には一〇二六輌が配備されていた。当時としては強力な、四五ミリ対戦車砲を搭載するこの戦車は、道路上ではキャタピラを外して転輪で走行することもでき、装軌（キャタピラ）で時速五〇キロ、装輪だと時速七〇キロという高速で移動することが可能だった。

BTと並んで、ソ連軍戦車部隊の主力を担ったのは、同じく四五ミリ対戦車砲を搭載するT26軽戦車で、白ロシア方面軍に八七八輛、ウクライナ方面軍に七九七輛の計一六七五輛が対ポーランド戦に投じられた。

航空戦力の分野では、ソ連軍はこの時期に保有した約一万機のうち、九月十日の時点で偵察機を含めて計三二九八機を、白ロシアとウクライナの両方面軍へと配備していた。

ソ連軍航空部隊の主任務は、戦闘機部隊による（独ソ勢力境界線より東での）制空権の確保であり、爆撃機は味方の進撃を助けるために実施する限定的な爆撃を除けば、基本的には脇役として位置づけられていた。

◆補給と指揮統制面では重大な弱点を抱えていたソ連軍

このように、ドイツ軍を上回る規模の戦車と航空機をポーランド戦に投入したソ連軍だったが、彼らは組織上の重大な弱点を二つ抱えていた。

ひとつは、物資や兵員を輸送するためのトラックの少なさだった。二個方面軍併せて三万台という自動車の数は、ポーランド軍とほぼ同数だったが、一〇〇万台以上をポーランド戦に投入したドイツ軍とは比べものにならないほど少なかった。

そしてもう一つは、一九三七年から一九三九年初頭までの約二年間にわたって、ソ連全土で吹き荒れた「大粛清」により、経験豊富な将軍や将校たちの多くが失われたため、ほぼ全ての部隊で深刻な指揮官の不足に陥っていたことだった。

自分の権力基盤が赤軍の高官たちに脅かされるという、スターリンの政治的な疑心暗鬼によって引き起こされたこの大粛清で、ソ連赤軍の近代化に多大な貢献を果たしたミハイル・トハチェフスキー元帥をはじめ、大勢の有能なソ連軍将校が、外国のスパイなどの無実の罪で裁判にかけられ、弁明すら許されないまま死刑判決を受けた。

その結果、五人中三人の元帥、四人中三人の上級大将、十二人中十二人の大将、六七人中六〇人の中将、一九九人中一三三人の少将、三九七人中二二一人の准将、一〇人中一〇人の海軍大将、一五人中九人の海軍中将が、理不尽に命を奪われた。幹部の粛清で、方面軍や軍の司令官だけでなく、師団長や連隊長レベルでも深刻な人材不足に陥り、実戦経験のない肩書きだけの「師団指揮官」や「軍団指揮官」が部隊の指揮を任された。

九月十二日、ブジェシチに疎開していたポーランド軍参謀本部第二部は、パリのポーランド大使館付武官から、ソ連はポーランドとルーマニアに対して、敵対行動を開始する決定を下した模様だとの情報を入手した。

四日後の九月十六日午前二時、日本の東郷茂徳《とうごうしげのり》駐ソ特命全権大使とソ連のモロトフ外相は、ソ連の首都モスクワで、ノモンハンの国境紛争に関する停戦協定に調印し、現地でも翌九月十七日に日ソ両国代表による停戦合意が成立した。

だが、この日ソ間でのノモンハンの停戦成立は、もしソ連軍がポーランドで軍事作戦を開始しても、スターリンが危惧していた「ヨーロッパと極東の二正面戦争」へと発展する可能性がほぼ消し去られたことを意味していた。

ソ連赤軍がポーランド領内へと雪崩れ込む準備が、完全に整えられたのである。

《東西から挟み撃ちにされたポーランド》

◆国境を越えてポーランドに侵入したソ連軍

九月十七日の午前二時、ソ連外相モロトフは独大使シューレンブルクと接見し、ソ連軍は同日の夜明けと共に、ポーランド領内に進撃すると通告した。

その名目は「ポーランド国内で発生している混乱状態から、同国東部地域の白ロシア系およびウクライナ系市民を保護するため」というものだった。

朝になると、モスクワ駐在のポーランド大使ヴァツラフ・グジボフスキも、ソ連政府から同様の通告を受けた。だが、この情報を至急に伝達すべき相手のポーランド政府は、九月八日にワルシャワを離れた後、まず東部国境に近いクシェミエニエッツに疎開し、次いでウツクを経て、九月十四日にはルーマニアとの国境沿いにあるクートへと移転を重ねており、既に政府としての実務機能を一時的に喪失していた。

ブジェシチからコヴェルに移転したポーランド軍の総司令部も、九月十六日にはルーマニア国境から四〇キロほどの位置にあるコウォムイヤに再移転しており、わずか半月前には広大な領土を保持していたポーランドの政府と軍の上層部は、国土のいちばん隅にあるルーマニア国境に沿った狭い山岳地帯で、身を寄せ合うように密集していた。

しかし、彼らは東部の国境からソ連軍が越境する可能性を、まったく視野に入れていなかった。ソ連との国境は、クートとコウォムイヤから一〇〇キロほどしかなく、ソ連軍が越境してきたなら、ひとたまりもない場所だったのである。

九月十七日の午前五時四〇分、白ロシア方面軍とウクライナ方面軍のソ連兵四六万七〇〇〇人が、一斉に国境を越えてポーランド領内へと侵入した。

ソ連軍が東部国境を越えてポーランド領に入ったとの情報が伝わった時、ポーランド政府の上層部には、ソ連側の意図を勘違いして、英仏両国からの要請を受けたソ連軍が、ドイツ軍の侵攻からポーランド軍を助けるために来援したと思い込んだ者もいた。

しかし、各方面からの報告で、ソ連がドイツとのポーランド分割を具体化するために侵攻したことが判明すると、絶望したポーランド大統領モシチツキと、ベック外相をはじめとするポーランド政府首脳は、同日深夜に国境を越えてルーマニア領へと亡命した。

翌九月一八日未明には、ポーランド軍の総司令官である軍総監リッツ゠シミグウィと、軍の高官たち、そしてポーランド軍参謀本部でドイツ軍の暗号機「エニグマ」を研究していた技術者たちも、貴重な機材や資料を携えて、続々とルーマニア領内へと入った。

◆ポーランドとルーマニアの国境線を封鎖したソ連軍

ソ連軍部隊が作戦遂行上の優先順位で上位に置いていたのは、独ソ不可侵条約に附属する秘密議定書で定められた「ソ連とドイツの勢力境界線」より東のポーランド領を、迅速に占領・確保することだった。具体的には、ピサ川とナレーフ川、ヴィスワ川、サン川を結ぶ線が、ソ連軍部隊の前進目標とされた。

作戦初日である九月十七日の日没までに、白ロシア方面軍は国境から五五キロのバラノヴィツェまでの土地を確保し、その南に位置するウクライナ方面軍も同じく国境から五五キロ奥地のホロデンカへと進出した。

九月十九日、ウクライナ方面軍の第12軍第13独立狙撃兵軍団の指揮下にあるソ連第72狙撃兵師団が、ポーランド政府が最後の拠点を置いたクートに到達し、間もなくポーランドとルーマニアが接する全長約二〇〇キロの国境線は、ソ連軍によって封鎖された。

そのため、ルーマニアへと脱出する道を失ったポーランド軍部隊は、その隣国のハンガリーとの国境へ向かい、マウォポルスカ軍の生き残りであるポーランド第10自動車化騎兵旅団と第3山岳兵旅団は、九月二十日までにハンガリー領内へと脱出した。

一方、ソ連軍が九月十七日に東部国境を越えてポーランド領に入ったとの情報を受けたドイツ軍の野戦司令部では、緊迫した空気が立ちこめていた。

軍人である彼らには、独ソ両国政府が八月二十三日に調印した独ソ不可侵条約に、ポーランド国内での両国勢力範囲の境界線を規定した秘密議定書が付随していた事実を知らされておらず、ソ連軍の侵入意図をすぐに理解できなかったからである。

その後、彼らはドイツ陸軍総司令部が発した「ソ連軍は敵ではないので、交戦せぬように」との命令を受領し、ポーランド軍との戦争に加えてソ連軍との新たな戦争に備えて緊張した前線部隊は、安堵して警戒態勢を解いた。

九月二十日、ヒトラーは独ソ両国政府間で合意した「勢力境界線」よりも東に進出している部隊に対し、さらなる進撃の停止と、境界線より西への退却を命じた。この命令に従い、ポーランド東部地域に展開していたドイツ軍の各部隊は、翌九月二十一日から段階的に西の方角に向けた移動を開始した。

◆ブレスト要塞での「独ソの友情確認」

既に軍事組織としての指揮系統が消滅していたポーランド軍は、東方に出現した「新たな敵」であるソ連軍に対し、個々の部隊指揮官の判断により、いくつかの拠点で頑強な抵抗を試み、数日間ではあったがソ連軍の前進を食い止めることに成功していた。

大量の戦車と装甲車を装備するソ連軍の戦車旅団は、作戦初日こそ華々しい進撃を見せたものの、二日目には早くも燃料の不足が生じて進撃速度が大幅に低下しており、各部隊が持つ少数のトラックでは輸送できる弾薬量や交換部品の数も限られていた。そのため、ポーランド軍の抵抗拠点に遭遇すると、すぐに弾薬の欠乏や兵器の故障、指揮官の戦術能力の低さにより、攻撃が頓挫《とんざ》して停止する事態となった。

リトアニアとの国境に近い、ニェマン川畔の町グロドノでは、ポーランド軍のヴォウコヴィスク騎兵旅団を中心に、市内の警察や民兵なども編入して組織された守備隊が、ソ連第15戦車軍団の三個戦車旅団と一個自動車化狙撃兵旅団が繰り返した市内への強襲を、九月二十一日から四日間にわたって撃退し続けた。

ソ連側はグロドノの戦いで、ポーランドでの作戦中における損害の約半分に当たる一九輛の戦車を失い、五〇〇人前後の死傷者を出したが、周辺のポーランド軍部隊はほとんどがこの町に集められており、いわばポーランド北東地域におけるポーランド・ソ連両軍の「決戦」だった。そして、九月二十四日にグロドノがソ連軍の手に落ちてからは、白ロシア方面軍の戦区ではポーランド軍の抵抗はほぼ消滅した。

グロドノ南方のブレスト（ブジェシチ）では、九月二十二日、ドイツ軍が五日前に占領した要塞を、東方から到着したクリヴォシェイン少将のソ連第29戦車旅団へと引き渡す式典が行われた。ほんの一週間前に、同要塞への総攻撃で多くの戦友を失った独第10装甲師団の兵士たちは、納得のいかない面持《おもも》ちでその光景を眺めていた。

第19軍団司令官グデーリアンも出席したその式典で、クリヴォシェインはドイツ軍に対して「親愛の情」を示そうと思い、慣れないドイツ語で挨拶を行ったが、彼はここで、後の展開（一九四一年六月の独ソ開戦）を考えれば意味深長な失敗を犯してしまう。

彼は乾杯の辞で「友情（フロイントシャフト）」と似た別の単語を言い間違え、「独ソ両国間の永遠の敵意（ファイントシャフト）を祝って」と述べてしまったのである。
ただし、即座に言い直したため、式典場の友好的な雰囲気はなんとか保たれた。

◆ドイツ軍とソ連軍に東西から包囲されたルヴフ

ソ連軍の進駐した町や村では、部隊に同行したNKVD（内務人民委員部）の実務部隊によって、すぐに軍政統治の行政府が組織され、九月二十一日以降、本格的に「共産主義体制」への移行が進められた。

そして、NKVDによって「危険分子」と判断されたポーランド人は、すぐに身柄を拘束されてソ連領内の収容所に移送され、彼らの多くは殺害されるか、またはシベリアなどの労働収容所（ラーゲリ）へと移送されたが、こうした行動が最も大規模に進められたのが、ポーランド南東部の都市ルヴフだった。

ドイツ側がレンベルク、ソ連（ロシア）側がリヴォフと呼び、ウクライナ語ではリヴィウと発音されるこの都市は、ポーランド人にとっては由緒《ゆいしょ》ある古都であり、一八六九年にワルシャワ中央学校が帝政ロシア当局によって閉鎖された後、ポーランド文化を継承する大学は、一三六四年に創設されたクラクフのヤギエヴォ大学と、一六六一年に創設されたルヴフ大学の二か所だけとなっていた。

だが、東ガリツィア地方の中心部に位置するルヴフには、ウクライナ人も多数居住しているため、第一次世界大戦の終了後には、共に独立を勝ち取ったポーランドとウクライナの間で、領有権をめぐる争いが発生していた。一九二一年三月のリガ条約により、最終的な帰属先はポーランドとなったが、ソ連側はこの都市が歴史的にポーランド人の民族意識を鼓舞《こぶ》する知識人の拠点であったことを警戒し、迅速に自軍の占領下に置いた後、学者や聖職者をはじめとする知識人を拘束する計画を準備していた。

九月十九日の夜、ソ連軍はルヴフ市の東側を包囲したが、市の西半分は既にドイツ軍によって包囲されていた。独ソ両軍は、要塞化されたルヴフ市街への攻撃時に予想される自軍の損害を回避するため、九月二十日にポーランド側守備隊へ降伏を勧告した。

市が完全に包囲され、外部からの弾薬や食糧、医薬品の補充が見込めない中、ポーランド軍のルヴフ守備隊はこれ以上の抵抗は無意味だと悟り、九月二十二日に降伏した。

市内にはすぐにソ連軍部隊とＮＫＶＤの実務部隊が進駐し、一九四一年六月二十二日に独ソ戦が勃発するまでの一年九か月にわたる、ソ連の統治がスタートした。そして、事前の計画通り、ポーランド軍将校と兵士に加えて、排除リストに名前が記されたポーランドの知識人たちも身柄を拘束されて連行され、ソ連領内の収容所へと移送された。

《ポーランド戦争に対する英仏の態度》

◆ポーランド支援に消極的なイギリスの「紙吹雪戦」

強力な軍事力を持つ独ソ両国との二正面戦争を強いられたことで、ポーランドは絶体絶命の窮地に立たされた。だが、相互援助条約によりポーランドを助ける義務を有するはずのイギリスとフランスは、ポーランド軍が予想外の苦境に立たされてもなお、ドイツに対する本格的な「攻撃作戦」を開始しようとはしなかった。

英仏両国がドイツに対して宣戦布告を行った翌日の九月四日、イギリス空軍はドイツ北部にある海軍基地に対し、爆撃任務を実施した。その目標は、ユトランド半島の付け根にある、ヴィルヘルムスハーフェン沖のシリング停泊地と、エルベ川下流のブルンスビュッテルの二か所だった。

だが、シリング停泊地に対する爆撃では、三機のみがドイツ海軍の艦艇（装甲艦アドミラル・シェーアと巡洋艦エムデン）に軽微な損害を与えただけに留まり（爆弾は不発）、ブルンスビュッテルへの爆撃では目標の基地すら発見できず、誤って中立国デンマークの港町エスビェアウを爆撃し、民間人に被害を出すという失態を演じてしまった。

その後、英空軍の爆撃機は、ドイツ本土のハンブルクやブレーメン、ルール地方などの都市の上空へと侵入したが、それらの爆弾倉から投下されたのは爆弾ではなく、ヒトラーへの反対運動をドイツ国民に呼びかける、三〇〇万枚もの宣伝ビラだけだった。

チェンバレンは、ドイツ国内で反ヒトラー運動を引き起こせば、イギリス軍の損害を回避する形で、ドイツとの戦争状態をいったん停止できるかもしれないと考えていた。

だが、ヴェルサイユ条約でドイツが失った土地を次々と奪回し、ドイツ人の民族的誇りを取り戻させたヒトラーに対する、ドイツ国民の尊敬と信頼の感情は強く、英政府の閣僚の一人が自嘲的に「紙吹雪戦（コンフェッティ・ウォーフェア）」と呼んだ宣伝ビラの投下作戦は、ほとんど効果がないまま終わった。

◆ザール地方でドイツ領を攻撃したフランス軍

海を挟んだ地理的状況から、ドイツ軍のポーランド侵攻をあたかも「対岸の火事」のように扱うことのできたイギリスとは異なり、ドイツと直接国境を接するフランスは、より深い関心を持ってポーランド戦争の推移を注視していた。

ポーランドが崩壊すれば、「ドイツに対する東西両面からの圧力」というフランスが望んだ状況が根底から崩れ、東部〔背後〕の安全を確保したドイツが、次にフランスへと向かってくることが確実であると考えられたからである。

ドイツ軍のポーランド侵攻開始から一週間が経過した九月七日、仏第2軍集団に所属するフランス軍九個師団が、幅二五キロの正面で独仏国境を越えてドイツ領内に入り、ザール地方に対する攻撃を開始した。だが、英仏両空軍の航空支援を受けることなく、単独で攻撃を開始したフランス陸軍部隊は、逆にドイツ軍砲兵の激しい砲火を浴び、前進を開始してすぐに大きな損害を被ってしまった。

作戦を指揮した仏第2軍集団司令官ガストン・プレトゥラ大将は、予想外に大きな自軍の損害に驚き、ただちに攻撃の中止と現状での陣地構築を命令した。

実は、ザール地方への攻撃に際して、フランス陸軍上層部は攻撃部隊に対し、次のような訓示を送っていた。

「敵の反撃に遭遇しても、占領地を確保する（＝防御に転じる）手段を常に講じておくこと。また、敵〔ドイツ〕軍の状況や、敵が実行可能な作戦行動についての情報を、可能な限り収集すること」

つまり、フランス軍がザール地方で行った攻撃は、あくまで「ドイツ軍の戦闘能力に関する情報の収集」を意図した「威力偵察」であり、ドイツ軍の全面侵攻を受けて危機的な状況にあるポーランドの窮状を、本気で救うつもりはなかったのである。

◆ダンツィヒ旧市庁舎で演説したヒトラー

ロンドン駐在のポーランド大使ラチンスキは、九月十二日に英外務省へと足を運び、ドイツ空軍が無差別爆撃でポーランド市民を多数殺害しているとして、ドイツ国内に対する報復爆撃の開始を必死に嘆願した。

だが、イギリス政府は「ドイツ空軍機が誤って〔民間人に〕爆弾を投下した可能性も捨てきれない」として、この報復爆撃の提案をにべもなく拒絶した。

同じ日、チェンバレンはパリで仏首相ダラディエと会談を行い、英仏両国の真の目的は「ドイツとの〔今次の〕戦争で最終的な勝利を収めること」であることを確認した上で、当面は英仏両軍部隊の消耗を避けることを優先して、ポーランドへの直接的な軍事支援は見送る方針で一致した。

イギリス政府は、ドイツとの戦争が長期化するとの観点から、限られた軍事力を序盤で喪失することを恐れて、当面は兵力の温存と増強を図り、ポーランドの戦争努力については事実上「傍観する」態度を貫く方針をとったのである。

九月十三日、フランス陸軍総司令官兼陸軍参謀総長モーリス・ガムラン大将は、ザール地方での攻勢の全面中止を決定し、九月十七日にはフランス政府もこれを了承した。

九月十九日、ヒトラーは長らく政治的紛糾の的であったダンツィヒを訪問し、市参事会議長グライザーや、ナチ党ダンツィヒ大管区長フォルスターをはじめとするドイツ人市民から、熱狂的な歓迎を受けた。

そして、チュートン騎士団時代の十四世紀に着工された旧市庁舎で演説し、次のような言葉で、ダンツィヒのドイツへの復帰を歓迎した。

「私は今日はじめて、この場所を訪問しました。皆さんは過去数百年間、ドイツ国民と運命を共にしてきました。〔第一次〕世界大戦にも参加し、共に戦後の辛酸《しんさん》を嘗《な》めました。

私は、ダンツィヒが母国に還るまでは、ここには来るまいと決心してきました。私は解放者として、来ることを欲しました。そして今、私はその幸福を味わっています。ダンツィヒはドイツの領土であり、ずっとドイツ領として存続してきました。これからも、ドイツ国民が滅びぬ限り〔ダンツィヒは〕ドイツの領土であり続けるでしょう!」

二〇年にわたり「国際連盟統治下の自由都市」という不満足な地位に甘んじてきたダンツィヒのドイツ系市民は、このヒトラーの言葉に熱狂的な喝采を送った。

《失われたポーランド軍の希望》

◆ブズラ包囲環の壊滅とドイツ軍のワルシャワ攻囲開始

ワルシャワ西方のブズラ川流域では、ドイツ軍の陸と空の両面からの逆襲によって瀕死《ひんし》の状態にあった、ポーランド軍のポズナニ軍とポモージェ軍の残存部隊が、包囲環に閉じ込められたまま最期の時を迎えようとしていた。

ソ連軍の侵入開始翌日の九月十八日、南部の防衛陣の一角が崩れると、ポーランド軍の戦線は雪崩のように崩壊し、三日後の九月二十一日には、最後に残ったポーランド軍部隊も武器を捨てて降伏した。

これにより、ポズナニ軍とポモージェ軍のポーランド軍将兵約一二万人が捕虜となり、ドイツ軍は火砲三〇〇門と馬三五〇〇頭、装甲車三〇輛、装甲列車一本、航空機三機、馬車四四五〇台、そして数千挺の小銃および機関銃を鹵獲《ろかく》した。

一方、側面の脅威がようやく取り除かれたことで、ドイツ軍の南方軍集団はようやく、首都ワルシャワへの本格的な攻撃の準備に着手した。

南方軍集団司令官ルントシュテットは、九月十九日にワルシャワ市内の情勢についての最新情報を入手した。それによると、建物に籠もるポーランド軍守備隊と市民の士気は依然として高く、ドイツ軍の攻撃時には頑強な抵抗を見せることが予想された。

そのため、彼らはワルシャワを迅速に、しかもドイツ軍の損害を最低限に抑える形で陥落させる方策を模索し、地上部隊の総攻撃に先立って、大量の砲兵と空軍の爆撃機による砲爆撃で、ワルシャワ市街に大打撃を与えるという結論に到達した。

ポーランドの首都ワルシャワで、ドイツ軍とポーランド軍の「決戦」が行われようとしていた頃、市内のポーランド当局は、脱出の機会を逃して包囲下に取り残されている各国の外交官や外国人の処遇をどうするかという政治問題に頭を悩ませていた。

ポーランド政府は、九月五日には早くも、政府機能をルブリン郊外の避暑地ナウェンチェフに移転する計画を検討し、この日の午後には外務省政治課のコビエランスキ課長が、各国外交団に電話で次のように伝えていた。

「ポーランド政府は、もはや諸外国の外交代表団の安全を保障できない状況です。ドイツ空軍がヴィスワ川の橋を爆撃しているので、早くワルシャワ市外に退去された方がよろしいかと思います」

しかし実際には、ワルシャワ市内の街路や橋は、大勢の難民と兵士、軍用車輛などで溢れ、鉄道輸送も麻痺状態となっていた。ワルシャワ駐在外交団の最古参でリーダー格を務める、ノルウェー公使ニール・クリスチャン・ディトレフは、この状況ではワルシャワ市外への退去は困難だと判断し、当面は市内に留まることを決めた。

◆ワルシャワ市内に残る外国人の避難

九月七日、ワルシャワでは軍総監リッツ＝シミグウィとワルシャワ守備隊副司令官チューマ少将の署名入りの命令に従い、全市の要塞化が開始され、市民に対しても徹底抗戦への協力を呼びかけていた。

これに応えて、ワルシャワ市民の多くは軍の活動に積極的に協力し、バリケード（路上障害物）の配置や塹壕《ざんごう》掘り、陣地構築の手伝いなどに従事した。名物の路面電車も、敵の車輛が道路を突進してくるのを防ぐためのバリケードに転用された。

しかし、市の東と南へのドイツ軍部隊の進出により、事実上外部との連絡を遮断されたワルシャワ市内の生活環境は、急速に悪化の一途をたどっていた。食糧の備蓄は充分ではなく、医薬品や包帯《ほうたい》も不足し始めた。さらに、浄水場の施設が爆撃で破壊されたため、水道が汚染され、消防隊も活動不能となった。

14 ポーランド戦の推移（4）
1939年9月17日～9月19日
N
W
E
S
グウェボキエ
XXXX 3
カウナス
ケーニヒスベルク
リトアニア
ヴィルノ
XXXX 11
モウォデチノ
ボリソフ
東プロイセン
（ドイツ）
スヴァウキ
ミンスク
リダ
XXXX ジェルジンスク
グロドノ
ヨハネスブルク
ナレーフ川
XXXX 4
ビャウィストク
バラノヴィツェ
XXXX 10
ムワヴァ
ウォムジャ
XXXX 4
XXXX 3
モドリン
ワルシャワ
ブーク川
コブルィン
ピンスク
シエドルツェ
ポーランド
ブジェシチ
（ブレスト）
プリピャチ
沼沢地
ソ連
XXXX 8
ウージ
ヴィスワ川
サルヌイ
ラドム
XXXX 10
ルブリン
コヴェル
コロステニ
XXXX 5
キエルツェ
ウツク
ルヴネ
ザモシチ
シェペトフカ
サン川
トマシュフ＝ルベルスキ
XXXX 6
ブロディ
XXXX 14
ルヴフ
タルノポル
プロスクロフ
ドロホービィチ
XXXX 12
スタニスワヴフ
カメネツ・ポドリスク
コウォムイヤ
クート
ルーマニア
ハンガリー
9月16日の戦線（ドイツ軍）
9月19日の戦線（ドイツ軍）
9月19日の戦線（ソ連軍）
ソ連軍の攻勢
ポーランド軍の国外脱出
0 100 200
km
※地図上の白地はポーランド軍の支配領域

外交団の代表であるディトレフ公使は、九月十六日、開戦時のウージ軍司令官で、現在はワルシャワ軍の司令官を務めるロンメル中将の許可を得て、市内の放送局からラジオ放送の電波に乗せてドイツ側にメッセージを送り、ワルシャワに残る外交団の引き揚げについて話し合いたいと伝えた。

九月十八日、ドイツ空軍は再びワルシャワを空襲したが、ディトレフのメッセージに対する返答は遅れていた。中立国との関係悪化を危惧するヒトラーの意向を確認した後、ドイツ側は九月二十日夜、ポーランド側の代表に対し、次のように伝えた。

「九月二十一日の午前八時から一一時まで、〔市東部の〕プラガ地区から〔北東の〕ラジミンに通じる道路とその両脇二キロの地域で、ドイツ軍は停戦を遵守する」

九月二十一日朝、この街道を通ってドイツ軍支配地域に出た外交団は、ワルシャワ市内に残る外国人の退去を許可して欲しいと願い出た。これに対し、ドイツ側は「この戦争でドイツの敵はポーランドただ一国である」ことを強調した上で「ヒトラー総統は外国人の脱出を望んでおられます」と伝えた。

ドイツ側の意向を知ったポーランド側も、残留外国人の市外への脱出に協力し、司令官ロンメルは移動手段のない一二〇〇人の外国人のために、トラック一五台を用意し、反復輸送を行わせた。

こうして、九月二十一日の夜までに、外交団一七八人と外国人一二〇〇人がワルシャワを脱出し、安全な場所でドイツ軍が用意した列車に乗って、東プロイセンのケーニヒスベルクへと向かった。しかし、彼らが去った後のワルシャワでは、想像を絶するほど凄惨な悲劇の幕が、切って落とされようとしていた。

◆ワルシャワ大空襲と首都守備隊の降伏

ドイツ空軍は、九月十六日午後、第4爆撃航空団に所属するＨｅ111型水平爆撃機を一二機、ワルシャワ上空に出撃させ、降伏勧告のビラ一〇〇万枚を投下した。

これ以降、ドイツ軍は九月十八日と十九日、二十二日にも同様のビラを上空から撒《ま》いたが、ポーランド側守備隊は徹底抗戦の構えを捨てず、降伏勧告を無視した。

外交団と外国人の脱出から二日後の九月二十三日、ドイツ軍はワルシャワ市街に対して予備的な攻撃を行ったが、外郭陣地を突破できず、失敗に終わった。ドイツ空軍は翌二十四日、降伏勧告のビラを落としたものの、ポーランド側の反応は前回と同じだった。

九月二十五日午前八時、ドイツ軍は一〇〇〇門の火砲と四〇〇機の水平および急降下爆撃機、それに三〇機の輸送機を投入して、ワルシャワ市街に対する猛烈な砲爆撃を実行した。この時に優先目標とされたのは、電気やガス、水道などの生活に直結するインフラ設備で、狭い領域に閉じ込められたワルシャワ守備隊と市民に対する打撃は甚大だった。

この日だけで、ドイツ空軍は通常爆弾五六〇トンと焼夷弾七二トンをワルシャワ市内に投下したが、これにより数多くの建物が破壊された上、市内各地では大火災が発生し、民間人の死傷者も多数発生した。守備隊司令官のロンメルは、長期的な籠城を行える可能性

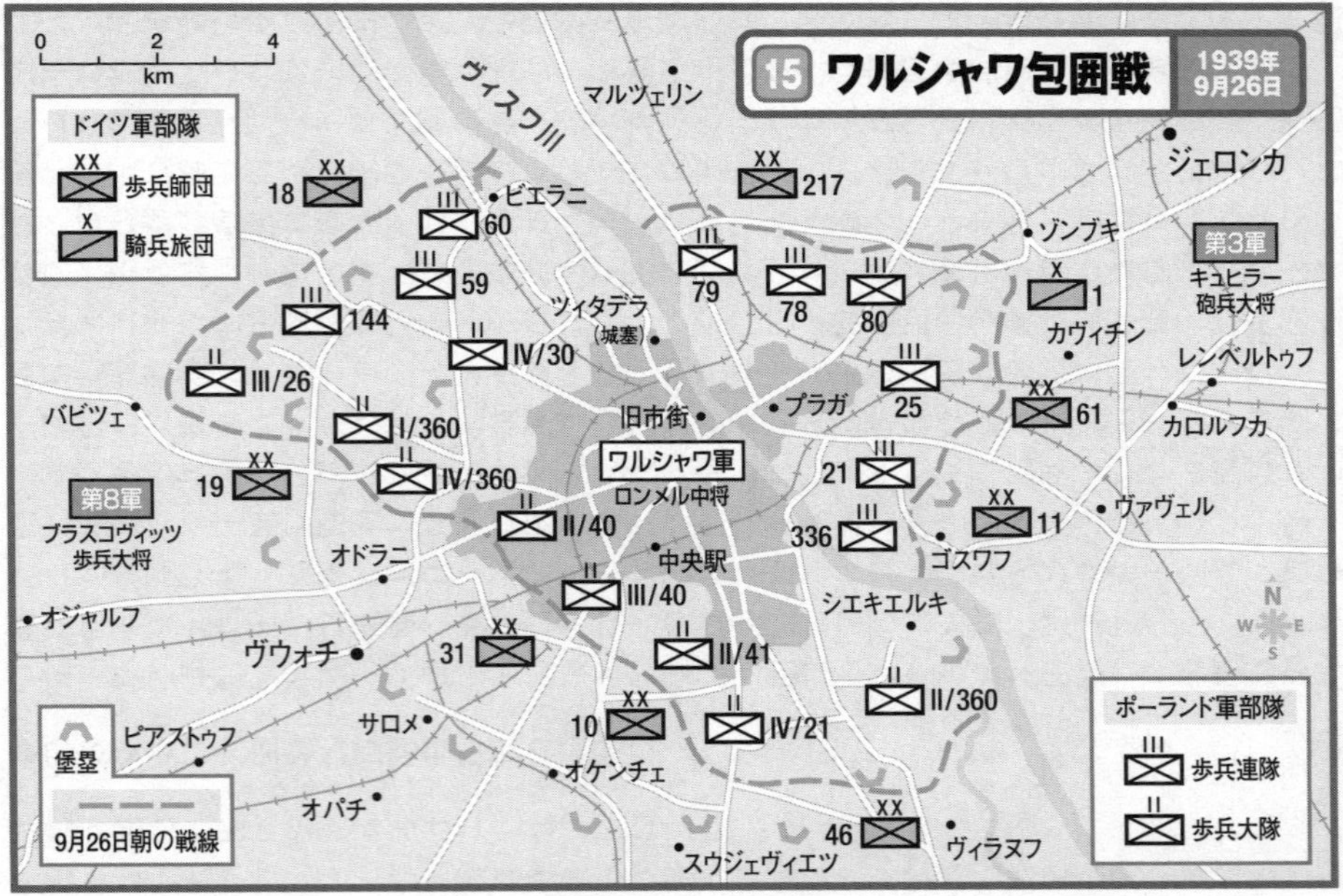
15 ワルシャワ包囲戦
1939年 9月26日
0 2 4 km
ドイツ軍部隊
歩兵師団
騎兵旅団
ポーランド軍部隊
歩兵連隊
歩兵大隊
堡塁
9月26日朝の戦線
ヴィスワ川
マルツェリン
ジェロンカ
ビエラニ
ゾンブキ
第3軍
キュヒラー
砲兵大将
ツィタデラ
（城塞）
カヴィチン
レンベルトゥフ
バビツェ
旧市街
プラガ
カロルフカ
ワルシャワ軍
ロンメル中将
第8軍
ブラスコヴィッツ
歩兵大将
ヴァヴェル
ゴスワフ
オドラニ
中央駅
シエキエルキ
オジャルフ
ヴウォチ
サロメ
ピアストゥフ
オケンチェ
オパチ
スウジェヴィエツ
ヴィラヌフ
18
217
60
79
78
80
59
1
144
IV/30
III/26
25
61
I/360
21
19
IV/360
11
II/40
336
III/40
31
II/41
II/360
10
IV/21
46

がなくなった以上、これ以上の抵抗は兵士と市民の損失を増やすだけだと考え、二十六日夜に特使をドイツ軍の前線へと送り、降伏交渉の開始を申し入れた。

　翌九月二十七日の早朝、公式にワルシャワ守備隊の降伏文書が調印され、ポーランドの首都ワルシャワは、ドイツ軍の占領下となった。

　ワルシャワでドイツ軍の捕虜となったポーランド兵の数は、約一四万人にのぼったが、降伏までに死亡した市民の数は、四万人に達していた。ワルシャワ市内では、建造物の一割が全壊し、残りの四割も砲撃と爆撃で何らかのダメージを被っていた。

《ワルシャワに翻る鉤十字の旗》

◆モロトフとリッベントロップの再会談

　ポーランドの首都ワルシャワ市街に対する、ドイツ軍の猛烈な砲爆撃が実施されていた九月二十五日の午後八時、モスクワ駐在のドイツ大使シューレンブルクは、ソ連外務省からの連絡を受けてクレムリン宮殿に赴き、スターリンとモロトフに面会した。

　シューレンブルクがソ連政府から伝えられたのは、次のような協議の提案だった。

「ポーランドの処理に際しては、将来独ソ両国の関係に摩擦《まさつ》を生じさせかねない問題を、全て解決しておかねばならないと考えます」

この時、ソ連側が懸念材料として重視していたのは、八月二十三日(実際は二十四日)調印の秘密議定書で定められた独ソ両国の「勢力境界線」が、ポーランド国内における「ポーランド系市民が多数派を占める地域」と「白ロシア系およびウクライナ系市民が多数派を占める地域」の大まかな境界よりも、大きく西にずれていたことだった。

そのため、この「勢力境界線」でポーランドを分割した場合、多数のポーランド系市民がソ連の影響圏に含まれる形となるが、一九二〇年にピウスツキが始めたソ連＝ポーランド戦争でウクライナ方面の赤軍政治委員を務めたスターリンは、ポーランド人の愛国心の強さと精神の強靱さを、戦場で目の当たりにした経験を持っていた。

つまり、スターリンはポーランド人という「扱いにくい民族」をなるべく自国の勢力圏には含めたくないとの考えから、ポーランド系と白ロシア系およびウクライナ系の居住境界線付近にまで、分割線を「後退」させてもいいと考えていたのである。

ただし、政治的な狡猾《こうかつ》さを備えたスターリンは、一七七二年の第一次ポーランド分割時におけるプロイセンのフリードリヒ大王(第二章を参照)と同様、ただで相手に譲歩するのではなく、自国に有利となる「見返り」を相手に要求することも忘れなかった。

先の秘密議定書では「ドイツの影響圏」と示されたバルト海沿岸のリトアニアを、ポーランド領の境界線変更と引き換えに「ソ連の影響圏」とするよう求めたのである。

この要請を聞いたヒトラーは、ポーランドにおけるドイツの勢力圏が、当初の予定より

16 独ソのポーランド分割
1939年 9月28日
0 100 200 km
1939年8月23日の「旧」勢力境界線
1939年9月28日の「新」勢力境界線
ドイツ勢力圏
ソ連勢力圏
バルト海
エストニア
ラトヴィア
ウィンダウ
リガ
リトアニアに併合
リバウ
シャウリアイ
ブラスワフ
リトアニア
カウナス
ヴィルノ
グディニア
ケーニヒスベルク
ダンツィヒ
ミンスク
東プロイセン（ドイツ）
リダ
ドイツ
グロドノ
ソ連
ビャウィストク
ムワヴァ
バラノヴィツェ
ヴィスワ川
ナレーフ川
モドリン
ブジェシチ（ブレスト）
ピンスク
ポズナニ
ワルシャワ
ブーク川
ウージ
オーデル川
ラドム
ポーランド
サルヌイ
ピョートルクフ
ウツク
スロヴァキアに併合
ザモシチ
クラクフ
ヤロスワフ
ルヴフ
ベーメン＝メーレン保護領（ドイツ）
ドロホービィチ
N W E S
スロヴァキア
コウォムイヤ
ドイツ
ハンガリー
ルーマニア

もさらに東へと（一五〇キロ近くも）広がることに満足し、秘密議定書の修正について協議するため、リッベントロップを九月二十七日にモスクワに派遣することを了承した。三日にわたる協議を経て、九月二十九日の午前五時、独ソ両国政府の間で最終的な合意が成立し、前日（九月二十八日）の日付が記された「独ソ境界ならびに友好条約」と、その核心部分を記した新たな秘密議定書が調印された。

これにより、ポーランド西部の一八万七六六四平方キロがドイツ、東部の二〇万二〇六九キロがソ連の占領地域となり、さらに南部のチェシェン地方を含む七〇〇平方キロが親独国のスロヴァキアに割譲されることが合意された。また、ソ連に併合されたポーランド領のうち、ヴィルノ周辺の帯状地帯は、同年十月十日にリトアニアへと割譲された。

この修正案で画定された独ソの境界線は、奇しくもポーランド独立回復の準備が進められていた一九一九年に、英外相カーゾンが「ポーランドの東部国境」と定めた「カーゾン線」（第二章を参照）と、大筋で一致していた。

言い換えれば、スターリンはポーランド東部へのソ連軍の進駐と、同地のソ連領への併合に際して、イギリス政府や国際社会に「わが国は本来〔ソ連＝ポーランド戦争以前〕の自国領土を回復しただけである（従って「侵略」ではない）」と主張できる、政治的な大義名分にも充分な配慮を行っていたのである。

◆フランスのパリで樹立されたポーランド亡命政府

モスクワでポーランドという国家の「第四次分割」が話し合われていた頃、ポーランド国内では今やわずかとなったポーランド軍部隊が、最後の抵抗を繰り広げていた。

ワルシャワ北方の、ヴィスワ川とナレーフ＝ブーク川の合流地点に築かれたモドリン要塞では、ヴィクトル・トンメー少将に率いられた守備隊が、九月十四日からドイツ軍の攻撃に耐え続けていた。

九月二十七日にワルシャワ守備隊が降伏すると、ドイツ側はモドリン要塞に降伏条件を提示した上で、明朝午前六時までに返答するよう、ポーランド側に伝えた。九月二十八日の午後二時にドイツ側代表シュトラウスとポーランド側代表ツェハクが最終的な降伏交渉を行い、翌九月二十九日の午前八時、正式な降伏文書に調印することで合意した。

バルト海沿岸のヘル（ドイツ側呼称はヘラ）半島では、幅五〇〇メートル、全長三五キロという地形的な利点を活かして抵抗を続けてきた、ユゼフ・ウンルグ海軍少将の率いる守備隊四五〇〇人が、十月二日にドイツ軍へと降伏した。

だが、ポーランド人の戦いが、これで終わったわけではなかった。

九月三十日、スワヴォイ＝スクラドコフスキ首相やベック外相をはじめとするポーランドの内閣は、ルーマニアの収容所内で総辞職したことを発表した。

翌十月一日、モシチツキ大統領は、憲法第一三条に基づく国事行為として、次期大統領にパリ在住の穏健派政治家ヴワディスワフ・ラチュキェヴィチを指名した。そして、古参の軍事指導者であるヴワディスワフ・シコルスキを首班とする、幅広い党派が連立した亡

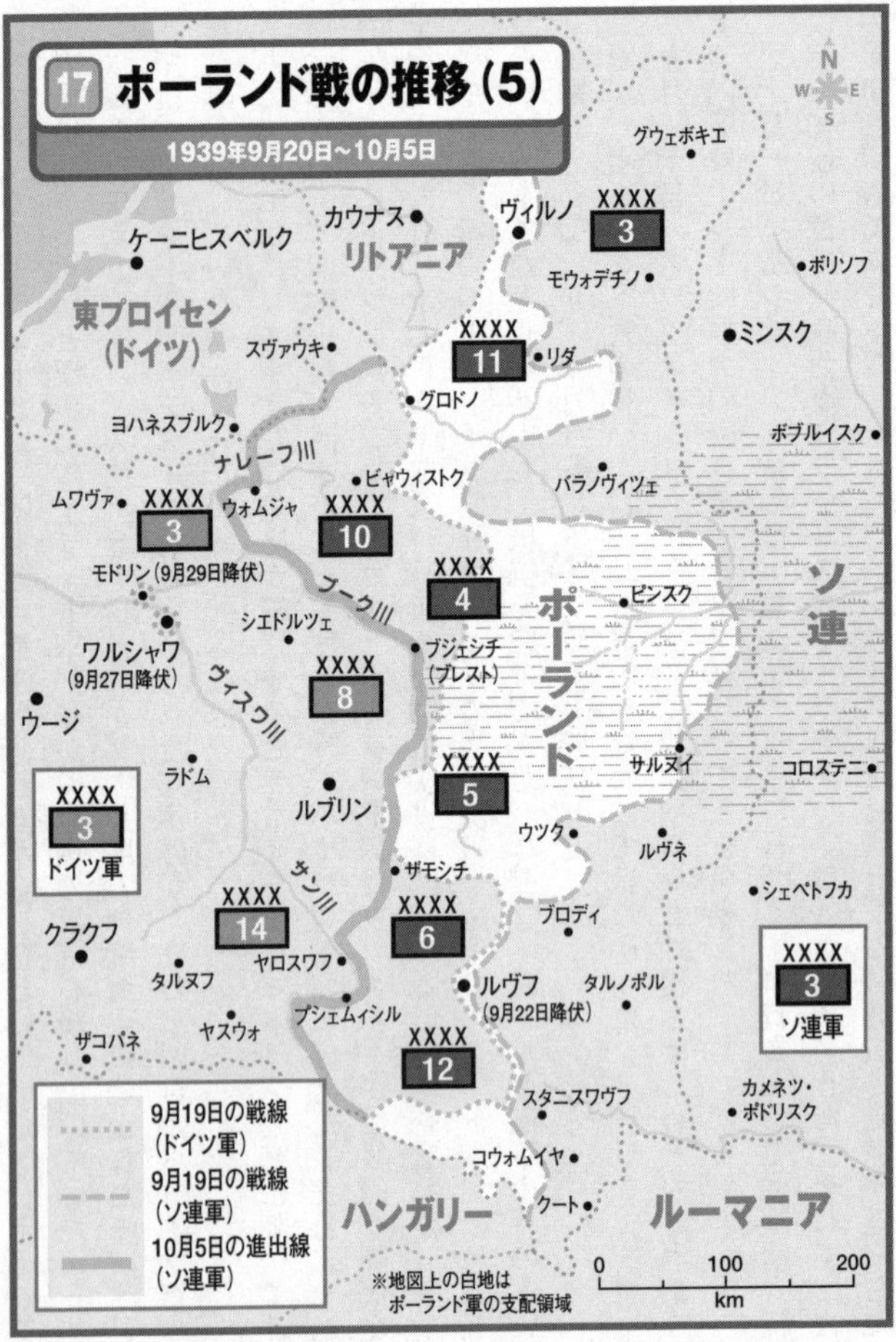
17 ポーランド戦の推移（5）
1939年9月20日～10月5日
N
W
E
S
グウェボキエ
カウナス
ヴィルノ
XXXX 3
ケーニヒスベルク
リトアニア
ボリソフ
モウォデチノ
東プロイセン
（ドイツ）
XXXX 11
リダ
ミンスク
スヴァウキ
グロドノ
ヨハネスブルク
ボブルイスク
ナレーフ川
ビャウィストク
バラノヴィツェ
ムワヴァ
XXXX 3
ウォムジャ
XXXX 10
XXXX 4
モドリン（9月29日降伏）
ブーク川
ピンスク
ソ連
ポーランド
シエドルツェ
ワルシャワ
（9月27日降伏）
ブジェシチ
（ブレスト）
XXXX 8
ヴィスワ川
ウージ
ラドム
サルヌイ
コロステニ
XXXX 5
XXXX 3
ドイツ軍
ルブリン
ウツク
ルヴネ
ザモシチ
サン川
シェペトフカ
XXXX 14
XXXX 6
ブロディ
クラクフ
XXXX 3
ソ連軍
タルヌフ
ヤロスワフ
ルヴフ
（9月22日降伏）
タルノポル
プシェムィシル
ヤスウォ
ザコパネ
XXXX 12
スタニスワヴフ
カメネツ・ポドリスク
9月19日の戦線
（ドイツ軍）
9月19日の戦線
（ソ連軍）
10月5日の進出線
（ソ連軍）
コウォムイヤ
クート
ハンガリー
ルーマニア
0
100
200
km
※地図上の白地は
ポーランド軍の支配領域

命政府がパリで樹立され、英仏両国政府に承認された。

これにより、ポーランド政府はドイツに対して降伏せず、ポーランドは引き続きドイツとの戦争を継続しているとの形式を、国際法上も保持できる状況となったのである。

一九三九年九月一日から十月五日までのポーランド戦争における、参加各国軍の損害については、他の統計数字と同様、多少幅のある数字がいくつか提示されている。

ドイツ軍の戦死者数は、陸軍と空軍、海軍、親衛隊を併せて約一万六〇〇〇人で、負傷者の数は約三万二〇〇〇人、行方不明者数は三〇〇〇～五〇〇〇人と見られている。

対するポーランド軍の損害は、戦死者数と行方不明者は約六万六〇〇〇人、負傷者数は約一三万四〇〇〇人で、さらに約五八万七〇〇〇人がドイツ軍に、約二三万人がソ連軍に捕虜として捕らえられた。

九月十七日から戦争に加わったソ連軍は、約二週間の軍事作戦で、戦死者九九六人と、負傷者二三八三人の損害を被った。

◆ワルシャワで行われたドイツ軍の戦勝パレード

十月五日、ポーランドの首都ワルシャワで、ドイツ軍の戦勝祝賀式典が催された。

式典当日の午前、ヒトラーは専用のユンカースＪｕ52輸送機でワルシャワのオケンチェ飛行場に降り立ち、そこから護衛隊長エルヴィン・ロンメル少将（既出のポーランド軍人と同姓だが別人、のちに元帥となる）の部下に護衛された車列で市の中心部へと向かった。

車列の両脇で整列したドイツ軍の兵士たちが、総統を歓呼の声で出迎えると、ヒトラーはオープンカーの座席で立ち上がって右手を挙げ、それに応えた。

市南部のワジェンキ公園に面した、市の主要な大通りの一つであるウヤズドフ大通りで行われたこの式典では、軍楽隊の演奏する行進曲に合わせて独第8軍の兵士が街路を威風堂々と行進し、ドイツ軍の高官を両脇に従えたヒトラーは、閲兵台《えっぺいだい》で答礼した。この勇壮な光景を撮影した映画は、ゲッベルスの宣伝省を通じてドイツ全土で上映された。

約二時間にわたる式典が終了した後、ヒトラーと軍の高官は午後三時頃に総統専用車に乗り込み、ワルシャワ市内の主な建物を見物した。ヒトラーの車列は、やがて市中心部の新世界通りとイェロゾリム大通りの交差点へと差しかかったが、彼らはその道路沿いの建物に、ポーランド軍の工兵が大量の爆薬を仕掛けていたことを知らなかった。

ドイツ軍に降伏せず地下に潜伏した、ポーランド第60工兵大隊の残存兵と装備を中心に結成された、反ドイツの抵抗組織「ポーランド勝利奉仕団（SZP）」は、ミハウ・カラシェヴィチ＝トカジェフスキ中将の指揮下で、ヒトラーの爆殺を企てていた。彼らは、二五〇キロのTNT火薬を収めた箱二つと大量の砲弾を、ヒトラーのパレードルートと予想される大通りに面した銀行と鉄道局のビルに仕掛けた。

もし、この爆薬が計画通りに炸裂して、ヒトラーの殺害に成功していたなら、第二次世界大戦の経過は大きく変わっていたと考えられる。だが、仕掛けられた爆薬の信管は作動せず（実行責任者が車上のヒトラーを直接視認できず、信管の点火をためらったことが原因とされる）、一行は何事もなくその場所を通過した。そして、無事にワルシャワ訪問を終えたヒトラーは、その日の夕方に飛行機でベルリンへと帰還した。

◆第二次世界大戦の本格化へ

ワルシャワでの戦勝パレードから八日前の九月二十七日、ヒトラーはベルリンに陸海空三軍の首脳を集め、重要な戦略会議を開いていた。

彼はその席上、英仏両国ならびにオランダ、ベルギーを相手とする大攻勢を、西部正面で一九三九年中に開始するつもりであることを明らかにした。

これを聞いたドイツ軍の高官たちは驚き、そのような作戦を実行することは不可能ですとヒトラーに訴えた。ドイツ軍の戦車部隊は、ポーランド戦で激しく消耗しており、稼働状態にある戦車も工場での整備を必要としていたからである。

また、対ポーランド戦における約一か月間の戦いが終了した時、ドイツ軍の砲兵部隊が備蓄していた砲弾の残量はわずか二週間分しかなく、空軍の爆弾保有量もあと二週間程度の作戦で底をつく計算だった。

ドイツ軍の陸海空三軍が進めていた軍備増強計画は、全て一九四四年を到達目標に設定しており、それより五年も早く英仏両国相手の「第二次世界大戦」が勃発したことで、ドイツ軍の管理部門はパニック寸前の状態に陥っていたのである。

その後、秋の訪れと共に西ヨーロッパの天候が悪化したため、ヒトラーの戦争熱も一時的に冷まされ、西部における攻勢の開始は一九四〇年の一月以降に延期することが正式に了承された。だが、ポーランドという大きな犠牲を払った後もなお、英仏両国はヨーロッパの戦略的状況の深刻さを、まだ認識できていなかった。

ヒトラーとドイツ軍は、一九四〇年四月から一年のうちに、ノルウェー、デンマーク、オランダ、ベルギー、ルクセンブルク、フランス、ユーゴスラヴィア、ギリシャに対して軍事侵攻を行い、これらの国々を征服した。

とりわけ、西方の大国フランスが、わずか六週間の戦いで完敗を喫してドイツの軍門に降り、大量の鉤十字の旗がパリに翻ったことで、ドイツ国民とドイツ軍内部における、国家指導者としてのヒトラーの威信は盤石なものとなった。

これらの勝利で、ドイツの軍事力に絶対的な自信を抱いたヒトラーは、一九四一年六月にはソ連との不可侵条約を破棄し、ポーランド戦の二倍に当たる三〇〇万人のドイツ軍将兵を旧ポーランド領の分割線に配備して、東の大国・ソ連への侵攻作戦を開始した。

そして、ヒトラーの引き起こした第二次世界大戦は、ポーランド戦の開始から五年と八か月にわたって、ソ連西部を含むヨーロッパのほぼ全域と北アフリカを戦火で覆い、最終的には軍人と民間人を併せて、ポーランド一国だけでも五五〇万人、ヨーロッパ全域では総計三三五〇万人（ヨーロッパ戦域で戦死したアメリカ兵を含む）ともいわれる人々を、死に至らしめることになるのである。

第七章
ナチ・ドイツ支配下のポーランド

《ドイツ領と「総督府領」に分割された西部ポーランド》

◆占領下ポーランドの軍政統治と民政移管

一九三九年九月二十八日に調印された「独ソ境界ならびに友好条約」の秘密議定書に記された境界線に従い、ドイツはポーランドの西半分を占領下に置いた。

占領当初、ドイツは西部ポーランドを軍政統治下に置き、十月三日に「東方総軍（ＯＢＯｓｔ）」と呼ばれる占領軍司令部が創設された。

東方総軍の司令官には、南方軍集団司令官ルントシュテットが就任したが、十月十五日に対仏戦を念頭にA軍集団司令部が西方で開設されると、ルントシュテットはその司令官に任命され、第8軍司令官のブラスコヴィッツが東方総軍の軍政司令官を引き継いだ。

だが、ヒトラーは手中に収めた獲物であるポーランド領の全てをドイツに併合せず、二つの領域に分割して民政に移行する方策をとった。

まず、独ソの分割境界線より西のポーランド領のうち、ドイツ国境に面した北部と西部の一帯は、ヒトラーが署名した十月十二日付の布告（発効は十月二十六日）により、ダンツィヒと共に、ドイツ本国の行政機構へと編入された。

大都市ポズナニ（ドイツ語ではポーゼン）を中心とする、ドイツに併合された旧ポーランド西部の大部分は、最初「ポーゼン帝国大管区」と呼ばれたが、一九四〇年一月二十九日に「ヴァルテラント帝国大管区（通称ヴァルテガウ）」へと改称された。この地域は、一九一四年の第一次世界大戦勃発まではドイツ帝国領で、併合は「ヴェルサイユ条約で奪われたドイツ領土の回復」という大義名分で正当化された。

ヴァルテガウより北の旧ポーランド領とダンツィヒ、東プロイセンの一部は「ダンツィヒ＝西プロイセン帝国大管区」へと再編され、東プロイセン県の南と東の旧ポーランド領は、同県に併合された。また、ヴァルテガウより南の旧ポーランド領南西部は、ドイツのオーバーシュレージェン県に併合された。

一方、旧首都ワルシャワを含む中部と南部は十月二十六日付で「占領下ポーランド領土の一般政府」の管理下に置かれ、同地を統治する「総督」にはヒトラーと個人的に親しいナチ党の有力者であるドイツ人のハンス・フランクが就任した。

◆ポーランドの「総督府」とはなにか

ドイツ軍の西方攻勢が大成功を収め、フランスとオランダ、ベルギー、ルクセンブルクがドイツの支配に入った直後の一九四〇年七月三十一日、「占領下ポーランド領土の一般政府」という行政機関の名は「総督府」へと改称された。

総督府の「首都」は、一九三九年十月十二日から十一月四日まではリッツマンシュタット（ポーランド名ウージ）、十一月四日以降はクラカウ（同クラクフ）に置かれ、フランクはクラクフ中心部のヴァヴェル城に総督府の本部を構えて統治の実務を行った。

ヒトラーが、占領したポーランド領の全てをドイツ領とせず、ほぼ半分を総督府の統治下にある「総督府領」とした主な理由は、その住民をドイツの農業や工業で強制的に働かせる労働力として利用するためだった。ドイツに併合された地域とは異なり、ヒトラー直轄のフランク総督が統治する総督府領では、住民の権利を法的に尊重する義務がなく、苛酷な労働現場で酷使しても、奴隷的労働を禁じるドイツの国内法を無視できた。

このような状況の中、一九三九年から一九四四年までの五年間に、約二八〇万人のポーランド人がドイツへ送られて、軍需工場などでの強制労働に従事した。

また、独ソの勢力境界線より東側に組み込まれたバルト三国（リトアニア、ラトヴィア、エストニア）には、多くのドイツ系住民（民族ドイツ人）が存在したが、ヒトラーはこれらのドイツ人を帰国させて、ドイツに併合した旧ポーランド領に居住させる方策をとった。それらの民族ドイツ人に住居を用意するため、多くのユダヤ人と非ユダヤ系のポーランド人が立ち退きを強いられたが、彼らの多くは総督府領へと移住させられた。

フランク総督は、ヒトラーの意を汲んで住民から経済的な収奪を行い、彼らの生活水準を、ドイツ本国とは比較できないほど低いレベルにまで意図的に落とした。

さらに、独ソ両国に分割併合される前のポーランドには、ナチスが敵視するユダヤ人が約三三〇万人居住しており、独ソ分割線より西側のドイツ勢力圏には、そのうちの約二〇五万人が存在した。総督府領として線引きされた域内のユダヤ人は、その七三パーセントに当たる約一五〇万人で、旧首都のワルシャワには約四〇万人が暮らしていた。

ドイツに併合された領域に住む残りの約五五万人のユダヤ人も、将来的には総督府領への強制移住が想定されていた。

このように、ドイツにとっての総督府領は、奴隷同然に働かせることのできる労働力の供給元であるのと同時に、ポーランドのユダヤ人をドイツ人の生活圏から隔離する「受け入れ先」としても利用できる、巨大な「収容区」でもあったのである。

◆治安維持という名目でのポーランド知識層の弾圧と処刑

ポーランド侵攻に先立ち、ドイツは一九三九年五月に《秘匿名「タンネンベルク」》と呼ばれる秘密計画を準備していた。これは、ドイツが将来ポーランドを占領した場合に、同地をドイツの植民地とする上での障害となりうる、民族意識の高い知識人や民族主義の活動家、カトリック教会の聖職者、元高級軍人など六万人を超えるポーランド人を逮捕・拘束した上、場合によっては処刑することを主な目標とする計画だった。

また、ポーランド戦の開始から一か月前の同年八月、この作戦の一環として、ドイツ国内に居住するポーランド系市民二〇〇〇人を逮捕し、彼らがドイツ軍のポーランド侵攻に抗議する活動をドイツで行えないよう、身柄を拘束していた。

そして、九月一日から十月五日にかけてのポーランド戦で、ポーランドの西部地域がドイツ軍の支配下に入ると、ドイツ側はソ連のＮＫＶＤがルヴフで行った（第六章を参照）

のと同様、事前に作成していた「危険人物リスト」に従い、「特別行動部隊（アインザッツグルッペン）」と呼ばれる親衛隊の隊員約三〇〇〇人をポーランド各地に派遣して、治安維持という名目での身柄拘束任務「タンネンベルク作戦」を遂行させた。

計七隊から成る特別行動部隊は、各地の町や村で「危険人物」と見なされたポーランド人を選別して逮捕し、その多くはドイツ管理下の収容所で死に追いやられた。

十一月六日には伝統あるクラクフのヤギエヴォ大学が、十一月十一日にはルブリンのカトリック大学が、ドイツ側の統治機構によって相次いで閉鎖され、教授や教官は逮捕・投獄された後、その多くが殺害された。

第二次世界大戦中のドイツ支配下ポーランドにおいて、学校教師や大学教授の一五パーセントとカトリック司祭の一八パーセント、医師の四五パーセント、有資格技術者の五〇パーセント、弁護士の五七パーセントが命を奪われたといわれる。

ヴァルテラントでは、カトリック教会と修道院、ユダヤ教施設、慈善施設のほぼ全てが閉鎖され、宗教の儀式もポーランド語でなくドイツ語で行うよう強制された。ポーランド語に固執してこれを拒絶した愛国的司祭は、逮捕や失職で地位を失うか、処刑された。

ポーランド文化の土台を担う博物館や図書館、大学、劇場も閉鎖され、ポーランドを代表する音楽家フレデリック・ショパンの楽曲を公共の場で演奏することも禁じられた。ナチスが旧ポーランド領内で許可したのは、少数の初等教育施設と専門学校だけで、大衆の娯楽は検閲済みの映画や新聞によってのみ人々に供された。

第二章で述べた通り、ロシアとプロイセン、オーストリアの三国は、第三次ポーランド分割後の一七九六年に「国際法の条項からポーランドの名を永久に抹殺し、かつてポーランド王国が存在したことを思い起こさせる、あらゆる物を消滅させなくてはならない」という内容の秘密議定書に調印していた。

一九三九年にポーランドを分割併合したドイツのヒトラーとソ連のスターリンも、実質的にそれと同じことを行い、ポーランドは独立国としての国家体制を（一時的に）失っただけでなく、民族としての固有文化も抹殺の危機に瀕していたのである。

《独ソ戦の勃発とポーランド統治機構の再編》

◆ソ連の体制に組み込まれた旧ポーランド東部地域

一九三九年九月にポーランド東部地域をソ連軍の占領下に置いたあと、ソ連はリトアニアに割譲したヴィルノ一帯を除く地域で十月二十六日に住民投票を行わせ、住民の自由意思という体裁をとって、ソ連を構成する白ロシアとウクライナの領土に併合した。

戦前のポーランドで重要な地位を占めていた、政界や財界の主要人物と政府関係者、軍と労働組合の幹部たちは、ソ連当局（ＮＫＶＤ）に拘束され、民間企業と国有企業は接収されてソ連経済に組み込まれた。新聞やラジオなどの報道機関は、独立した形で存続することを許されず、ソ連の情報宣伝機関に取って替わられた。

これにより、ポーランドの時代には存在した、自主独立の政治活動や文化活動は社会から消滅し、すべての政治活動と文化活動はモスクワのソ連政府の統制下に入った。一九四〇年四月には、農業や工業もソ連式のシステムに組み込まれ、独立した協同組合などの自治運動は禁止された。戦前のポーランドでは主流だったカトリックの信仰も許されず、宗教的指導者は投獄された。

第六章で触れた通り、スターリンはポーランド人の民族意識と独立心を強く警戒しており、ソ連に併合したポーランド東部でも、人口の約四割（五一〇万人）を占めるポーランド人住民を危険視した。彼の意を受けたＮＫＶＤは、各地域のポーランド人を監視し、ソ連体制に従順でないと見なした者は、家族もろともソ連奥地のシベリアや中央アジアへと強制的に移住させた。

この強制移住は、一九四〇年二月から一九四一年六月までの一年四か月で四回にわたって実施され、強制移住させられたポーランド人の数は、三二万人に達すると見られている（二〇〇九年のポーランド政府機関による発表）。異郷の地へと強制移住させられたポーランド人は、ソ連国内の「政治囚（政府に敵対的と見なされ逮捕・流刑された囚人）」と同様、苛酷な生活環境に苦しみ、強制労働にも従事させられた。

◆独ソ境界線からソ連侵攻を開始したドイツ軍

強制移住のポーランド人と入れ替わりに、旧ポーランド東部へと乗り込んだのは、ソ連軍の兵士たちだった。対ポーランド戦の終結後、ソ連軍の戦時体制の白ロシア方面軍とウクライナ方面軍は、再び白ロシア特別軍管区とキエフ特別軍管区に戻され、大きく西へと移動した国境線に伴って、ソ連軍の戦闘部隊も独ソ境界線付近へと展開した。

白ロシア特別軍管区の旧ポーランド東部地域には、第3、第4、第10のソ連軍三個軍が配置され、その南に位置するウクライナ特別軍管区の旧ポーランド東部地域でも、第5、第6、第12、第26の四個軍が国境沿いの陣地で配備についた。

一九四一年六月二十二日、ヒトラーは二年前に締結した独ソ不可侵条約を一方的に破棄し、計一一個軍（のちに装甲軍へと格上げさせる装甲集団も軍として計算）約三〇〇万人の兵力を持つドイツ軍に、ソ連への軍事侵攻を開始させた。

いわゆる「独ソ戦」の始まりである。

この時、対ソ侵攻の中核を担うドイツ中央軍集団および南方軍集団の開始線となったのが、旧ポーランド領内に引かれた独ソ境界線だった。一九三九年九月にドイツ軍からソ連軍に引き渡されたブジェシチ（ブレスト）の国境要塞は、再び戦場となり、ブレスト要塞に立てこもるソ連兵は激しい抵抗を繰り広げたものの、六月三十日にはほぼ全滅した。

ブレスト要塞を除く白ロシア特別軍管区の旧ポーランド東部地域では、ドイツ軍の完全な奇襲成功により、ソ連軍部隊は大混乱に陥って敗走し、六月下旬に包囲殲滅された。

キエフ特別軍管区の旧ポーランド東部地域では、戦車部隊の大規模な反撃などにより、ソ連軍の状況はいくぶんましではあったものの、七月中旬にはその領域から東へと駆逐され、ドイツは開戦から一か月で、旧ポーランド東部地域を支配下に収めた。

ドイツ軍は、北極圏から黒海沿岸までの広い地域でソ連領内に侵攻し、九月二十四日にはウクライナの首都キエフを攻略、十一月には首都モスクワから一〇〇キロ以内の場所までドイツ軍部隊が進出した。国際社会は、ソ連体制の崩壊は間近に迫ったと予想した。

だが、そうはならなかった。スターリンはモスクワ陥落の危機に瀕してもヒトラーの軍事的威圧に屈せず、ソ連国民は自由が許されない窮屈な圧制にもかかわらず、自国を侵略したドイツとの戦いに身を投じた。ドイツ側の予想を超える規模で、ソ連軍の増援部隊が地平線の彼方から現れ、士気と練度で勝るドイツ軍は消耗戦を強いられて疲弊した。

そして、十月から本格的なロシアの冬が到来したことで、短期決戦を想定し防寒装備の補給が不充分だったドイツ軍は天候に阻まれて進撃速度が鈍った。いわゆる「冬将軍」の助けもあって、ソ連軍は首都モスクワも第二の都市レニングラードも守りきることに成功し、独ソ戦は両国が総力をあげて戦う長期戦へと突入していった。

◆「総督府領」の東方拡大と旧ポーランド東部の統治

旧ポーランド東部を完全な占領下に置いたあと、ヒトラーは占領した同地の統治形態を決定し、総督府の領土も東へと拡大した。

一九三九年九月末からソ連の支配下にあった旧ポーランド東部地域は、計四つの領域に区分され、独ソ開戦翌月の一九四一年七月二十二日、まず北西部のビャウィストク周辺の突出部が、ドイツの東プロイセン県に併合された。

続いて同年八月一日、南部のルヴフ（ドイツ語名レンベルク）周辺のガリツィア地方は総督府領に併合され、九月一日にはブジェシチ（同ブレスト）を含む中部一帯が、総督に似た国家弁務官が統治するドイツの占領統治領域「国家弁務官区ウクライネ（ウクライナ）」に組み込まれた。リトアニアに一時割譲されていたヴィルノを含む旧ポーランド北東部は、十二月に「国家弁務官区オストラント（東方の地）」へと編入された。

これらの統治形態の変更に伴い、旧ポーランド東部一帯でも「ナチス式」の統治が開始されたが、独ソ開戦当初は、ソ連による弾圧で苦しんだ住民の一部が、ドイツ軍を「解放者」と勘違いして歓迎するという光景があちこちで発生した。

だが、彼らはすぐに、それが大きな誤解だという現実を思い知らされた。

ヒトラーとナチスが蛇蝎《だかつ》のごとく嫌悪するユダヤ人だけでなく、ポーランド人や白ロシア人、ウクライナ人などのスラブ民族も、ナチス式の人種区分では「劣等人種」として差別的な扱いを受ける対象であり、ドイツの占領当局は旧ポーランド東部の住民も、搾取と利用の対象としか見ていなかったのである。

《旧ポーランド国内で吹き荒れた「ユダヤ人大量虐殺」の嵐》

◆段階的に進められたユダヤ人や少数民族の迫害と虐殺

第二次世界大戦中にナチス・ドイツが行った、ユダヤ人の大量虐殺（いわゆるホロコースト）は、人類史上の汚点として歴史に特筆されているが、ヒトラーに従うナチス親衛隊による組織的なユダヤ人虐殺の多くは、旧ポーランド領内において実行された。

だが、一九三九年秋にポーランド西部を征服した時点では、ヒトラーとナチス親衛隊はユダヤ人大量虐殺に関して、具体的な計画を特に用意していなかった。

ナチス親衛隊は、ポーランドに侵攻したドイツ軍の背後に特別行動部隊を送り、治安維持の名目で約七〇〇〇人のユダヤ人市民を殺害したが、この時点ではまだ、ドイツ支配圏におけるユダヤ人問題の全体的な解決法は、「ドイツ支配圏外への移住（強制追放）」が基本方針とされていたからである。

この方針に従い、まず進められたのが、占領地におけるユダヤ人の「隔離」だった。

いまだポーランド中部では戦いが続いていた一九三九年九月二十一日、親衛隊保安本部長官ラインハルト・ハイドリヒは、ドイツ軍が占領したポーランド農村部のユダヤ人を大都市に集めよとの命令を下すのと共に、総督府領のクラクフ東方にユダヤ人居留地を建設する計画草案を部下に作成させた。

こうして誕生したのが、ユダヤ人を強制的に収容する居住区「ゲットー」だった。

ゲットーとは、中世のヴェネツィアで最初に作られたユダヤ人の隔離居住区のことで、その後ヨーロッパの各都市で同様のゲットーが作られ、独自の宗教と生活習慣を守るユダヤ人を市内の狭い一角に隔離した。石壁で囲まれたゲットーの中で、ユダヤ人は自治権を付与されたが、外部に出る際にはユダヤ人とわかる印を着用するよう強制された。

十月八日、総督府領内に最初のゲットーが作られ、十一月二十三日には旧ポーランド領に住む一〇歳以上のユダヤ人は、ユダヤ人のシンボルである「ダビデの星（二つの三角を上下反対にして重ねたもの）」が入った腕章の着用を義務づけられた。

また、ナチス・ドイツは、独自の文化と生活習慣を持つ少数民族のシンティ・ロマ（かつては差別的意味を込めて「ジプシー」と呼ばれた）も迫害し、一九三五年から国内で差別と迫害の対象としていた。ポーランドでも、シンティ・ロマはユダヤ人と同様に、ドイツの統治当局による迫害の対象となり、自由と権利を奪われていった。

◆ユダヤ人殺戮を目的とした「絶滅収容所」の登場

ドイツ支配圏におけるユダヤ人問題を管轄するナチス親衛隊は、同支配圏内で暮らすユダヤ人の追放先として、当初は中東のパレスチナやアフリカのマダガスカルを想定し、対ソ戦開始後はソ連領内の奥地も追放先として検討した。だが、イギリスとソ連がドイツに屈服せず、戦争継続の姿勢をとり続けたことで、ドイツ支配圏外へのユダヤ人の強制追放という選択肢は、実現することが不可能となった。

その間、ドイツ軍はヨーロッパ各地で戦勝を重ねて占領地を拡大し、それに伴ってドイツ支配圏のユダヤ人の数も増大していた。

一九三九年九月に第二次世界大戦が勃発した時、ドイツ国内には約三五万人のユダヤ人が存在し、旧ポーランド北西部の併合により約五五万人が追加されたが、この約九〇万人のうち、一九四一年末までに総督府領内へと移送されたのは、約一三万人だった。

総督府領には、移送を受け入れる前から約一五〇万人のユダヤ人が存在したが、戦争序盤の連戦連勝に伴うドイツ支配圏の拡大により、各占領地から移送されるユダヤ人の数は増え続け、一九四一年末には二五〇万人近くに達していた。

ヒトラーと側近の親衛隊長官ハインリヒ・ヒムラーは、ドイツ支配圏からのユダヤ人排除という問題を解決するには、ユダヤ人を「絶滅」させるしかないとの結論に至り、ハイドリヒとその部下アドルフ・アイヒマンらは、のちに「最終的解決」という隠語で言い表されることになる、ユダヤ人の組織的虐殺という非人道的な作業に着手した。

ドイツ軍によるソ連侵攻の過程では、ドイツ支配圏におけるユダヤ人をこれ以上増やさないため、占領地のユダヤ人を親衛隊の特別行動部隊が乱暴に射殺するという方策がとられた。だが、ごく普通のユダヤ人市民を、問答無用で大量に殺害するよう命じられた親衛隊員の中には、心的外傷（トラウマ）で精神に不調を来す者も現れ始めた。

それを知ったヒムラーと親衛隊幹部は、ユダヤ人を虐殺する親衛隊員の「心理的負担」を軽減でき、なおかつ単位時間当たりで殺害できるユダヤ人の数を増大させる方策を検討し、毒ガスによる組織的殺害という手段の研究が進められた。

まず試作されたのが、密閉された空間に大勢のユダヤ人を閉じ込め、そこに有毒な排気ガスを送り込んで一度に殺害するという、異様な構造を持つトラック（特殊自動車＝ゾンダーヴァーゲン）や家屋だった。

一九四一年九月十八日、ヒムラーはヴァルテガウのヘウムノに、ユダヤ人の大量殺害を目的とする最初の「絶滅収容所（フェアニヒトゥングスラーゲル）」を建設する決定を下した。ヘウムノ絶滅収容所は、同年十二月九日に稼働を開始し、一九四三年三月にいったん閉鎖されるまでの期間に、一四万五〇〇〇人以上のユダヤ人を殺害した。

同様の絶滅収容所は、総督府領内でも建設が検討され、ヒムラーは一九四一年十月十三日、総督府領内で最初（全体ではヘウムノに続き二番目）の絶滅収容所をルブリン南東のベウジェツに建設するよう命じた。この新たな絶滅収容所は、排気ガスのトラックではなく、敷地内の特殊な建物で毒ガスを用いてユダヤ人を「効率的」に殺害する施設とされ、一九四二年三月十七日に最初のユダヤ人殺害行程が実行された。

◆最大の絶滅収容所アウシュヴィッツと「ホロコースト」

ベウジェツに続いて、総督府領内のソビブルとトレブリンカでも絶滅収容所の建設が進められ、前者は一九四二年五月、後者は同年七月にガス室による大量殺害を開始した。旧ポーランド領内には、第二次世界大戦中に計六か所の絶滅収容所が建設されたが、その中でも国際的に有名なのは、アウシュヴィッツに作られた複合施設である（残る一か所は総督府領のルブリン近郊に作られたマイダネク強制収容所）。

ドイツのオーバーシュレージェン県に併合された、旧ポーランド南西部にあるアウシュヴィッツの絶滅収容所は、最初に作られた「第一」と、後に近隣で拡張された「第二」から成り、後者は「ビルケナウ」とも呼ばれた。

旧ポーランド軍の兵営を強制収容所に転用したアウシュヴィッツ第一絶滅収容所では、一九四一年九月三日から殺虫剤「チクロンB」を用いた収容者（ポーランド人とソ連兵捕虜）の殺害が実験的に開始されていたが、ナチスのユダヤ人政策の転換に伴い、ユダヤ人の絶滅収容所として施設が拡張された。

一九四二年二月、アウシュヴィッツ第一収容所に隣接する焼却炉の死体置き場が、同地で最初のガス室に改造され、チクロンBによる大量殺害が可能であることが確認された。第一の拡張施設として、同地から約三キロ北西に建設されたアウシュヴィッツ第二（ビルケナウ）収容所でも、一九四二年三月からガス室によるユダヤ人殺害が行われ、一九四三年三月にはガス室と死体焼却炉を組み合わせた大量虐殺のシステムが本格的に稼働した。

自分たちを待ち受ける凄惨な運命を知らないまま、家畜を輸送する鉄道貨車で次々とアウシュヴィッツに送られたユダヤ人は、まず携帯する財産を没収され、年齢や健康状態を

18 ポーランドの絶滅収容所
0 100 200 km
1941年6月22日までの独ソ境界線
総督府領（1939年10月～）
独ソ開戦後、総督府領に編入
絶滅収容所
ソ連領に併合（1939年10月～）
※独ソ開戦後、ドイツ領や「国家弁務官区」に編入
＊＝東プロイセン県に併合
バルト海
リバウ
旧ポーランド国境
ブラスワフ
カウナス
ヴィルノ
ケーニヒスベルク
グディニア
ダンツィヒ
東プロイセン（ドイツ）
国家弁務官区オストラント
ソ連
ドイツ
ダンツィヒ＝西プロイセン帝国大管区
＊
ビャウィストク
東プロイセン県に併合
バラノヴィツェ
トレブリンカ
ポズナニ
ヘウムノ
ワルシャワ
ブジェシチ（ブレスト）
ソビブル
ヴァルテラント帝国大管区
国家弁務官区ウクライネ
マイダネク
総督府領
オーバーシュレージェン県に併合
ウツク
ベウジェツ
アウシュヴィッツ
クラクフ
ルヴフ
N W E S
ベーメン＝メーレン保護領（ドイツ）
ドロホービィチ
スロヴァキアに併合
コウォムイヤ
ドイツ領に併合（1939年10月～）
ハンガリー
ルーマニア

ナチスの医師が判断して、強制労働のグループと、ガス室で殺されるグループに振り分けられた。後者は、「身体を消毒する」との嘘の説明を聞かされた後、衣服を脱いで「シャワー室」に入るよう指示され、扉を閉められた後、シャワーノズルから噴出した「チクロンB」の青酸ガスで短時間のうちに殺害された。

命を取り留めた前者のユダヤ人も、縦縞の囚人服を着せられ、上腕の内側に固有の囚人番号を刺青で彫られた上で、電流の流れる二重の鉄条網で囲まれた粗末なバラックで暮らしながら、近隣に建設されたドイツの軍需工場で苛酷な強制労働に駆り出された。

アウシュヴィッツでのガス室によるユダヤ人大量虐殺は、一九四四年十一月まで続けられ、一〇〇万人近いユダヤ人が同地で無惨に命を奪われた。その犠牲者で一番多かったのはハンガリーから移送された人々（約四〇万人）で、次がポーランドとそれに隣接するドイツ南東部のオーバーシュレージェンからの移送者（約二五万人）だった。

前記したシンティ・ロマも、約二万人がアウシュヴィッツ絶滅収容所で虐殺された。

戦後の歴史家による実証的研究により、ナチス・ドイツが第二次世界大戦中に殺害したユダヤ人の数は、六〇〇万人に達したと考えられている。その大部分は、ナチス親衛隊が旧ポーランド領内に建設した、計六か所の絶滅収容所で殺害された犠牲者だった。

そして、戦争中にドイツの蛮行で生命を奪われたユダヤ系ポーランド人の数は、二七〇万人（戦前のユダヤ系ポーランド人の八割）にのぼるといわれている。

第八章
三つの道に分かれて抵抗したポーランド人

《国土消滅後のポーランド軍人が選んだ道》

◆亡命ポーランド政府と共に英仏側で戦いを続けた「第一の道」

第六章の最後で触れたように、一九三九年九月にポーランドがドイツ軍とソ連軍によって蹂躙されたあと、十月一日にフランスのパリで、亡命ポーランド政権が樹立された。

これにより、ルーマニアやハンガリーを経由して脱出したポーランド軍人には、亡命政権に従ってドイツとの戦争を継続する道が開けた。

ポーランド軍の残存兵は、三万人がルーマニアへ、六万人がハンガリーへ、一万五〇〇〇人が北のリトアニアとラトヴィアへと国境を越えて脱出し、彼らの多くはそこからさらにフランスや仏領シリアへと逃れて、英仏両軍の支援で部隊として再編された。

亡命ポーランド政府と直接繋がる形でフランスに移動し、そこで再びドイツと戦う態勢を整えるという、形式的に最も正統な「第一の道」を（幸運にも）選ぶことができたポーランド軍人の数は、約三万五〇〇〇人だったが、フランス在住のポーランド移民からも四万五〇〇〇人の成人男性がこの部隊に志願した。

これにより、在フランスの亡命ポーランド軍の総兵力は八万人規模となったが、武器や弾薬、軍服などの装備品については、フランス政府からの提供を待たなくてはならず、また現地の志願兵への軍事訓練も必要だったため、部隊の編成には多少の時間を要した。

亡命ポーランド政府の樹立から三か月後の一九四〇年一月、最初の亡命ポーランド軍部隊として、ポーランド第1独立高地（ポドハレ）旅団の編成が開始された。対ドイツ戦でポーランド第16歩兵師団長だったジグムント・ボフシュ＝シシュコ少将が旅団長に任じられ、編成時の兵員数は約五〇〇〇人だった。

これに続いてポーランド第1擲弾兵師団と同第2狙撃兵師団にも、装備品の割り当てが行われた。また、前年九月の対ドイツ戦で善戦したのち壊滅した、ポーランド第10機械化騎兵旅団の再編も、フランスが供給した同国製R35戦車を装備する二個戦車大隊を中心に開始され、旅団長は引き続きマチェック大佐が務めることとなった。

◆ソ連側に投降し、独ソ開戦後にドイツ軍と戦った「第二の道」

だが、全てのポーランド軍人が、この「第一の道」を進めたわけではなかった。

一九三九年九月に東部地域でソ連軍に降伏した、約二十三万人のポーランド軍人は、当初は「ドイツの味方」であるソ連の収容所に送られ、行動の自由を奪われていた。

だが、一九四〇年夏になると、スターリンはポーランド軍捕虜を再編成して自国に協力的な「新生ポーランド軍」を編成する計画に許可を与え、ソ連に従順な態度を見せる一三人の将校を選抜してモスクワに移送した。その中には、後に親ソ派ポーランド軍の主要幹部となるジグムント・ベルリンク（当時中佐）の姿もあった。

亡命ポーランド政府は、一九三九年九月にドイツと共にポーランドを攻め滅ぼしたソ連政府を「敵」と見なして国交を断絶していた。だが、一九四一年六月にドイツ軍がソ連への侵攻を開始し、イギリスのチャーチル首相が独ソ開戦直後からソ連との共闘という方針を打ち出すと、亡命ポーランド政府も態度の変更を余儀なくされ、一九四一年七月三十日にロンドンのソ連代表部との間で国交回復協定に調印した。

スターリンにとっても、ドイツは今や「敵国」であり、イギリスや亡命ポーランド政府は「敵の敵＝味方」だった。亡命ポーランド政府の首班シコルスキから、ソ連の収容所にいるポーランド軍人を解放して、ソ連軍と共にドイツと戦うポーランド軍の部隊を編成させて欲しいとの要請を受けたソ連政府は、同年八月十四日に、ソ連国内で亡命ポーランド軍を創設することを認める軍事協定に調印したとの発表を行った。

これにより、ソ連の管理下に置かれていた元ポーランド軍人にも、ドイツ軍との戦いを続ける「第二の道」が開けたのである。

当時のソ連軍は、独ソ戦序盤の大打撃で甚大な人的損害を被っていたため、たとえポーランドの軍人であっても、戦力となる人材として活用したいと考えていた。

そして、九月四日にアメリカ政府が「武器貸与法（通称レンドリース法、実質的に独伊の枢軸国と戦う国への武器援助を認める法律）」をイギリスとソ連に加えて亡命ポーランド政府にも適用するとの決定を行ったことから、シコルスキはソ連領内でも、亡命政府の指揮下に属する亡命ポーランド軍部隊が間もなく創設されるものと期待した。

◆ポーランドに潜伏し、地下で抵抗活動を続けた「第三の道」

国外への脱出に失敗し、ドイツ軍やソ連軍にも投降しないまま自国の崩壊を迎えたポーランド軍人の中には、いったん軍服を脱いで一般市民の中に身を置きつつも、ドイツへの抵抗という意志を捨てず、同志と連帯して戦いを続けた者たちもいた。

一九三九年十月に、ワルシャワを訪問中のヒトラーの爆殺を試みた「ポーランド勝利奉仕団（SZP）」（第六章を参照）も、そのような反ドイツ抵抗組織（レジスタンス）の一つだった。対ドイツ戦末期の同年九月二十七日に創設された同組織は、ドイツへの抵抗を地下活動として続けていたが、それから二か月後の十一月十三日、ロンドンの亡命ポーランド政府の首班シコルスキは同組織を「武装闘争連合（ZWZ）」へと改組させ、ポーランド国内各地に存在する他の抵抗組織を統合する中核と位置づけた。

その後、さまざまな政治思想を持つポーランドの抵抗組織が、武装闘争連合の傘下に入り、組織の規模は増大していった。一九四〇年六月十八日からは、対ドイツ戦でワルシャワ機甲自動車化旅団を率いて戦った経歴を持つステファン・ロヴェツキ少将（秘匿名《グロット＝矢尻》）が最高指揮官となり、同組織は一九四二年二月十四日に「ポーランド国内軍（AK：アルミア・クラヨーヴァ）」へと再び改組された。

国内軍は、連合軍（主にイギリス）の対ドイツ戦に協力する形で、国内での破壊工作や情報収集を主な任務としていた。国内軍がポーランド各地で収集した政治と経済、駐留ドイツ軍に関する各種の情報はロンドンに送られ、イギリス政府に提供された。

改組の時点で、国内軍の指揮下にあった活動員の数は約一〇万人と見られているが、一年後には二〇万人近くにまで増加した。地下活動という性格上、武器と弾薬の入手は困難を極めたが、敗戦時に秘匿されたポーランド軍の各種兵器や、各地の秘密工場で密造された銃火器と手榴弾、不心得なドイツ軍人から闇で購入した武器などが少しずつ集められ、イギリス軍からも小規模ながら対戦車兵器などがパラシュートで投下された。

一九四三年六月三十日、ロヴェツキが国内軍の密告者による裏切りでドイツのゲシュタポ（秘密国家警察）によって逮捕されると、タデウシュ・コモロフスキ少将（秘匿名《ブル＝森》）が後継の国内軍司令官となった。

だが、国内軍の部隊規模が拡大するにつれ、組織内部では政治思想の幅も広がり、ソ連に対する認識（自国を東から蹂躙した敵と見なすか、共にドイツと戦う味方と見なすか）やユダヤ人への認識（右派＝民族主義者のポーランド人の中にも反ユダヤ思想を持つ人間が存在した）で意見が分かれる局面も発生していた。

《北極圏でも北アフリカでも戦った亡命ポーランド軍》

◆ノルウェーとフランスでドイツ兵と戦った亡命ポーランド軍

一九四〇年四月九日、ドイツ軍のノルウェー侵攻作戦が開始されると、ポーランド第1独立高地旅団は、フランス軍の「スカンジナビア遠征軍団」の一部としてノルウェー北部戦域へ船で送られ、五月九日から十六日にかけて、ナルヴィク港の西方に上陸した。

同旅団のポーランド軍人たちは、英仏両軍部隊と共に、五月十四日からドイツ軍の山岳兵部隊と交戦し、北極圏の重要な戦略港であるナルヴィク（ドイツは中立国スウェーデンで産出される鉄鉱石をナルヴィク港経由で輸入していた）をめぐる攻防戦を繰り広げた。だが、彼らは間もなく、フランスへの帰還命令を受領した。

ドイツ軍は、ノルウェーでの戦いがまだ継続中の五月十日に、ベネルクス三国とフランスを目標とする西方攻勢「黄の場合」を発動しており、亡命ポーランド軍を傘下に含む英仏連合軍は、フランス本国の防衛に全力を注ぐ必要が生じたからである。

西方攻勢が開始された時点で、亡命ポーランド軍（以下、西側連合軍と合流して戦った亡命ポーランド軍を「自由ポーランド軍」と表記）の第1擲弾兵師団はマジノ線（独仏国境の要塞線）のザール地方、第2狙撃兵師団はスイス国境に近い東部のベルフォールに配備されていたが、第3と第4の二個師団と第10機械化騎兵旅団は、いまだ編成途上で戦える状態にはなかった。

五月二十六日、「スカンジナビア遠征軍団」はノルウェーからの撤兵を開始し、ポーラ

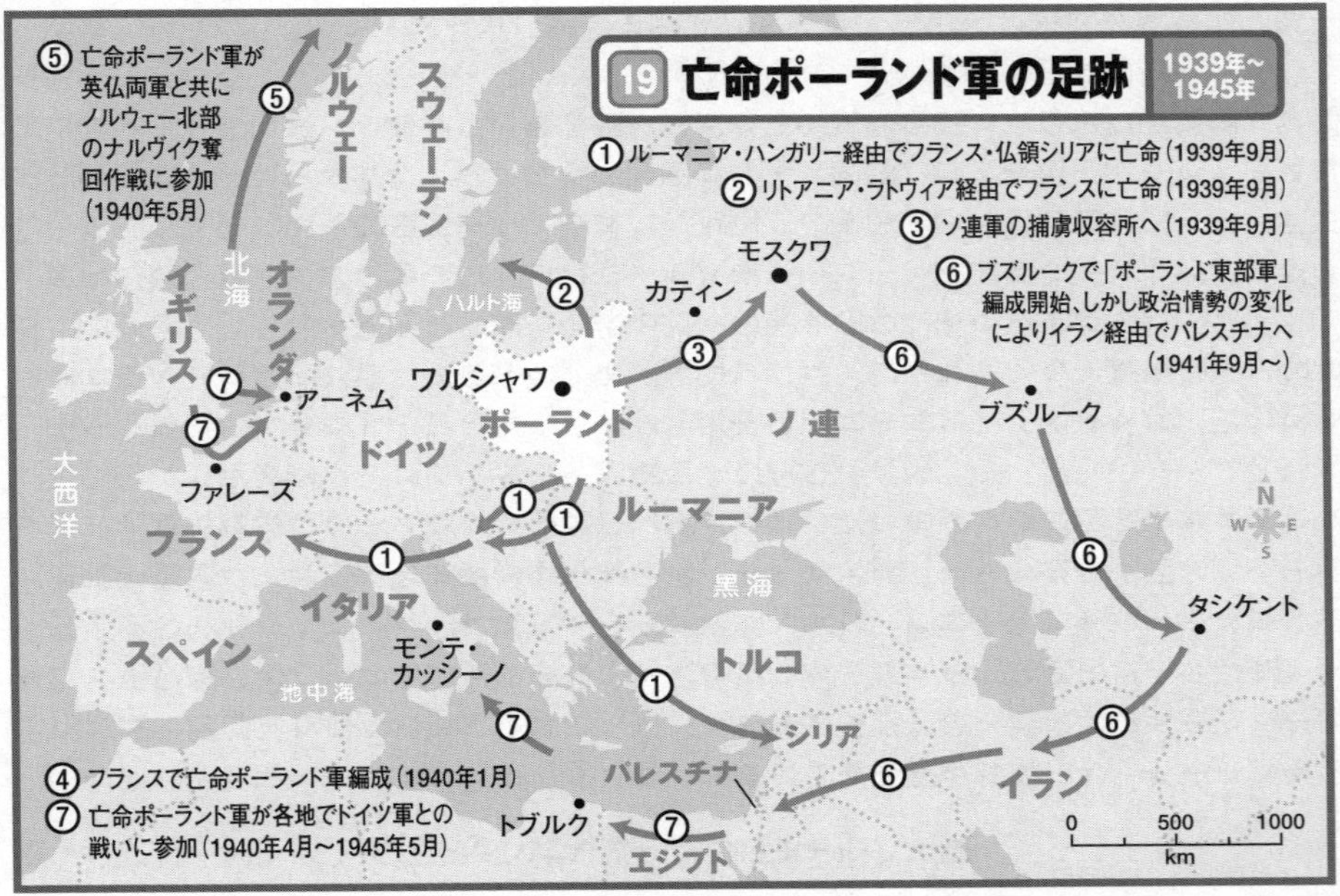
19 亡命ポーランド軍の足跡
1939年～1945年
① ルーマニア・ハンガリー経由でフランス・仏領シリアに亡命（1939年9月）
② リトアニア・ラトヴィア経由でフランスに亡命（1939年9月）
③ ソ連軍の捕虜収容所へ（1939年9月）
④ フランスで亡命ポーランド軍編成（1940年1月）
⑤ 亡命ポーランド軍が英仏両軍と共にノルウェー北部のナルヴィク奪回作戦に参加（1940年5月）
⑥ ブズルークで「ポーランド東部軍」編成開始、しかし政治情勢の変化によりイラン経由でパレスチナへ（1941年9月～）
⑦ 亡命ポーランド軍が各地でドイツ軍との戦いに参加（1940年4月～1945年5月）
ノルウェー
スウェーデン
北海
バルト海
イギリス
オランダ
アーネム
ワルシャワ
ポーランド
カティン
モスクワ
ソ連
ブズルーク
ドイツ
大西洋
ファレーズ
フランス
ルーマニア
黒海
タシケント
イタリア
モンテ・カッシーノ
スペイン
地中海
トルコ
シリア
パレスチナ
イラン
トブルク
エジプト
0 500 1000 km

ンド第1独立高地旅団の兵士を乗せた船は、六月十三日にフランス北西部のブレスト港に到着した。だが、戦況は既にフランス軍の劣勢へと大きく傾いており、英仏軍の主力は北部のダンケルク周辺でドイツ軍に包囲され、多くの将兵がイギリスへと脱出していた。

フランスの敗色が濃厚となった時、シコルスキ首相は自由ポーランド軍部隊に対し、イギリスへの撤退を命令した。だが、ポーランド第1擲弾兵師団ブロニスワフ・ドゥフ准将（一九三九年九月の対ドイツ戦では第39予備歩兵師団の師団長代理）は、これを拒絶してフランス軍と共に戦い続ける決断を下した。同師団は六月下旬の防御戦闘で兵員の約半数を失った後、六月二十一日に解隊され、ドゥフは残存兵とイギリス本土に渡った。

一方、一九三九年九月には第11歩兵師団長だったブロニスワフ・プルガル＝ケトリング准将が率いるポーランド第2狙撃兵師団は、ドイツ軍と小規模な交戦を行った後、六月十九日から二十日に国境を越えてスイス領内に脱出した。だが、ドイツとの関係悪化を危惧したスイス政府は、同師団のポーランド人将兵を国内の収容施設で拘束した。

◆亡命ポーランド政府のロンドンへの移転

ドイツ軍が西方攻勢を開始した時点では、まだ編成途上だったポーランド第3師団は、六月中旬にブルターニュ半島でドイツ軍と遭遇して、ほぼ壊滅した。

マチェックの第10機械化騎兵旅団も、不完全な編成ながらドイツ軍と果敢に戦ったが、六月十九日までに兵員の七五パーセントと全ての装備戦車を喪失した。危機的状況を辛くも生き延びたマチェックは、少数の部下と共にイギリス本土へと脱出した。

ポーランド第4師団に配属された将兵は、結局ドイツ軍と一度も交戦することなくフランス西部のビスケー湾に到達して、そこから船でイギリス本土へ逃れた。

パリの南西約二六〇キロにあるアンジェに移転していた亡命ポーランド政府は、さらにボルドーを経由してイギリスのロンドンに移転し、首班のシコルスキ首相も六月十八日にロンドンへ到着した。翌六月十九日、シコルスキはイギリスのチャーチル首相と面会し、亡命ポーランド軍がイギリス軍の指揮下で対ドイツ戦を継続することを確認した。

その三日後の六月二十二日、フランス政府はパリ北東約七〇キロのコンピエーニュの森で、ドイツへの事実上の降伏を意味する休戦条約に調印した。同地は、一九一八年十一月十一日に、第一次世界大戦でドイツがフランスと連合国に降伏する休戦条約が結ばれた因縁の場所で、ヒトラーは当時調印場所として使われた列車をわざわざ用意させた。

イギリスへの脱出に成功した自由ポーランド軍人の数は、約一万九〇〇〇人（ポーランドからフランスに脱出した将兵の約半分）だった。フランスで再建された四個師団半のうち、三個師団半を失った自由ポーランド軍は、再び「流浪の身」となったのである。

ポーランドが独ソに併合された後、フランスに逃れたポーランド軍人は、陸軍部隊だけではなかった。ポーランドからフランス、そしてイギリス本土に脱出した自由ポーランド軍人の約四分の一は、かつてポーランド空軍に所属していた操縦士だった。

一九四〇年五月から六月のフランス戦では、まず自由ポーランド軍パイロットから成る戦闘機六個小隊がフランス空軍の戦闘機部隊に配属され、フランス製のMS406戦闘機でドイツ空軍を迎撃した。その後、同じくフランス製のCR714戦闘機などで新たな戦闘機部隊が編成され、一三〇人以上のポーランド人パイロットがフランス上空の戦いに参加し、フランスの降伏までに六〇機前後のドイツ軍機を撃墜することに成功した。

◆イギリス上空と北アフリカでのイギリス軍との共闘

一九四〇年八月、ドイツ空軍はイギリス本土に対する本格的な航空侵攻作戦を開始し、後に「バトル・オブ・ブリテン」と呼ばれる一大航空決戦がスタートした。

イギリス本土に逃れた自由ポーランド軍のパイロットは、イギリス製のハリケーン戦闘機やスピットファイア戦闘機に乗り込み、三たびドイツ空軍の来襲を迎え撃った。

第二次世界大戦の終戦までにイギリスで編成された自由ポーランド軍の飛行隊は、戦闘機一〇個と爆撃機四個の計一四個だったが、これ以外にも英語を話せる多数のポーランド人パイロットがイギリス空軍（RAF）や（一九四一年十二月のアメリカ参戦後に）米陸軍航空隊に所属して、各地の飛行隊で枢軸国空軍との戦いに身を投じていた。

北アフリカ戦域では、一九四三年初頭のチュニジアで、一五人のポーランド人パイロットが「ポーランド戦闘機隊」として活躍し、同年末にはヴィトルッド・ウルバノヴィッチュ少佐が米陸軍航空隊の一員として中国大陸での地上支援任務に従事、P40戦闘機で一二回の出撃を行い、二機の日本軍機を撃墜するスコアを記録した。

また、イギリス本土のグラスゴー近郊では一九四〇年秋に、イギリス政府の承認を得て自由ポーランド軍の兵営が開設され、カジミエシュ・グラビシュ少将の下、二個歩兵旅団を指揮下に置く自由ポーランド第1軍団司令部が創設された。

一九四一年四月にドイツ軍の名将ロンメル（一九三九年十月時点でのヒトラー護衛部隊長：第六章を参照）が北アフリカに登場し、リビアとエジプトの砂漠が独伊軍対イギリス軍の副次的な戦場になると、亡命ポーランド政府はスタニスワフ・コパンスキ准将を長とするカルパト（カルパチア）歩兵旅団を北アフリカに派遣し、一九四一年九月に要塞港トブルクのイギリス軍守備隊に合流させた。

歩兵三個大隊と騎兵一個大隊から成るカルパト旅団は、バルカン半島とトルコ経由で中東の仏領シリアに脱出していた元ポーランド軍人を寄せ集めて、一九三九年末にフランスの支援下で編成された自由ポーランド軍部隊だった。

最初は現地のフランス軍に編入されたが、フランスの降伏後は自由ポーランド軍の指揮下に復帰し、一九四二年初頭に前線から引き抜かれてイギリス統治下のパレスチナへと再配置されるまでの間、イギリス軍と共に北アフリカ戦域で独伊軍と戦い続けた。

《スターリンの変心と在ソ連ポーランド軍の迷走》

◆「ポーランド東部軍」の編成とスターリンの疑心暗鬼

一九四一年八月十四日に、ソ連国内での亡命ポーランド軍創設を認める軍事協定に調印した時、組織を統轄指揮する人物としてシコルスキが選んだのは、一九三九年の対ドイツ戦でノヴォグロヅカ騎兵旅団長を務めた、ヴワディスワフ・アンデルス准将だった。

しかし、同年九月からソ連のウラル地方ブズルーク一帯で「ポーランド東部軍」の編成が開始されて間もなく、アンデルスは大きな問題に直面した。

ソ連軍に投降したポーランド軍の下士官兵は、すぐに一定の人員が集められたものの、当時一万人前後いたはずの将校の所在がまったくわからず、中隊や大隊などの各階層における指揮系統の形成に支障を来していたのである。

一九四一年十二月一日、シコルスキはロンドンからエジプト経由でモスクワに入り、十二月三日にはクレムリンでスターリンと面会した。「ポーランド東部軍」の兵員数は、この時点で五万人に達していたが、食糧の配給と装備品割り当てはいまだ不十分だった。

シコルスキから待遇の改善を求められたスターリンは、これを承諾したが、ポーランド側が強く求めた「一九三九年八月以前の東部国境の保全」という領土問題については、言葉を濁してはぐらかした。

スターリンにとって、一九三九年九月の軍事侵攻で獲得したポーランド東部地域は、一九二〇年のソ連＝ポーランド戦争（第二章を参照）で赤軍が敗北して失った土地であり、同地の返還は「ポーランドへの再度の敗北」を意味したからである。

一九四二年二月、「ポーランド東部軍」は酷寒のウラル地方から、比較的気候の穏やかな中央アジアに移送されたが、対ドイツ戦で苦戦するソ連軍は、いまだ兵器と軍需物資の不足に悩んでおり、ポーランド軍に分け与える余裕を持たなかった。

そのため、スターリンはアンデルスに対し「ポーランド東部軍の一部を英米の影響下にあるイランに移送し、そこでアメリカの援助物資を受け取ってはどうか」と提案した。シコルスキとアンデルスは、この提案を受け入れ、同年六月に第一陣として三万五〇〇〇人がソ連南部からイラン領内へと移動した。当時のイランは、独ソ開戦から二か月後の一九四一年八月に南北から進駐した英ソ両軍によって連合国側の支配圏に入っており、イギリスとアメリカからソ連への援助物資の搬入ルートとして使用されていた。

だが、ソ連政府と亡命ポーランド政府の関係は、一九四二年初め頃から急速に悪化しつつあった。事実上のスターリン独裁体制下で硬直した社会システムを維持するソ連政府にとって、意見表明や現状の批判、問題提起などを率直に行うポーランド人の流儀は、体制の根幹を揺るがす「脅威」と考えられたからである。

◆亡命ポーランド政府とソ連政府を訣別させた「カティンの森事件」

こうした状況下で、ポーランド側が「行方不明の旧ポーランド軍将校」についての独自調査を開始する意向を表明すると、ソ連政府はただちにソ連駐在のポーランド軍高官を逮捕・拘束するのと共に、亡命ポーランド政府の在ソ公館を閉鎖した。

これにより「ポーランド東部軍」はソ連国内での居場所を失い、アンデルスと七万人近いポーランド軍人が、ソ連政府から追い立てられるようにして、同年八月までにイランへ出国した。そして、シコルスキとアンデルスはこの八か月後、衝撃的な形で「行方不明の旧ポーランド軍将校」の末路を知ることとなった。

一九四三年四月十三日、ドイツの新聞やラジオは、モスクワ西方約三七〇キロのスモレンスク市中心部から約二〇キロの場所にあるカティン（カトィニ）村に近い森で、大量のポーランド軍将校の死体を発見したと報じたのである。

四四四三体にのぼるそれらの死体の多くは、針金などで手を縛られた上で後方から射殺されており、ドイツ側はこれを「ソ連の蛮行」として大々的に宣伝した。

これに対し、ソ連政府は「発見されたポーランド軍将校の死体は、ドイツ軍がスモレンスクを占領した際に同地で抑留した後、殺害したもの」と反論したが、亡命ポーランド政府から要請を受けた国際赤十字の調査団が調査のためにソ連入りすることは拒絶した。

戦後の調査と研究により、カティンで死体となって発見された多数のポーランド軍将校は、ソ連のＮＫＶＤによって組織的に殺害された事実が確認されている。

カティンでのポーランド軍将校殺害は、一九四〇年三月五日にソ連政府が秘密裏に下した決定に基づき、四月と五月にＮＫＶＤが実行した二万五〇〇〇人以上にのぼるポーランド人大量殺害の一部に過ぎなかった。この虐殺で犠牲になったポーランド人の大部分は、捕虜となったポーランド軍の将校だったが、ポーランド東部地域から連行した大学教授や学校教師、幹部公務員、神父などの知識人も含まれていた。

殺されたポーランド軍将校は、ソ連国内でNKVDの管理下にあったオスタシュコフとコゼリスク、スタロベリスクの三か所の収容所で拘束されていたが、カティンで殺されたのは、スモレンスク州のコゼリスク戦争捕虜収容所にいたポーランド人だった。

この事件により、ロンドンの亡命ポーランド政府とモスクワのソ連政府の関係は決定的に悪化した。一九四三年四月二十四日、ソ連政府は亡命ポーランド政府に対し「カティンでポーランド軍将校を殺したのはドイツだ」との声明を発表するよう要求し、亡命ポーランド政府がこれを拒絶すると、ソ連政府は四月二十六日に国交断絶を通告した。

こうして、亡命ポーランド政府とソ連は、ドイツという共通の敵と戦っているにもかかわらず、共闘関係を解消した。そして、スターリンはソ連国内に残ったポーランド軍人を集め、改めて「親ソ派のポーランド軍部隊」の創設に着手したのである。

◆東側と西側の二系統に分裂した亡命ポーランド軍

衝撃的な「カティンの森事件」の発覚から一か月後の一九四三年五月八日、ソ連政府は自国内で新たな(イランへ脱出した部隊とは別の)ポーランド人部隊「ポーランド人民軍(LWP)」を創設すると発表し、翌六月には前出のベルリンク(当時大佐)を師団長とする最初の歩兵師団「タデウシュ・コシチュシコ」が編成された。

先に述べた通り、ソ連に降伏したあと「ポーランド東部軍」に編成されたポーランド軍人は、前年夏に大挙してイランへと国外脱出していたため、師団を構成する一万四三六〇人の約一七パーセント（将校に限れば約六六パーセント）は、元からソ連赤軍に所属する「ポーランド系ソ連人」で埋め合わせられた。

一九四三年十月十二日、ポーランド第1歩兵師団「タデウシュ・コシチュシコ」は、スモレンスク東方のソ連第33軍の戦区でドイツ軍との初陣に投入された。その後、親ソ派ポーランド軍の規模は段階的に拡大され、一九四四年一月までに第2歩兵師団「ヘンルィク・ドンブロフスキ」と第3歩兵師団「ロムアルト・トラウグト」、砲兵旅団「ユゼフ・ベム」が編成された（名称はいずれもポーランドの民族的英雄の名）。

一方、ソ連政府と「喧嘩別れ」したロンドンの亡命ポーランド政府では、政府首班兼軍最高司令官のシコルスキが、一九四三年七月四日に飛行機事故で死亡する事件が発生していた。この出来事は、重大な政治的損失ではあったが、断交前に一〇万人以上のポーランド軍人をソ連からイランへと脱出させていたのが、せめてもの救いだった。

副首相からシコルスキの後継者となったスタニスワフ・ミコワイチク首相と、自由ポーランド軍のカジミエシュ・ソスンコフスキ総司令官は、脱出した兵員を自由ポーランド軍に編入し、地中海戦域や西部戦線における米英両軍の同盟軍として前線に投入した。

まず、一九四三年十二月にポーランド第3歩兵師団（コパンスキのカルパト歩兵旅団から拡張された部隊で、親ソ派ポーランド軍の第3歩兵師団とは別）がイタリア戦線に投入され、翌一九四四年二月には同第5歩兵師団と同第2機甲旅団も同地へ派遣された。これらの部隊は「ポーランド第2軍団」（軍団長はアンデルス）を構成し、イタリアに展開する英第8軍の指揮下でモンテ・カッシーノの戦いなどに参加した。

また、同年六月に米英連合軍のノルマンディー上陸作戦が実施されると、八月にポーランド第1機甲師団が英第2軍の増援として北フランスに投入され、八月十九日には米第90歩兵師団と南北から合流してファレーズ包囲環を完成するなどの戦果を挙げた。

元第10機械化騎兵旅団長のマチェック少将を師団長とし、一九四二年二月二十五日にイギリスで創設されたポーランド第1機甲師団は、第1と第2の二個機甲連隊と第3狙撃兵旅団、二個野砲兵連隊、一個対戦車砲連隊などから成り、アメリカ製のM4シャーマン中戦車を中心に三八一輛の戦車と四七三門の火砲、四〇五〇台の各種車輛を装備していた。

だが、西部戦線でポーランド第1機甲師団が華々しい活躍を見せていた頃、ポーランドの首都ワルシャワでは「第三の道」を歩んだ「ポーランド国内軍」による、凄惨な戦いが繰り広げられていた。

約二か月間にわたる「ワルシャワ蜂起」の死闘である。

《首都ワルシャワの壊滅を招いた「ワルシャワ蜂起」》

◆前哨戦：一九四三年のワルシャワ・ゲットー蜂起

国内に留まってドイツとの戦いを続けるという「第三の道」を選択したポーランド軍人は、イギリスの特殊作戦執行部（ＳＯＥ）から武器弾薬や軍事顧問の提供を受けながら、ポーランド全土で駐留ドイツ軍に対する抵抗運動を展開していた。

ただし、ドイツ当局が支配地域でのユダヤ人の動向に目を光らせていたため、芋づる式の摘発を避ける意図もあって、国内軍はユダヤ人を組織内に迎えることに消極的な姿勢をとっていた。また、ソ連寄りの姿勢をとるポーランドの共産主義者も、一九四四年のワルシャワ蜂起までは国内軍には加わらず、独自路線で反ドイツの抵抗活動を行っていた。

一九四二年三月、ドイツの親衛隊と警察が総督府領内の絶滅収容所でユダヤ人大量虐殺を開始し、七月二十二日にワルシャワ・ゲットーでも絶滅収容所へのユダヤ人の移送が始まると、同地のゲットーに収容されていたユダヤ人たちは、身の危険を感じてドイツ当局への反乱を計画し、国内軍に武器の援助を求めた。

塀に囲まれたゲットーの狭い領域に押し込められたユダヤ人は、少数の富裕層を除いて劣悪な環境での生活を強いられたため、飢餓や感染症の死者が増大し、人道を無視するドイツ当局への不満は限界に達していた。

だが、国内軍の幹部には反ユダヤ思想を持つ者もいたことから、国内軍はユダヤ人抵抗組織による武器援助の要請に冷淡な態度をとり、拳銃五〇丁と手榴弾五〇個など、わずかな武器しか提供しなかった。失望したユダヤ人抵抗組織は、ドイツ兵から奪ったり闇で購入した武器をかき集めたが、機関銃はおろか小銃（ライフル銃）も少数しか入手できず、約一〇〇〇人の戦闘員の多くは、拳銃とわずかな弾丸、手榴弾数個しか持たなかった。

一九四三年四月十八日、ユダヤ人の大規模移送が翌日に再開されるとの情報を得たユダヤ人抵抗組織は、立ち上がる時が来たと判断した。四月十九日の朝、ドイツ親衛隊と警察部隊がゲットーに入った時、ユダヤ人の戦闘員が火炎瓶を投げつけて銃撃を開始し、域外へと退却させることに成功する。だが、この勝利ははかないものだった。

ドイツ側は、ユルゲン・シュトロープSS少将の指揮下で鎮圧部隊を編成し、ゲットーへの水道やガスの供給を止めた上で、四月二十日から火炎放射器で建物に放火しながら部隊を前進させた。ユダヤ人に同情的な考えを持つ国内軍の一部の戦闘員は、自らの判断でゲットーへ入ってユダヤ人抵抗組織を支援するのと共に、内部の情報をロンドンに報告した。この援軍により、ドイツ側の鎮圧作戦は予想外の抵抗に遭遇したが、物量に優るドイツ側は抵抗拠点を一つずつ殲滅し、五月十六日には全ての戦闘が収束した。

◆一九四四年夏の「ワルシャワ蜂起」へと至る道

ワルシャワ・ゲットーで発生した蜂起が、大勢の市民を巻き添えにして鎮圧された後、ワルシャワ市内は再びドイツの完全支配下に入った。だが、独ソ戦の戦況は、一九四二年十一月のソ連軍によるスターリングラードでの大反攻作戦を転回点として、ドイツ軍の優勢からソ連軍の優勢へと切り替わっていた。

一九四三年春から一九四四年春までの一年間は、ソ連南西部のウクライナが独ソ戦の主戦場となったが、一九四四年六月二十三日（準備段階の威力偵察は六月二十二日）にその北側の白ロシアで開始されたソ連軍の大攻勢（秘匿名《バグラチオン》）の成功により、ドイツ中央軍集団は事実上崩壊した。

戦線が大きく西へと移行し、ソ連第1白ロシア方面軍の先頭部隊は、七月二十八日にワルシャワ市外郭から南東に二五キロしか離れていないコウビエルという街に入った。

この頃、ソ連政府はワルシャワのポーランド人に対し、ドイツへの蜂起（武装決起）を促すかのようなメッセージを、ラジオや宣伝ビラで発信していた。

例えば、七月二十九日夜にモスクワ放送がポーランド語で発信した番組は、親ソ派ポーランド軍のワルシャワ接近を伝えたあと、次のような扇動的な文言を述べた。

「屈することなく戦いを続けてきたワルシャワに、行動を起こす時が到来したのだ！」

「ポーランド人よ、解放の時が来た！　ポーランド人よ、武器を取れ！」

これらの放送に込められたソ連政府の思惑については、国内軍の内部でも意見が分かれたが、司令官のコモロフスキは「国内軍が蜂起すればソ連軍が後押しする、というソ連側のシグナルではないか」と好意的に解釈した。

国内軍は一九四三年以来、三種類の蜂起を研究していた。ソ連軍の動向とは無関係に独立した形で全国規模で行う蜂起、同様の条件で首都ワルシャワだけで行う蜂起、そして東からソ連軍が接近した際に「ソ連軍によるワルシャワ解放の動きに先んじて」行う蜂起の三つで、三番目のシナリオには《ブジャ（嵐）》という秘匿名が付与されていた。

ソ連軍が一九四四年七月二十二日に旧ポーランド領南東部の町ヘウムを占領したのち、スターリンは親ソ派のポーランド臨時政権「ポーランド解放国民委員会（PKWN）」を同地に樹立し、四日後には近隣の大都市ルブリンに本拠を移した。このままソ連軍が単独でワルシャワを解放したなら、ロンドンの亡命政府ではなく、親ソ派のポーランド解放国民委員会が戦後の新生ポーランド政府としての正統性を獲得する可能性が高かった。

五日後の七月三十一日、国内軍総司令官コモロフスキと副司令官二人、国内軍ワルシャワ地区司令官アントニ・フルシチェル（秘匿名《モンテル》）大佐、ポーランド亡命政府のワルシャワ代表者ヤン・スタニスワフ・ヤンコフスキ（秘匿名《ソブル》）らは、ワルシャワで「ブジャ作戦」を決行するか否かについて、市内で秘密会議を行った。

討議の結果、翌八月一日の午後五時をもって蜂起するとの決定が下され、少年や少女を含む伝令によってワルシャワ市内の各部隊へと「戦闘態勢」の命令が運ばれた。蜂起を行う国内軍は、五日あるいは一週間持ちこたえれば、ソ連軍が市内に入って情勢が変わり、ドイツ軍や警察はワルシャワから一掃されると想定した。

フルシチェルは、ワルシャワとその周辺の国内軍（約四万六七〇〇人）を、シルドミェシチェ、ジョリボシュ、ヴォラ、オホタ、モコトゥフ、プラガ、ワルシャワ近郊、オケンチェの計八個の地区に配備した。この中で特に重点的に兵力が配備されたのは、ヴィスワ川の東岸に位置するプラガ（約六〇〇〇人）と、西岸中央部のシルドミェシチェ（約五五〇〇人）、南部のモコトゥフ（約四五〇〇人）の三地区だった。

これらの戦闘員は、二〇〇〜六〇〇人規模の大隊単位で運用され、各大隊は三個ないし四個の中隊で構成された。大隊や中隊の指揮官は、元ポーランド軍の将校だったが、その下で戦う兵士は、元軍人から軍隊経験のない若い男女まで、能力にばらつきがあった。

ワルシャワ市内の国内軍は、ドイツ当局の目を盗んでいくつかの秘密工場で手榴弾などの武器を製造していたが、その生産量はきわめて貧弱で、使用可能な兵器の三分の二は、旧ポーランド軍の隠匿物資とイギリスから投下された武器弾薬で占められていた。だが、手榴弾を除けば、四万人を超える戦闘員全員に配布できる数の武器は揃っておらず、武器を持たない者は倒れた味方や倒した敵の銃を拾って使う必要があった。

◆ワルシャワで立ち上がったポーランド国内軍

一九四四年八月一日、国内軍はワルシャワ市内に点在するドイツ軍と警察組織の拠点に襲いかかり、約二か月にわたる凄惨な戦いの幕が切って落とされた。

この時点で、ワルシャワ市内に駐屯していたドイツ軍部隊は、陸軍と空軍、武装親衛隊（SS）、警察を合わせて計一万六〇〇〇人だったが、その大半は鉄道工兵や保安・警戒部隊などの非武装または軽武装の後方部隊だった。戦闘部隊と呼べるのは、東プロイセン擲弾兵連隊と第743装甲猟兵大隊（軽突撃砲ヘッツァーを二八輌装備）、第22SS警察連隊、空軍の第10対空砲旅団の計五〇〇〇人弱だった。

しかし、国内軍は蜂起の第一撃で、上層部が期待したほどの戦果を挙げることができなかった。連絡の不手際により襲撃開始時間にばらつきが出たことで、奇襲の効果を得ることに失敗し、ドイツ側に臨戦態勢をとる余裕を与えてしまったことが原因だった。また、戦力の集中という軍事原則を軽視して、多くの目標に戦闘員を振り分けたこと、血気にはやる国内軍の若い戦闘員がドイツ側の抵抗力を甘く見て、無謀な突撃を仕掛ける場合が少なくなかったことも、国内軍にとってのマイナス要因だった。

初日の戦いが終了した時点で、国内軍が奪取できたのは、中央郵便局と発電所、ドイツ軍の兵器庫と倉庫、そして東岸のプラガ駅などだった。スタウキ通りにあった倉庫には、SSの迷彩服とヘルメットなどが大量に保管されており、当初は私服で戦っていた国内軍の戦闘員は、布地や縫製が丈夫で機能的なSSの軍服に着替え、赤白の腕章とヘルメットのペイントで敵と味方の識別を行った。

ワルシャワ市内で最も高いプルデンシャル・ビル（一六階、高さ六六メートル）に突入した国内軍の戦闘員は、初日に内部の大半を制圧して、日没前には屋上に赤白のポーランド国旗を翻らせた。蜂起の期間中、火炎瓶などの兵器の製造工場としてフル稼働することになる国立造幣工場（PWPW）も、八月二日に国内軍によって奪取された。

一方、国内軍の襲撃に備えてコンクリートの掩体を敷地に構築していた、警察やSS、ゲシュタポの本部、行政官庁、王宮広場、および戦略的に重要なヴィスワ川に架かる三つ

20 ワルシャワ蜂起
1944年8月1日〜10月3日
↑ビエラニー飛行場
ヴィスワ川
ジョリボシュ
ダンツィヒ駅
ツィタデラ(旧要塞)
ポワツキ
セントラル橋
墓地
旧市街
コロ
国立造幣工場(PWPW)
プラガ
ユダヤ人ゲットー廃墟
シルドミェシチェ
王宮
カムレル家具工場
キエルベチ橋
ドイツ軍司令部
警察本部
ヴォラ
郵便貯金銀行(PKO)
中央郵便局
→プラガ駅
プルデンシャル・ビル
発電所
ワルシャワ中央駅
ガス工場
ポニャトフスキ橋
オホタ
浄水場
缶詰工場
ワルシャワ工科大学
ゲシュタポ本部
競技場
モコトゥフ
ワジェンキ公園
蜂起開始初期の国内軍支配地域(8月1日〜4日)
ドイツ軍の攻撃(8月5日〜10月3日)
チェルニアコフ
オケンチェ飛行場
0
1
2
km

の橋（キエルベチ橋、ポニャトフスキ橋、セントラル橋）と二つの飛行場（オケンチェ、ビエラニー）への攻撃は、完全な失敗に終わった。

八月二日、国内軍はコモロフスキの司令部が置かれていた、西部のヴォラ地区にあるカムレル家具工場からさほど遠くない路上で、ドイツ軍のパンターG型中戦車三輌を待ち伏せで攻撃し、一輌を破壊、二輌を鹵獲するという戦果を挙げた。

第19装甲師団第27装甲連隊に所属するこのパンターは、ワルシャワ市内を西から東へと通過してヴィスワ東岸へと向かう途中だったが、国内軍はほぼ無傷で鹵獲した二輌のパンターに白と赤で敵味方識別のペイントを施し、捕虜としたドイツ軍戦車兵を脅して操縦法を聞き出した上、ヴァツワフ・ミクタ少尉を隊長とする独立戦車小隊として運用した。

一方、ドイツの親衛隊長官ヒムラーは、八月一日の午後五時三〇分頃に、ワルシャワで反独武装勢力の蜂起が発生したとの報告を受けた。激怒したヒムラーは、まずベルリン北方のザクセンハウゼン強制収容所に収監していた国内軍の初代司令官ロヴェツキを、翌八月二日に処刑させた。そして、配下のSS部隊と警察に次のような命令を下した。

「ワルシャワの全ての住民を抹殺せよ。全ての建物を破壊し、燃やし尽くせ」

◆阿鼻叫喚の地獄と化したワルシャワ蜂起の鎮圧

ヒムラーは、この命令を実行する部隊として、ソ連領内で対パルチザン（ゲリラ）戦のSS部隊を率いたエーリッヒ・フォン・デム・バッハ＝ツェレウスキーSS大将を司令官とする「フォン・デム・バッハ軍団集団」を八月二日に創設した。

八月五日、西部のヴォラ地区とオホタ地区で「フォン・デム・バッハ軍団集団」による鎮圧作戦が開始されたが、同部隊を構成するSS「ロシア解放人民軍」旅団とSS「ディルレワンガー」旅団は、前記したヒムラーの命令を忠実に遂行する行動をとった。武装した国内軍の戦闘員を攻撃するのではなく、非武装の民間人を標的とし、街区を前進しながら、そこに住む子どもや女性、病人、老人まで無差別に殺戮したのである。

この日に「フォン・デム・バッハ軍団集団」による残忍な大量殺害で命を失った市民の数は、二万人とも五万人ともいわれている。また、SS二個旅団の戦闘区域では略奪や婦女暴行が大規模に発生し、生き延びた市民にも大きな苦痛を与えていた。

八月四日から五日にかけての夜、イタリアのイギリス軍支配地域にあるブリンディジの飛行場から出撃した、イギリス空軍の指揮下で任務に就く亡命ポーランド軍（第1586特殊任務飛行中隊）のB24爆撃機四機が、一三〇〇キロという長距離を飛行して初めてワルシャワ上空に飛来し、クラシンスキ広場とヴォラ地区への物資投下に成功した。

ブリンディジ飛行場を起点とするワルシャワへの空輸物資投下作戦は、八月二十八日までに計一九回実施され、銃弾二〇〇万発と手榴弾一万九〇〇〇個、ステン短機関銃一〇〇〇挺、対戦車兵器PIAT二五〇門などが市内の国内軍へと届けられた。

この時点では、コモロフスキとその幕僚、前線で戦う国内軍の戦闘員たちは、あと数日間ドイツ側の反撃に耐えればソ連軍が到着するとの希望を抱いていた。だが、ワルシャワ近郊に進出しているはずのソ連軍の戦車隊が、ヴィスワ川東岸のプラガを攻撃したという報せはなく、七月三十一日までは頻繁にワルシャワ上空を飛んでいたソ連軍の爆撃機も、八月一日以降はパッタリとその姿を見せなくなっていた。

八月八日、ドイツ側はワルシャワ市北部に位置する旧市街（スタレ・ミアスト）への最初の大規模攻撃を実施し、八月の第二週には警察とSSに加えて陸軍の戦闘部隊を本格的にワルシャワへと送り、八月十三日からは旧市街に対する攻撃の規模を拡大した。八月十六日、ドイツ軍は浄水場を占領し、市内への水道供給を遮断したが、これにより市民と戦闘員は飲料水の不足に直面し、また砲撃や爆撃で発生した火災の消火も難しくなった。

八月二十八日、国内軍の重要拠点の一つだった国立造幣工場がドイツ軍の手に落ち、八月三十一日には旧市街を守る国内軍が全滅の危機に瀕した。九月一日から二日にかけて、戦死者と負傷者を収容するための一時休戦を利用して、旧市街で戦っていた国内軍の戦闘員約五〇〇〇人が、地下水道を通って脱出した。

劣勢に立たされた国内軍の兵士は、市内の地下水道に隠れて抵抗を続けたが、やがて弾薬も尽き、もはやこれ以上の抵抗は無意味だと悟ったコモロフスキは、九月三十日に降伏交渉の使者をドイツ軍の司令部へと送った。十月一日に予備的な交渉が始まり、十月三日の午前二時、イラネク＝オスメツキが国内軍の全権代表として降伏文書に署名した。

六三日間にわたる戦いで、ポーランド側では国内軍の兵士約二万人と一八万人近い市民が死亡し、生き残った約九〇〇〇人の国内軍兵士がドイツ軍の捕虜となった。

《ソ連軍のポーランド「解放」と親ソ派ポーランド軍》

◆ソ連軍と親ソ派ポーランド軍によるワルシャワの「解放」

ワルシャワでの国内軍の蜂起がドイツ軍によって粉砕された後、ソ連側は蜂起の支援に消極的だった理由について「軍の補給状態が悪化したため」と弁明した。

だが、ソ連軍はポーランド東部の町に前進した際、彼らを味方だと思って蜂起したり潜伏地から出てきたりした国内軍の将校や兵士を即座に逮捕して、ソ連国内の収容所へと移送した上、抗議する将校たちの一部を秘密裡に銃殺していた。つまりソ連軍は、ロンドンの亡命政府に従うポーランド国内軍を「味方」とは認識していなかったのである。

また、スターリンは八月十三日、国営タス通信にソ連政府の声明を発表させたが、その内容は「ロンドンの亡命ポーランド政府は、事前に我々に何の相談もなく、ワルシャワで蜂起を起こさせたのだから、現在発生している全ての問題について、亡命ポーランド政府が単独で責任を負うべきだ」という、ワルシャワの国内軍を突き放すものだった。

国内軍によるワルシャワ蜂起が成功すれば、大戦終結後のポーランドでの政治的支配権を、イギリスと親密な関係を持つ勢力に握られる可能性が生じる。それゆえ、ソ連邦の勢力圏拡大を目指すスターリンは、蜂起を積極的に支援しようとはしなかったのである。

九月十日、前線のソ連軍砲兵はようやくワルシャワ東部への砲撃を開始し、翌九月十一日にはソ連第1白ロシア方面軍が、ヴィスワ川東方でドイツ軍への攻勢を再開した。

九月十五日、ポーランド人民軍の第1軍（ベルリンク少将）が、ヴィスワ川渡河作戦の準備を開始した。かつてベルリンクが師団長を務めたポーランド第1歩兵師団「タデウシュ・コシチュシコ」を中核とするポーランド第1軍は、この時点で三個歩兵師団（第1、第2、第3）と一個騎兵旅団（第1）、一個戦車旅団（第1）で構成されていたが、十月に第4狙撃兵師団、一九四五年一月には第6狙撃兵師団が追加された。

一九四五年一月十七日、ワルシャワはソ連軍の二個軍とポーランド第1軍によって「解放」された。スターリンの一九四四年九月三十日付の命令により、ベルリンクは同年十月にポーランド第1軍司令官を解任（理由については諸説あるが、ワルシャワの国内軍への支援をスターリンに強く求めて心証を害したともいわれる）されており、この時の軍司令官はスタニスワフ・ポプワフスキ中将だった。

だが、ワルシャワ市内はヒトラーの命令でドイツ軍によって完全に破壊し尽くされており、戦前には八〇万人いた市民の数も一六万人（二割）にまで激減していた。

翌一月十八日、親ソ派のポーランド解放国民委員会を母体とする「ポーランド共和国臨時政府（RTRP）」（公式の発足日は同年一月一日）がワルシャワで樹立された。一月十九日には、ポーランド第1軍の将兵が市内で凱旋行進を行ったが、この同じ日、既に活動実体の無くなっていたポーランド国内軍が、正式に解散を命じられた。

◆亡命ポーランド政府と自由ポーランド軍の黄昏

ワルシャワで国内軍が死闘を繰り広げていた一九四四年八月、イギリス本土で一九四二年に編成されていた自由ポーランド軍第1空挺旅団の旅団長スタニスワフ・ソサボフスキ少将（一九三九年九月には第21歩兵連隊長）は、苦戦している仲間を助けるため、自分たちをワルシャワにパラシュートで降下させて欲しいとイギリス軍上層部に懇願した。

だが、ソ連との関係悪化を危惧したイギリス首相チャーチルは、この要請を退けた。

チャーチルは、先に述べた「カティンの森」でのポーランド軍人虐殺事件についても、亡命ポーランド政府から伝えられたスターリンへの非難に対し「彼らが死んでいるとすればあなた方に生き返らせることはできない」と冷たく答えていた。彼は、その数日後に面会したソ連の駐英大使マイスキーに「我々はヒトラーを叩きつぶさねばならず、非難合戦をしている時ではない」と伝え、対ドイツ戦での英ソの連携を優先する姿勢をとった。

一か月後の九月十七日、米英連合軍による一大空挺作戦「マーケット＝ガーデン作戦」がオランダで実施され、自由ポーランド軍第1空挺旅団は、増援として九月十九日にアーネム（アルンヘム）南方に降下した。しかし、対峙するドイツ軍の兵力評価を見誤っていたことが原因で、この作戦は事実上の失敗に終わり、ソサボフスキの空挺旅団も半数近い兵士を失う大損害を被った。

一九四四年八月から十月まで続いた国内軍によるワルシャワ蜂起の失敗と、一九四五年一月の親ソ派政権「ポーランド共和国臨時政府」の樹立により、ロンドンの亡命ポーランド政府の存在感は急速に縮小していった。

シコルスキの後任首相ミコワイチクは、対ソ関係を改善する目的で、ワルシャワ蜂起が始まる直前の七月三十日からモスクワを訪問していたが、「カティンの森事件」での国交断絶などが原因で、ソ連側はミコワイチクに冷淡な態度をとり、同日に面会したソ連のモロトフ外相は「モスクワ訪問の目的は何でしょうか？」と突き放した。

蜂起開始から三日目の八月三日には、ようやくスターリンとの会談に漕ぎ着けたが、スターリンはワルシャワの国内軍を助けるという明確な言質を彼に与えなかった。

それどころか、スターリンは戦後のポーランドの国境について「東はカーゾン線（一九三九年九月以前のポーランド東部国境より西、第二章を参照）、西はオーデル川とする」という構想をイギリスとアメリカに伝えていた。これが実現すれば、戦後のポーランドは第二次世界大戦勃発時よりも、国土全体が大きく西へと移動させられることになる。

ミコワイチクは、チャーチルが一九四〇年八月五日の演説で「イギリスは力による領土変更はいかなる場合も認めない」と明言した事実を踏まえ、イギリス政府がスターリンの要求に反対してくれることを期待した。だが、イギリス外相アンソニー・イーデンは、対ドイツ戦でのソ連との共闘関係が崩れることを恐れ、「亡命ポーランド政府は領土に関するスターリンの提案を受け入れてはどうか」と切り返した。

チャーチルも、一九四四年一月二十日にミコワイチクとロンドンで会談した時、戦後のポーランドは「カーゾン線からオーデル川まで」の領域で再興され、カーゾン線より東に住むポーランド人は「戦後のポーランド」へ、旧ポーランド西部国境からオーデル川の間に住むドイツ人は「戦後のドイツ」へと、それぞれ移住することになると述べていた。

その上で、チャーチルは（ミコワイチクの回想録によれば）彼にこう伝えた。「英米は、ポーランド国境を守るために戦争に介入しているのではありません。このことをわかってもらわなければなりません」

ミコワイチクは、十月十二日に再度モスクワを訪れ、翌十三日に訪ソ中だったチャーチル英首相とイーデン英外相、オブザーバーのハリマン米駐ソ大使と共にスターリンと面会し、国境問題について話し合った。だが、チャーチルはここでも「東部国境はカーゾン線とする」というスターリンの側に立ち、ミコワイチクの抗議を押し止めた。

そしてソ連のモロトフ外相から「戦後のポーランド領土がカーゾン線からオーデル川の領域となることは、テヘラン（一九四三年十一月二十八日から十二月一日にイランの首都テヘランで行われた米英ソ首脳会議、ドイツ降伏後のヨーロッパにおける戦後処理も話し合われた）でもう決まったことだ」と聞かされ、チャーチルもそれを追認する態度を示したのを見て、ミコワイチクは愕然とした。

もはや、亡命ポーランド政府の首班として自分にできることはなくなったと考えたミコワイチクは、一九四四年十一月二十四日に首相を辞任した。後任には、トマシュ・アルチシェフスキが就任したが、彼もスターリンへの譲歩には批判的な政治家の一人だった。

◆親ソ派ポーランド軍部隊のドイツ領内への侵攻

ソ連第1白ロシア方面軍の指揮下でドイツ軍と戦うポーランド第1軍は、ワルシャワからドイツ軍を駆逐した後、さらに旧ポーランド領西部地域へと前進し、一九四五年一月二十八日にビドゴシュチを解放した。同軍所属の唯一のポーランド軍戦車部隊である第1戦車旅団は、北部のグダニスク（ダンツィヒ）とグディニアを解放するソ連軍の作戦に参加した。

だが、ポーランド領内に進軍してきた彼らは、自国民からは総じて冷淡な態度で迎えられた。スターリンの命令に従い、ワルシャワで蜂起した国内軍を見殺しにした事実が、市民の間にも広く知れ渡っていたからである。そのため、ポーランドを進撃する親ソ派ポーランド軍では兵士の脱走が続出し、ソ連側は軍規の引き締めや市民に対する「宣撫（政治宣伝）」などの対策を講じなくてはならなかった。

一方、モスクワではソ連政府が、ワルシャワで国内軍の蜂起が開始されて間もない一九四四年八月八日、すでに前線で戦う第1軍に続くポーランド人民軍の部隊として、ポーランド第2軍の編成を決定した。だが、必要な人数のポーランド人やポーランド系ソ連人をすぐに集められず、解放した旧ポーランド領内での徴兵が慌ただしく進められた。

一九四五年三月一日、ポーランド第1軍に所属する第1「ワルシャワ」騎兵旅団は、ドイツ国内のシェーンフェルトで、第二次世界大戦中のポーランド軍による最後の騎兵突撃を実行し、ドイツ軍の防御陣地を蹂躙した。

それから一か月半後の四月十六日、ソ連軍がドイツの首都ベルリンを目指す最後の大攻勢を開始すると、ポーランド第1軍はソ連第1白ロシア方面軍の指揮下でベルリン北部へと進撃し、その南のソ連第1ウクライナ方面軍の攻撃には、カロル・スヴェルチェフスキ大将を指揮官とするポーランド第2軍が加わっていた。

ポーランド系ソ連人でスペイン内戦にもソ連軍人として参加した経歴を持つ、スヴェルチェフスキに率いられたポーランド第2軍は、五個歩兵師団（第5、第7、第8、第9、第10）と一個戦車軍団（第1）で構成され、ベルリン南方約一六五キロに位置するドレスデンの周辺に進撃した。

当初の予定では、ドイツの首都ベルリンを攻略する作戦は基本的にソ連軍だけで行い、支援部隊であるポーランド第1自動車化迫撃砲（ロケット砲）旅団と同第2榴弾砲旅団、同第6自動車化架橋大隊などを除き、ポーランド軍の二個軍は北と南で側面の補助的な攻勢作戦に従事するものとされていた。

だが、ベルリン市街戦でソ連軍が予想外の損害を被ると、ソ連軍上層部はポーランド第1歩兵師団「タデウシュ・コシチュシコ」を、ソ連第2親衛戦車軍の戦区でベルリン市街戦に参加させた。三個歩兵連隊を基幹とする同師団は、第1と第2の二個歩兵連隊がソ連第1機械化軍団と行動を共にし、第3歩兵連隊はソ連第12戦車軍団を支援した。

五月一日に作戦を開始したポーランド第1歩兵師団は、市の西部から中心部に向かって前進し、動物園西方のドイツ軍拠点に猛攻を加えた。その後、第3歩兵連隊はティアガルテンの公園を横断してその中央に建つ記念碑「ジーゲスゾイレ」（十九世紀のデンマーク戦争などでの勝利を記念する戦勝記念塔）にポーランド国旗を掲げ、五月二日にはベルリンの象徴である国会議事堂（ライヒスターク）とブランデンブルク門に到達した。

六日後の五月八日、ベルリン東部のカールスホルスト地区で、ドイツ政府の代表者が連合国への無条件降伏文書に調印し、ヨーロッパにおける第二次世界大戦は終結した。

ドイツの首都ベルリンの征服という、第二次世界大戦のヨーロッパ戦域で最後の戦いにおいて、ポーランド第1歩兵師団のポーランド兵も重要な役割を演じたのである。

第三部
ポーランドの戦後から現代に至る道

第九章
東西冷戦期と現在のポーランド

21 戦後のポーランド領土
※地名のカッコ内は第二次世界大戦勃発前の呼称
バルト海
ロシュトック
シュチェチン（シュテッティン）
コウォブジェク（コルベルク）
グディニア
グダニスク（ダンツィヒ）
カリーニングラード（ケーニヒスベルク）
カウナス
シャウリアイ
ブラスラウ（ブラスワフ）
ヴィリニュス（ヴィルノ）
オルシャ
ドニエプル川
リダ
ミンスク
グロドノ
ボブルイスク
ビャウィストク
ムワヴァ
バラノヴィチ（バラノヴィツェ）
ヴィスワ川
モドリン
ワルシャワ
ポズナニ
ピンスク
モズィリ
ブレスト（ブジェシチ）
東ドイツ
ベルリン
西ベルリン
※西ドイツ
オーデル川
ナイセ川
ポーランド
ソ連
ラドム
ルブリン
ブーク川
コヴェリ（コヴェル）
コロステニ
ドレスデン
ヴロツワフ（ブレスラウ）
キエルツェ
ルーツク（ウツク）
サン川
ザモシチ
ジトーミル
プラハ
クラクフ
ヤロスワフ
リヴォフ（ルヴフ）
チェシン
プシェムィシル
ザコパネ
ブルノ
チェコスロヴァキア
コシツェ
ウジゴロド
コロミヤ（コウォムイヤ）
ルチェネツ
ハンガリー
第二次大戦前のポーランド領
第二次大戦後のポーランド国境
0 100 200 km
N W E S

《戦後のポーランドと東西冷戦の始まり》

◆失われた旧ポーランド東部の領土

独裁者アドルフ・ヒトラーの自殺（一九四五年四月三十日）とそれに続くドイツの連合国への無条件降伏によって、ヨーロッパ戦域での第二次世界大戦はドイツの敗北でその幕を閉じた。最初にドイツと戦ったポーランドも、戦勝国の一員に名を連ねた。

だが、ロンドンの亡命ポーランド政府にとって、この戦争の結末は、勝利とはほど遠いものだった。ソ連の指導者スターリンの策謀により、ポーランドの国土は第二次世界大戦を境に大きく西へ移動させられ、開戦時のポーランド領の約半分がソ連に併合された上、戦後ポーランドの正統な政府としての地位も回復できなくなったからである。

ドイツ降伏から二か月後の一九四五年七月十七日、ベルリン南西のポツダムにあるツィツィリエンホフ宮殿で、米英ソの三大国首脳会議（ポツダム会談）がスタートした。議題は、ヨーロッパの戦後処理から対日戦（アジアと太平洋における連合国と大日本帝国の戦争）での協調など多岐にわたり、八月二日までの約半月にわたって行われた。

大日本帝国に対する連合国（アメリカ、イギリス、中華民国）の降伏要求（ポツダム宣言）は、ポツダム会談途中の七月二十六日に発表されたものである。

この会談において、ポーランド問題は七月二十一日と二十二日に話し合われたが、国境線をめぐり、チャーチルとスターリンの間で紛糾が生じた。チャーチルは、スターリンがドイツ東部のオーデル川以東だけでなく、その上流の西を流れるナイセ川の東の領域にもポーランド人を入植させ、戦後のポーランド領にする既成事実を作っていると指摘した。

一九四三年のテヘラン会談と、一九四五年のヤルタ会談（二月四日から十一日までソ連領クリミア半島のヤルタで行われた米英ソ首脳会談）において、米英両国は戦後のポーランド国境線を、その時点でドイツ領内を流れるオーデル川にするというスターリンの意向を原則として了承していた。だが、それに対する亡命ポーランド政府の抗議をチャーチルが無視する態度を見て、スターリンは「（親ソ派）ポーランド側の要求」という名目で、オーデル川上流部分の線を、それより西を流れるナイセ川まで広げる行動に出た。

この「オーデル＝ナイセ線」については、ヤルタ会談の際にソ連のモロトフ外相が既に言及したことがあったが、チャーチルも米大統領ローズヴェルトもそれに明確な形での同意を与えていなかった。そのため、チャーチルはポツダム会談で改めて、そのような行動は了承できないとスターリンに抗議した。

だが、ポツダム会談の最中である七月二十五日に開票結果が明らかとなったイギリス総選挙で、チャーチルの保守党は大敗を喫し、彼は七月二十六日に首相の辞職を余儀なくされた。後任のイギリス首相となった労働党のクレメント・アトリーは、戦後のイギリス復興と内政重視の方針をとり、スターリンと外交面で対決するつもりはなかった。

結局、ポーランド国境問題については、スターリンの描いた構想がそのまま既成事実化され、戦後のポーランドはカーゾン線に一部修正を加えたものが東部国境となり、北部はドイツ領東プロイセンの南半分とダンツィヒおよびその北西部がポーランドに併合された。西部国境は、バルト海沿岸のシュテッティン（ポーランド語呼称シュチェチン）からオーデル川とナイセ川を南へとさかのぼり、チェコスロヴァキア国境に至る線が、新たなドイツ（後の東ドイツ）とポーランドの国境とされた。

◆親ソ派の新政府との戦いに敗れた亡命ポーランド政府

亡命ポーランド政府は、領土や国境をめぐる戦いだけでなく、戦後ポーランドの正統な政府という地位を確保する戦いでも、ソ連のスターリンに敗れた。

一九四五年六月二十八日、親ソ派の「ポーランド共和国臨時政府」を中心に、ミコワイチクら亡命ポーランド政府の要人を加えた「国民統一臨時政府（ＴＲＪＮ）」がワルシャワで樹立され、ポーランド共和国臨時政府とその前身のポーランド国民解放委員会で首相と議長を務めた親ソ派のエドヴァルト・オスプカ＝モラフスキ（ポーランド社会党党首）が臨時首相に就任した。

一九四四年にチャーチルとイギリス政府の「裏切り」に失望して亡命ポーランド政府の首相を辞任したミコワイチクは、帰国して臨時政府に加わることで、少しでもソ連の影響力を抑えたいと考え、第二副首相兼農業・農地改革相というポストを引き受けた。

当面は英米両国との関係を良好に保ちたいと考えたスターリンは、亡命ポーランド政府の要人を国民統一臨時政府に加えることを了承した。その人脈を排除するのでなく閣僚に加えた方が、英米両国など諸外国政府の外交的承認を得やすくなるからである。

臨時政府にはもう一人、再獲得領土大臣を兼任する第一副首相として、ヴワディスワフ・ゴムウカ（英語圏での発音はゴムルカ）が参加していた。ゴムウカは、戦前にはモスクワの国際レーニン学校で学んだ経歴を持つ共産主義者で、一九四三年十一月二十三日から共産党系政党「ポーランド労働者党（PPR）」の書記長を務める親ソ派だった。

臨時政府の計二一の閣僚ポストのうち、首相を含む過半数の一三閣僚を、ポーランド労働者党やポーランド社会党などの親ソ派が占めていた。

ロンドンの亡命ポーランド政府は、当然ながらこの臨時政府を認めなかったが、スターリンの思惑通り、ミコワイチクが率いる（民主派）農民党から三閣僚、民主党から二閣僚という一見バランスのとれた陣容を見て、英米両国などは好意的な反応を示した。

まず、一九四五年六月二十九日にフランス政府が臨時政府を「正統なポーランド政府」として承認し、同年七月五日にはイギリスとアメリカの両国政府もそれに続いた。そして、英米両国政府は、第二次世界大戦期を通じて共にドイツと戦ってきたロンドンの亡命ポーランド政府への外交的承認を、七月六日付で取り消す決定を下した。

これにより、対ドイツ戦終了後にワルシャワへ帰還して「本来の政治体制」を回復するという亡命ポーランド政府の悲願は、粉々に打ち砕かれたのである。

◆西側連合軍と共に戦った「自由ポーランド軍」の悲哀

ポーランドは、第二次世界大戦において、ヨーロッパで最悪とも言える被害を被っていた。ある統計によれば、ポーランドは戦前の人口三四八〇万人のうち、一九三九年の戦いで二〇万人の軍人が死傷し、さらに自由ポーランド軍で二万八〇〇〇人、親ソ派ポーランド軍でも四万人以上の損害が発生した。また、四八〇万人の一般市民がドイツとソ連の収容所で死亡した上、五〇万人の市民が戦災などで亡くなった。

とりわけ悲惨だったのは、ユダヤ系市民の運命で、似非科学的な手法でユダヤ人を「劣等人種」と決めつけて迫害行為を正当化したヒトラーとナチス親衛隊は、ポーランド国内のユダヤ人を大量虐殺した。最終的にドイツの蛮行で生命を奪われたユダヤ系ポーランド人の数は、二七〇万人（戦前の同系人口の九割）に達するといわれている。

だが、戦争終結後のポーランド人を見舞った悲劇は、これで終わらなかった。

亡命ポーランド政府の旗の下、憎きヒトラーとドイツを打倒して祖国に凱旋する日を夢見ながら、フランス軍やイギリス軍、アメリカ軍らと共にノルウェーやフランス、イギリス、北アフリカ、イタリアの戦場で戦ってきた自由ポーランド軍の将兵も、親ソ派の臨時政府がワルシャワで樹立されたことで、実質的に帰る場所を失ったのである。

一九四五年に帰国した自由ポーランド軍人の数はわずか約三〇〇〇人で、翌一九四六年には約五万五〇〇〇人がポーランドに帰還したが、残りの約一五万人は、イギリス政府からの給与が途絶えた後も、西側諸国で亡命生活を送る道を選んだ。彼らは、スターリンによるポーランド東部のソ連割譲と、それを容認する自国の臨時政府を許さなかった。

ワルシャワ蜂起に敗れてドイツに降伏したあと、終戦まで捕虜収容所で過ごした元国内軍司令官コモロフスキも、ドイツ敗戦後にポーランドへ帰国せず、ロンドンに渡って亡命ポーランド政府と合流した。彼は、一九四七年七月二日から一九四九年二月十日まで、既に国際的な承認を失って名目的な存在となっていた亡命政府の「首相」となり、イギリスなどの外国に留まったポーランド軍人を支援する社会活動にも尽力した。

一方、モスクワでは一九四五年八月十六日、ソ連とポーランドの両国政府代表が、東部国境を定めた協定に調印した。スターリンの意向通り、一部修正されたカーゾン線をソ連とポーランドの国境とすることが正式に決まり、十月十六日にはポーランドの国連（国際連合、より原語の意味に近い訳語は「連合国」）加盟が認められた。

《東西冷戦期のポーランド》

◆「鉄のカーテン」の東側に組み込まれたポーランド

一九四五年六月に国民統一臨時政府が樹立された時、新生ポーランドの国民は、多様な政党が共存する民主的な政治体制が、今後も続くものと理解していた。

だが、スターリンとポーランド国内の親ソ派にとって、このような状況は、あくまで国際社会からの批判をかわすための移行段階のひとつに過ぎなかった。

ポーランドの政界では、一九四五年末から親ソ派以外の議員に対する弾圧と懐柔が水面下で行われ、脅迫や買収で転向を強要したり、恣意的な法解釈で政党を非合法化して身柄を拘束するなどの手法が常態化した。それでも従わない議員は、実質的にソ連のNKVDの傘下組織として「治安維持」活動を行う公安局（UB）によって次々と殺害された。

公安局は、国内での言論と報道の統制も行い、野党議員の弾圧や殺害、親ソ派に批判的なミコワイチクのインタビューなどは、新聞やラジオで一切報じられなかった。第二次世界大戦中にドイツ軍と戦った、ポーランド国内軍や自由ポーランド軍の功績についても、ポーランドの国内メディアは徹底的に無視するよう圧力がかけられた。

ポーランド、ルーマニア、ハンガリー、ブルガリアなど、第二次世界大戦末期にソ連軍によって「解放」された東欧諸国を「モスクワの支配下」に置こうというスターリンの策謀を、戦争末期から見抜いていたイギリスの元首相チャーチルは、一九四六年三月五日に訪問先の米ミズーリ州フルトンで、次のような警告の演説を行っていた。

「バルト海のシュテッティンからアドリア海のトリエステに至るまで、ヨーロッパを縦断して『鉄のカーテン』が下ろされてしまった。そのカーテンの向こう側には、今のところチェコスロヴァキア以外に、真の民主主義は存在していない」

22 東欧諸国と東西冷戦
1948年～1989年
ポーランド（ソ連傘下）
ソ連とその傘下の「東側」諸国
0 200 400 km
デンマーク
スウェーデン
コペンハーゲン
バルト海
リガ
カウナス
カリーニングラード
4
グダニスク
ポーランド
1,6
ベルリン
東ドイツ
ワルシャワ 5
ブレスト
ヴロツワフ
ソ連
キエフ
3,8
プラハ
クラクフ
リヴォフ
チェコスロヴァキア
西ドイツ
ウィーン
2
ショプロン
ブダペスト
オーストリア
N W E S
ハンガリー
ルーマニア
イタリア
トリエステ
ヴェネツィア
ティミショアラ
ベオグラード
ブカレスト 9
ユーゴスラヴィア
黒海
ブルガリア
ソフィア 7
イスタンブール
ギリシャ
トルコ
東西冷戦期の主な出来事
1. ベルリン封鎖（1948年6月24日～1949年5月12日）
2. ハンガリー動乱（1956年10月23日～11月11日）
3. プラハの春（1968年8月20日～21日）
4. 自主管理労組「連帯」結成（1980年9月17日）
5. ポーランドで非共産政権樹立（1989年9月7日）
6. ベルリンの壁崩壊（1989年11月9日）
7. ブルガリアの共産政権崩壊（1989年11月10日）
8. チェコスロヴァキアの共産政権崩壊（1989年12月10日）
9. ルーマニアの共産政権崩壊（1989年12月22日）

臨時政府下のポーランドは、経済的にはソ連を手本とする国家の統制経済へと移行し、一九四六年に国内企業の国有化令と経済三カ年計画が発布された。これにより、五〇人以上の従業員を持つポーランド国内企業の約九割が、同年末までに政府の管理下に入った。そして一九四七年一月十九日、スターリンの思惑通り、ポーランドの政界から親ソ派以外の政治家や政党が排除された状態で、戦後初の議会選挙が行われた。

ミコワイチクの回想録によれば、この選挙に先立つ二週間だけで、民主派勢力のポーランド農民党党員一〇万人以上が逮捕され、一三〇人が投獄されて、残忍な拷問にかけられた。また、国内の多くの場所で、同党の党員証が没収され、ポーランド農民党に同調していると見なされた農民も、公安局によって殺害されたり資産を破壊されたりした。

議会占拠の結果は、親ソ派の統合勢力である「与党ブロック」が、全三七二議席中三二七議席（八八パーセント）を獲得する圧勝となった。選挙の公正さに異議を申し立てる者は、公安局によって弾圧され、ポーランド国民はこの結果への服従を強いられた。

◆一九四八年の「ベルリン封鎖」で決定的となった東西両陣営の対立

一九四七年二月十九日、ポーランド国会は「小憲法」を採択し、親ソ派の国家評議会が実質的な権力を握る「ポーランド共和国」が誕生した。国家評議会の議長には、親ソ派の共産主義者ボレスワフ・ビェルトが就任したが、彼はスターリンの信奉者であり、当時のポーランド共和国政府は実質的に、モスクワの意向に従うソ連の傀儡《かいらい》政権だった。

ポーランド国内には、第二次世界大戦中にソ連の後押しで創設されたポーランド軍二〇万人に加え、戦争が終結して二年が経過した一九四七年になっても、三〇万人のソ連軍が駐留していた。二〇万人の公安局と一二万人の武装民警も、事実上ソ連の意向に従う治安維持組織であり、ポーランドは完全にソ連型の統制管理国家へと作り替えられた。

もはや民主派の巻き返しは不可能になったと悟ったミコワイチクは、身の危険を感じて再度の国外脱出を決意し、同年十月二十一日、北部のグディニア港でイギリスの船に乗って、ロンドンへと亡命した。彼はその後、二度と故国の土を踏むことなく、一九六六年十二月十三日にアメリカのワシントンD．C．でこの世を去った。

一方、ポーランドの西に隣接し、戦勝四か国（イギリス、アメリカ、フランス、ソ連）の分割統治下にある敗戦国ドイツでは、その後の国際秩序を形成する新たな対立が顕在化していた。

いわゆる東西冷戦（コールド・ウォー）である。

ドイツが降伏した後の戦後処理については、第二次世界大戦が連合国側の優勢へと傾きつつあった一九四三年十月十九日から、米英ソ三国によって協議されていた。その後、一九四五年初頭にフランス全土が米英連合軍によって解放されると、フランスも戦後のドイツ処理に関する協議に加わり、ドイツ降伏から二か月後の七月十二日、ドイツ全土とベルリン市街を四つに区分して米英仏ソの四か国が分割統治する状態がスタートした。

だが、戦後のドイツをどのような国家にするかについては、各国間で意見が異なっていた。七月から八月にかけて開かれたポツダム会談のあと、戦後ヨーロッパの新秩序についての米英仏三国とソ連の議論では、政治と経済の体制（米英仏は民主主義の資本主義国、ソ連は国家統制の共産主義国）の違いから、対立の度合いが深まっていった。

そして、米英仏三国とソ連の相互不信がエスカレートした結果、スターリンは一九四八年六月二十四日、米英仏の統治する西ベルリンから三国の部隊を撤退させて同地をソ連の支配下に置くため、西部ドイツから西ベルリンへの陸路での物資輸送路を遮断するという「ベルリン封鎖」を断行した。

この暴挙に対し、米英仏三国は輸送機を使って大量の食糧や燃料を西ベルリンの飛行場へ空輸することで対応した。結局、西ベルリンからの米英仏三国の追い出しというスターリンの思惑は失敗に終わったが、もはや戦後ドイツを統一した形で主権回復させる協議を米英仏三国とソ連が継続することは不可能となった。

◆「ワルシャワ条約機構」の一員となったポーランド軍

スターリンが西ベルリンで「封鎖」という実力行使を断行するのを見たアメリカとイギリス、西ヨーロッパ諸国は、ドイツ東部のソ連軍が近い将来に西へと軍事侵攻する可能性は小さくないと考え、集団安全保障体制の構築についての協議を慌ただしく行った。

その結果、アメリカとカナダおよび西欧一〇か国は一九四九年四月四日、ソ連とその支配下にある諸国を事実上の仮想敵国とする安全保障同盟「北大西洋条約」を締結し、加盟各国が連携する集団防衛体制（北大西洋条約機構＝NATO）と、同機構の規約に基づく統一的な指揮系統を持つ多国籍軍（NATO軍）が確立された。

それと共に、ベルリンとドイツ本国の東西分割構想は、ベルリン封鎖を境に西側（米英仏）と東側（ソ連）の両陣営で具体化に向けて動き始めた。

ドイツ敗戦から四年後の一九四九年五月二十三日、まずドイツ西部地域が、西ベルリンを含む形で「ドイツ連邦共和国（西ドイツ）」として独立し、ソ連統治下のドイツ東部地域も、同十月七日に「ドイツ民主共和国（東ドイツ）」の建国を宣言した。

一方、第二次世界大戦の末期にソ連軍が「解放」して、戦後も政治的な支配下に置いていた、ポーランド以外の東欧諸国では、一九四五年三月にルーマニア、一九四六年五月にチェコスロヴァキア、同年九月にブルガリア、一九四七年八月にハンガリーで、それぞれ親ソ派ないし共産党が実権を握る政権が樹立されていた。

これらの国々は、ソ連から供給された戦車などの兵器と、ソ連軍に訓練された将兵で軍備を再建し、一九五五年五月十四日にはポーランドの首都ワルシャワで、ソ連と東欧諸国（東ドイツ・ポーランド・チェコスロヴァキア・ハンガリー・ルーマニア・ブルガリア・アルバニア）の代表者が、「東欧相互防衛援助条約機構（通称ワルシャワ条約機構）」と呼ばれる集団安保条約に調印した。

翌一九五六年十月二十三日、ハンガリーの首都ブダペストで市民による反ソ連と民主化要求のデモが発生すると、ソ連政府は同国に駐留するソ連軍部隊を二十四日の未明にブダペスト市内へと突入させた（ハンガリー動乱）。十月三十一日、ソ連の最高指導者フルシチョフ（スターリンは一九五三年三月五日に死去）の命令で、ワルシャワ条約機構軍の総司令官イワン・コーニェフ元帥を指揮官とするソ連軍の一〇個師団（約一五万人）が増援としてハンガリーへと派兵され、十一月四日から本格的な軍事行動を開始すると、反ソ派の市民やそれに同調したハンガリー軍部隊は粉砕された。

一二年後の一九六八年一月五日、ポーランドの南に隣接するチェコスロヴァキアで改革派のアレクサンデル・ドゥプチェクが政府トップに就任し、それまでのソ連型の経済政策の放棄と、経済および文化面における自由化を推進する方針を打ち出すと、ワルシャワ条約機構は「対NATO」という組織の第一目的とは異なる方向へと動き出した。

この動きを「社会主義諸国全体を揺るがす脅威」と見なしたソ連の最高指導者レオニード・ブレジネフと東欧四か国（ポーランド、東ドイツ、ハンガリー、ブルガリア）の政府は、一九六八年六月に「ワルシャワ条約機構軍の軍事演習」をチェコスロヴァキアとの国境付近で行って軍事的に威嚇し、自由化政策の放棄をドゥプチェクに要求した。

そして、ドゥプチェクとチェコスロヴァキアの市民がこの恫喝を拒絶すると、ポーランド兵二万八〇〇〇人を含む、ソ連と東欧三か国から成る約二五万人の部隊が、八月二十日にチェコスロヴァキア領内へと侵入した（東ドイツは兵站支援のみ）。

翌八月二十一日、ドゥプチェクとチェコスロヴァキア政府要人は、ソ連政府の意向に従う同国の国家保安局によって逮捕され、チェコスロヴァキアの経済と文化の自由化という動きは潰えた。ブレジネフは「社会主義諸国全体の利益を考慮すれば、そのうちの一国の主権が制限されてもやむを得ない」という「制限主権論（ブレジネフ・ドクトリン）」を唱え、チェコスロヴァキアに対するワルシャワ条約機構軍の侵入を正当化した。

第二次世界大戦の終結から二三年後、独ソ両軍がポーランドに侵攻した一九三九年から数えると二九年後、ポーランド軍はソ連政府の指示に従う形で、チェコスロヴァキアという隣国への軍事侵攻に加わったのである。

《冷戦終結とポーランドの民主化》

◆自主管理労組「連帯」とヴァウェンサ（ワレサ）議長

ポーランドの政治体制は、ミコワイチクがロンドンに亡命した翌年の一九四八年十二月十五日以降、親ソ派の「ポーランド統一労働者党（ＰＺＰＲ）」による事実上の一党独裁体制となっていた。一九五二年七月二十二日には、新憲法を制定して国名を「ポーランド人民共和国」と改称したが、この憲法改正で独裁体制はより強固なものとなった。

一九五三年三月にスターリンが死去し、後継者のフルシチョフが一九五六年二月二十五日に行った「スターリン時代の個人崇拝を否定する秘密演説（いわゆるスターリン批判）」

の内容が明るみに出ると、ポーランド国内でもゴムウカらが「脱スターリン主義」の路線を提唱した。だが、ソ連型の社会主義経済や言論統制などは継続された。

こうした状況の中、かつてダンツィヒと呼ばれ、第二次世界大戦後はポーランド領に併合されてグダニスクと改名していた港湾都市のレーニン造船所で、一九八〇年八月十四日に労働者のストライキが発生した。直接の理由は、女性労働者の解雇を不当と見なす抗議だったが、政府が七月一日に肉製品の値上げを発表して以降、ワルシャワなど各地で賃上げ要求のストが続発していた。

レーニン造船所のストを指導したのは、かつて同造船所で働いた経歴を持つレフ・ヴァウェンサ（日本や英語圏では一般に「ワレサ」と表記・発音される）という当時三六歳の電気技師で、彼はポーランド統一労働者党がその党名とは裏腹に、ソ連の傀儡としてポーランドの労働者の権利をないがしろにしていることへの怒りを長年抱いていた。

これに続いて、同年九月十七日には親ソ派政権と繋がりのない独立自主管理の労働組合「連帯」がグダニスクで結成され、ヴァウェンサが議長に就任した。親ソ派のコントロール下にない労働運動が、民主化運動のような形で瞬く間にポーランド国内各地へと広がったことで、親ソ派独裁体制の権力基盤は土台から揺らぎ始めていた。

一九八一年二月十一日、国防相ヴォイチェフ・ヤルゼルスキが兼務する形で首相に就任したが、彼は第二次世界大戦中は親ソ派ポーランド軍人として第2歩兵師団に所属し、ソ連軍と共にポーランド「解放」作戦に参加した経歴を持っていた。

同年十二月十三日未明に彼が「戒厳令（戦時状態）」を宣言すると、ポーランドは強権支配の時代に回帰した。デモやスト、政治集会は禁止され、新聞やテレビの報道も政府の検閲下に置かれた。ヴァウェンサを含む「連帯」幹部の大量検挙と、スト弾圧などの非民主的な手法に国際的な批判が高まり、ポーランド出身のローマ教皇ヨハネ・パウロ二世までもが、婉曲的な形でヤルゼルスキの強権手法を批判した。

一九八三年七月二十二日、戒厳令は解除されたが、ヤルゼルスキの独裁体制は逆に強化された。ヤルゼルスキは、表向きは「『連帯』指導者による国家転覆の企てに対する予防措置」と説明した戒厳令の発令理由について、ソ連政府が「制限主権論」を振りかざしてポーランドへの軍事介入を行うという事態を避けるためだったと後に説明した。

だが、そのソ連では、ミハイル・ゴルバチョフという新たなリーダーの登場により、ブレジネフ時代の「制限主権論」は過去の遺物として放棄されようとしていた。

◆冷戦終結とポーランドの民主化

一九八五年三月十一日、ソ連の政府トップである共産党中央委員会書記長に選出されたゴルバチョフは、従来型の硬直した政治・経済政策では、もはやソ連という巨大な国家の維持も、超大国としての国際的な存在感の保持もできないと考え、政治・経済面での「ペレストロイカ（改革）」と、文化面での「グラスノスチ（情報公開）」という二本柱の政策を掲げて、大胆な国家の改革事業に乗り出していった。

そして彼は、一九八六年二月の第二七回共産党大会で二五年ぶりに党綱領を改正し、時代遅れとなった「ブレジネフ路線」すなわち「制限主権論」との訣別を宣言した。

この宣言は、東欧諸国の民主運動家にとっては大きな希望の光だった。なぜなら、ソ連政府の「制限主権論」こそ、東欧の民主化を妨げる大きな障害だったからである。

一九八九年二月から四月にかけて、ポーランドで政府と自主管理労組「連帯」幹部による会議が開催され、国政改革の指針についての協議が行われた。

同年六月四日と十八日のポーランド議会選挙では、同年四月に再合法化された「連帯」の候補者が、下院の自由選挙枠全て（一六一議席）と上院のほとんど（一〇〇議席中九九議席）を占めて大勝し、ポーランド統一労働者党（一七三議席）を含む与党陣営の二九九議席に迫った。

この選挙結果を踏まえ、同年八月二十四日に週刊「連帯」元編集長のタデウシュ・マゾビエツキが首相に選出され、九月七日に冷戦開始後の東ヨーロッパで初となる非共産党政権が樹立された。国名も、同年十二月二十八日に「ポーランド共和国」へと戻された。

この一九八九年は、他の東欧諸国でも、政治情勢の変革の嵐が吹き荒れた年だった。

ハンガリーでは、六月二十四日に反ソ連の急進改革派が実権を掌握し、十一月七日にはポーランドの隣国・東ドイツで親ソ派のエーリッヒ・ホーネッカー政権が総辞職して、二日後の十一月九日に東西ベルリンを隔てていた「ベルリンの壁」が開放された。ブルガリアでは、十一月十日に親ソ派のトドル・ジフコフが失脚し、共産党独裁体制が崩壊した。

チェコスロヴァキアでも、一九八九年十二月十日、親ソ派のグスタフ・フサークが退陣し、十二月二十九日に実施された大統領選挙では、民主派の知識人ヴァーツラフ・ハヴェルが選出された。ルーマニアでは、十二月二十二日に共産党独裁政権が倒され、親ソ派のニコラエ・チャウシェスク大統領夫妻は、十二月二十五日に処刑された。

一九九〇年十月三日、第二次世界大戦後に分裂していた東西ドイツが統一を果たすと、ポーランド政府は同年十一月十四日に統一ドイツ政府との間で、両国間の国境線を現状とすることを改めて確認した（旧東ドイツ政府は一九五〇年七月六日に認めていた）。

同年十二月二十二日、ヴァウェンサはポーランド大統領に就任したが、ロンドンで存続していた亡命ポーランド政府の最後の「大統領」リシャルト・カチョロフスキは、彼を正統なポーランド大統領と認め、戦前から保持してきた大統領の印章を手渡した。これにより、歴史的な役目を終えたロンドンの亡命ポーランド政権は解散した。

ソ連の支配を脱して民主化されたポーランドでは、第二次世界大戦中にドイツ軍と戦った国内軍や自由ポーランド軍の功績が、戦後初めて正当に評価されるようになった。

一九九一年七月一日、東側の軍事力を象徴したワルシャワ条約機構は、正式に解消された。これにより、一九四八年のベルリン封鎖から数えてヨーロッパで四三年間続いた東西冷戦は終結し、東側の一国であったポーランドも、新たな道へと踏み出したのである。

《二〇二二年のウクライナ戦争勃発とポーランド》

◆ロシア軍のウクライナ侵攻がポーランドに及ぼした衝撃

二一世紀に入り、戦乱の炎がヨーロッパから遠のいたかに見えた二〇二二年二月二十四日、ポーランドの隣国ウクライナで、世界に激震を生じさせる出来事が発生した。ロシアの大統領ウラジーミル・プーチンの命令で、ロシア軍のウクライナへの全面的な軍事侵攻が開始されたのである。

一九九一年のソ連崩壊と共に、独立を回復していたウクライナに対し、ロシア軍は北部と北東部、東部、南部（クリミア半島）の四方向からの侵攻を開始し、作戦二日目の二月二十五日にはロシア軍地上部隊の先陣が、首都キーウ（キエフ）の外縁部まで迫った。

このロシア軍の全面侵攻は、ポーランドの政府と軍、国民に大きなショックを与えた。

ポーランドにとってのウクライナは、本書で説明した通り、さまざまな歴史的因縁のある隣国であり、またポーランドは第二次世界大戦後にドイツからソ連に割譲されたカリーニングラード州（旧東プロイセンの北半分）と、ロシア軍にウクライナ侵攻の出撃拠点を提供した親ロシア国のベラルーシ（旧白ロシア）とも長い国境を接しているからである。

ロシア軍のウクライナ侵攻開始から四五日後の二〇二二年四月十日、ポーランドのアンジェイ・ドゥダ大統領は、一九四〇年にソ連のNKVDが行った「カティンの森」事件を現在進行中の出来事と重ね合わせる内容の演説を行った。

「八〇年前も今日も、罪のない人々が殺害され、その痕跡が隠ぺいされている。一九四〇年にスターリンの命令で、ポーランド軍人と警察官、国境警備隊員、民間人合わせて約二万二〇〇〇人の同胞が、残酷に殺害された。だが、彼らは当時も今もウソをついている。この犯罪の責任はソ連ではなくナチスにあると宣伝したのである」

実際には、ゴルバチョフ時代の情報公開で、「カティンの森」の虐殺はNKVDの仕業だとソ連政府も認めていたが、プーチンは歴史教育の見直しとソ連時代の再評価という政治宣伝の一環として、「カティンの森」事件の責任を否認する態度をとり始めていた。

三日後の四月十三日、ドゥダ大統領は、バルト三国（リトアニア、ラトヴィア、エストニア）の首脳と共にキーウを訪問して、ウクライナのヴォロディミル・ゼレンスキー大統領と会談を行った。ドゥダ大統領は、会談後の共同記者会見で「もし誰かが戦闘機と兵士を外国に送り、住宅地を爆撃して民間人を殺害しているなら、それは戦争ではなくテロ行為だ」との言葉で、プーチン大統領を厳しく非難した。

ポーランドは、この時までに二六八万人のウクライナ人難民を受け入れ、最初の一年だけで二四・二億ユーロの軍事支援（アメリカ、イギリス、ドイツに次いで第四位）を行った。二〇二二年四月に、まず旧ソ連製のT72戦車約二四〇輛をウクライナに供与し、二〇二三年一月にはポーランド軍がNATO加盟後に装備したドイツ製のレオパルト2戦車の一部をウクライナに供与すると決定して、輸出元であるドイツ政府の承認を得た。

二〇二二年五月二十二日には、ドゥダ大統領が開戦後二度目のキーウ訪問を行い、ウクライナ議会で「ウクライナはロシアとの戦いに勝ち、困難を乗り越えて、ロシア軍による侵略前よりも美しく再建されるだろう」と述べて、ウクライナ支援の継続を約束した。

◆ポーランドのNATOとEUへの加盟

一九九一年八月二十四日、建国当初からソ連の構成国だったウクライナは「ウクライナ共和国」としてソ連からの分離独立を宣言（一九九六年六月二十八日の新憲法発効と共に国名を「ウクライナ」に変更）したが、同年十二月二日に世界で最初にウクライナの独立政府を承認したのがポーランドだった。

ポーランド政府と国民は、第二次世界大戦の開戦から戦後の東西冷戦期に至る五〇年の歴史に根差して、東の大国ソ連に対する強い不信感を抱いており、その感情はソ連崩壊後のロシアがプーチン政権下で強権姿勢を打ち出す中で、再び高まっていった。

一九九一年のワルシャワ条約機構解体とソ連の崩壊（十二月二十六日）後、ポーランドはロシアの軍事的脅威に対抗する手段として、かつての「敵」だった西側の軍事同盟NATOに接近し、一九九九年三月十二日にポーランドのNATO加盟が実現した。二〇〇四年五月一日には、欧州連合（EU）がポーランドのEU加盟を正式に承認し、ポーランドは東の大国ソ連／ロシアの勢力下から脱して、ヨーロッパの一員としての地位を確固たるものとした。

そんなポーランドにとって、プーチンが「ネオナチとの戦い」を大義名分に開始したウクライナへの侵略戦争は、第二次世界大戦の勃発という悪夢を想起させる忌まわしい出来事であり、自国の安全保障にも大きく影響する重大な懸案事項だった。

二〇二二年十一月十五日、東部のウクライナとの国境から七キロのポーランド領内にミサイルが着弾し、民間人二人が死亡する事件が発生した。もしロシア軍のミサイルなら、NATO加盟国への攻撃となり、アメリカやイギリスの報復により第三次世界大戦が勃発する可能性が生じるため、世界に緊張が走った。

だが、ポーランド政府が行った調査の結果、ウクライナ軍の防空システムS300が発射した迎撃ミサイル5V55が、軌道を外れて越境した可能性が高いとの結論が下された。

二〇二三年三月十六日、ドゥダ大統領はポーランド軍が保有する旧ソ連製のミグ29戦闘機を近日中にウクライナへ供与すると発表したが、NATO加盟国がウクライナに戦闘機を供与するのはこれが初めてだった。

また、ポーランドのマテウシュ・モラヴィエツキ首相は、二〇二三年六月三十日、EU首脳会議後の記者会見で、現状においてNATO加盟の五か国（ドイツ、オランダ、ベルギー、イタリア、トルコ）に配備されているアメリカ軍の核兵器を、ポーランド領内にも配備するようNATOに求めていることを明らかにした。

その二か月後の同年八月十五日には、ポーランドのワルシャワで冷戦終結後最大規模となる軍事パレードが行われ、ポーランド軍と他のNATO加盟国の兵士約二〇〇〇人が、市の中心部を行進した。

◆ドゥダ大統領と「法と正義（PiS）」の政治的スタンス

二〇一五年八月六日にポーランド大統領に就任したドゥダは、二〇〇五年からカトリック右派政党「法と正義（PiS）」の党員（大統領就任に伴い離党）だったが、同党は民族主義や排外思想の鼓舞、性的マイノリティへの抑圧などの方針を掲げていることから、ドイツなどEU加盟国との間で、人権問題をめぐる摩擦が生じている。

また、ドゥダ大統領の誕生と共に「法と正義」がポーランドの支配政党となって以来、同党の所属議員は、隣国ドイツが「第二次世界大戦期にポーランドが被った損害に対する賠償を行っていない」との主張を繰り返し発言した。

ドイツ側は、東西冷戦期の一九五三年にポーランドが旧東ドイツと結んだ「第二次世界大戦に関する補償請求権を放棄する」との合意を根拠に、賠償には応じない姿勢をとっているが、「法と正義」の議員は「あの合意はソ連の圧力で結ばされたもので、ドイツにはポーランドに補償する道徳的義務がある」と主張し、両国間の溝は埋まっていない。

さらに、ドゥダ大統領は二〇一八年二月六日、ナチス・ドイツと共産主義による各種犯罪の調査と資料管理などを定めた「国家記銘院法（一九九八年十二月十八日制定）」の改正案に署名した。この改正により、ナチスのユダヤ人迫害や大量虐殺に「一部のポーランド人が協力していた」という事実を指摘する行為は、刑事罰の対象となった（ただし、同年六月二十七日に再度法律が改正され、刑事罰については削除された）。

中東のパレスチナに逃れたユダヤ人が、第二次世界大戦後の一九四八年五月十四日に建国したイスラエルでは、ユダヤ人迫害と虐殺に関するポーランド人の責任を不問にすることの法改正への批判が高まり、ポーランドとイスラエルの関係も一時険悪化した。

このように、ポーランド国内では現在もなお、第二次世界大戦期の諸問題にまつわる議論が続いており、ウクライナの対ロシア戦争における共同支援で足並みを揃えるポーランドとEUなど諸外国との関係も、歴史問題ではいくつかの対立や衝突が生じている。

一九三九年九月の独ソ両軍によるポーランドの分割併合という悲劇から、八五年を経た現在もなお、第二次世界大戦がポーランドという国家と国民に負わせた深い傷は、いまだ完全に治癒したとは言いがたい状況なのである。

【附録】 ドイツ・ポーランドの主要戦車と航空機

※両軍の戦車側面図は全て同一縮尺

ポーランド軍の戦車

TK3型偵察戦車

全長: 2.58m 全高: 1.32m 全幅: 1.78m
車重: 2.43t 最高速度: 46km/h 乗員: 2名
武装: 7.92ミリ機関銃1挺

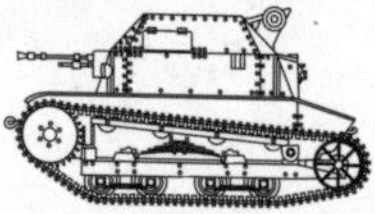

TKS型偵察戦車（機関砲搭載型）

全長: 2.98m 全高: 1.33m 全幅: 1.76m
車重: 2.65t 最高速度: 40km/h 乗員: 2名
武装: 20ミリ機関砲1門

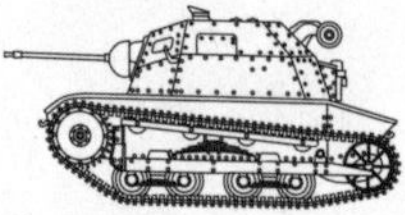

ルノーFT17型軽戦車

全長: 5.00m 全高: 2.14m
全幅: 1.74m 車重: 6.5t
最高速度: 8km/h
乗員: 2名
武装: 37mm戦車砲1門
（フランス製・1916年設計）

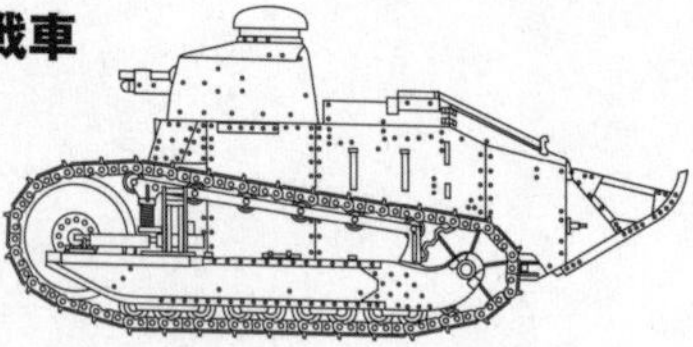

7TP jw型軽戦車

全長: 4.56m 全高: 2.27m
全幅: 2.43m 車重: 9.9t
最高速度: 37km/h
乗員: 3名
武装: 37mm戦車砲1門、
7.92ミリ機関銃1挺

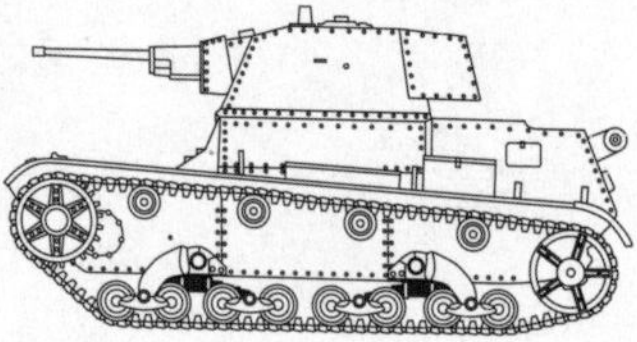

ドイツ軍の戦車

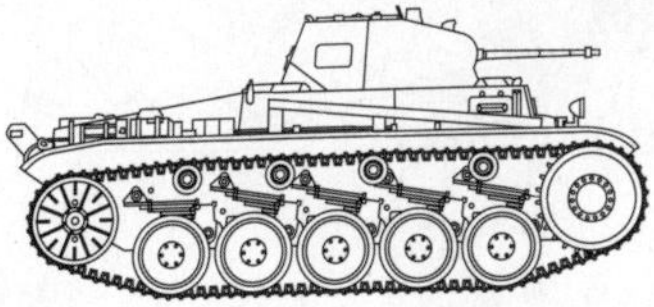

II号C型軽戦車

全長: 4.81m　全高: 1.99m
全幅: 2.22m　車重: 8.9t
最高速度: 40km/h
乗員: 3名
武装: 2cm機関砲1門、
7.92ミリ機関銃1挺

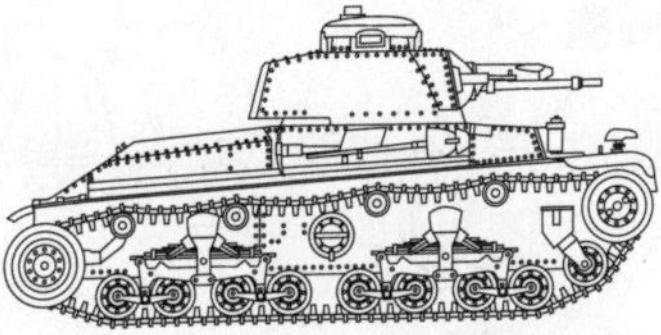

35(t)型軽戦車

全長: 4.90m　全高: 2.35m
全幅: 2.10m　車重: 10.5t
最高速度: 35km/h
乗員: 4名
武装: 3.7cm戦車砲1門、
7.92ミリ機関銃2挺

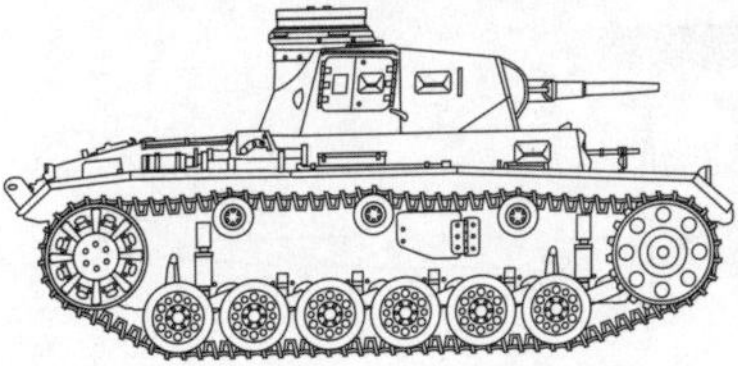

III号E型中戦車

全長: 5.38m　全高: 2.44m
全幅: 2.91m　車重: 19.5t
最高速度: 40km/h
乗員: 5名
武装: 3.7cm戦車砲1門、
7.92ミリ機関銃3挺

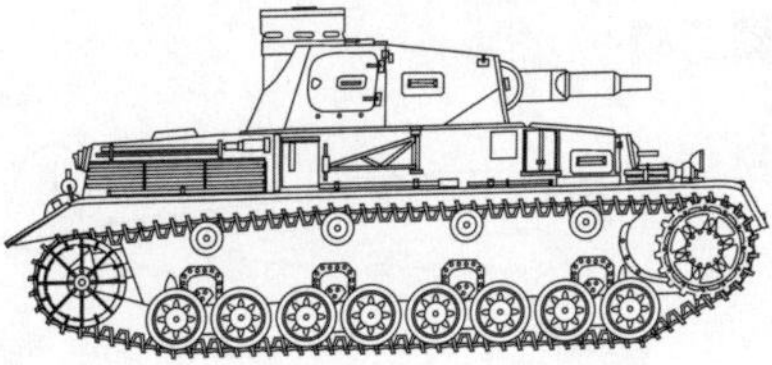

IV号A型中戦車

全長: 5.60m　全高: 2.65m
全幅: 2.90m　車重: 18.4t
最高速度: 31km/h
乗員: 5名
武装: 7.5cm戦車砲1門、
7.92ミリ機関銃2挺

ポーランド軍の航空機

PZL P7a型 戦闘機

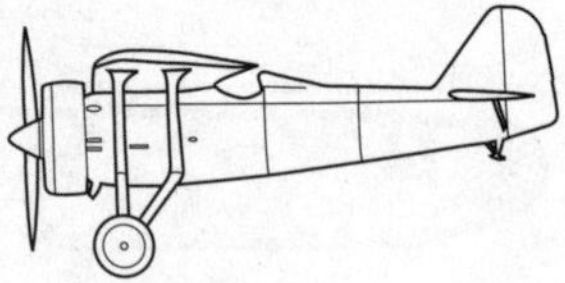

全長: 6.98m　全高: 2.69m
全幅: 10.57m　最大重量: 1.48t
最高速度: 327km/h
乗員: 1名
武装: 7.92ミリ機関銃2挺

PZL P11c型 戦闘機

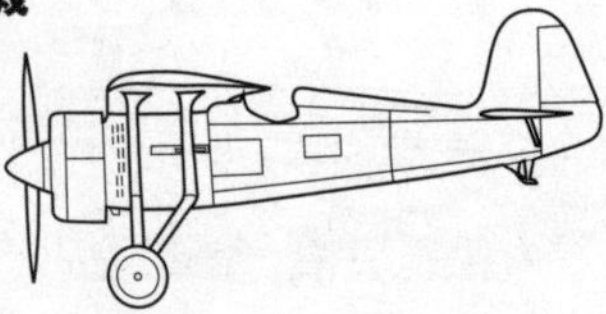

全長: 7.55m　全高: 2.85m
全幅: 10.72m　最大重量: 1.65t
最高速度: 375km/h
乗員: 1名
武装: 7.92ミリ機関銃2～4挺
積載爆弾: 50kg

PZL P23B型 爆撃機

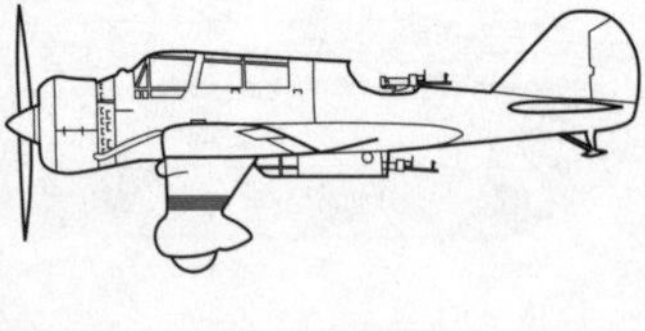

全長: 9.7m　全高: 3.30m
全幅: 13.95m　最大重量: 3.53t
最高速度: 320km/h
乗員: 3名
武装: 7.92ミリ機関銃3挺
積載爆弾: 700kg

PZL P37B型 戦闘機

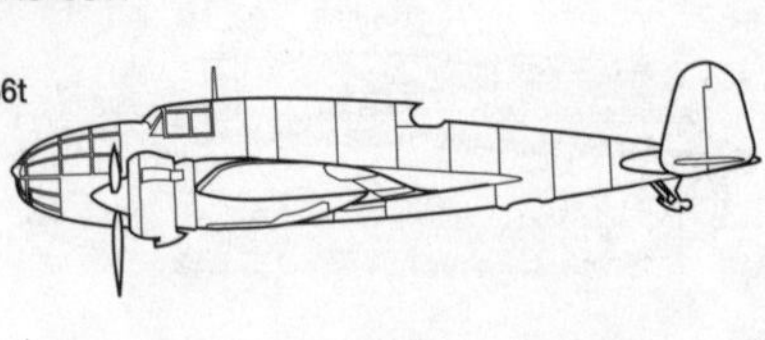

全長: 12.92m　全高: 5.08m
全幅: 17.93m　最大重量: 8.56t
最高速度: 445km/h
乗員: 3名
武装: 7.7ミリ機関銃3挺
積載爆弾: 2580kg

ドイツ軍の航空機

メッサーシュミット Bf110C型 戦闘機(駆逐機)

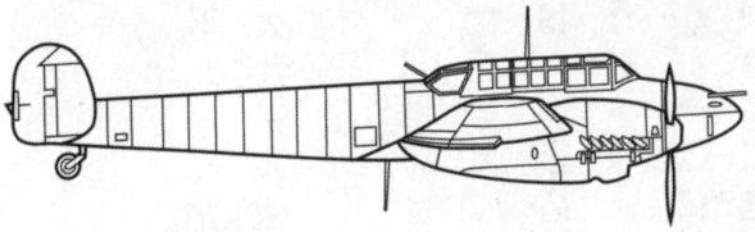

全長: 12.1m　全高: 4.12m
全幅: 16.2m　最大重量: 6t
最高速度: 540km/h
乗員: 3名
武装: 2cm機関砲1門、
7.92ミリ機関銃4挺

ユンカース Ju87B型 急降下爆撃機

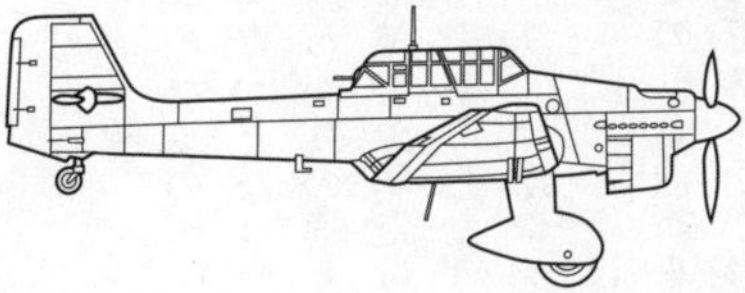

全長: 11m　全高: 3.95m
全幅: 13.8m　最大重量: 4.3t
最高速度: 380km/h
乗員: 2名
武装: 7.92ミリ機関銃2挺
積載爆弾: 1000kg

ハインケル He111型 爆撃機

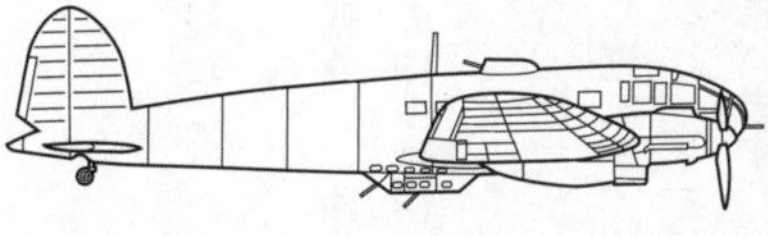

全長: 17.5m　全高: 4.4m
全幅: 22.6m　最大重量: 9.6t
最高速度: 420km/h
乗員: 5名
武装: 7.92ミリ機関銃3〜7挺
積載爆弾: 2000kg

ユンカース Ju52/3m型 輸送機

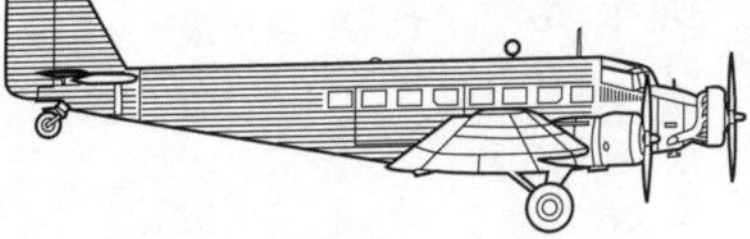

全長: 18.9m　全高: 4.5m
全幅: 29.25m
最大重量: 10.5t
乗員: 2名
最高速度: 270km/h
飛行航続距離: 1250km

あとがき

一九三九年九月に始まったドイツ軍のポーランド侵攻は、二〇世紀で最悪の人災の一つである第二次世界大戦の「発火点」となった事件として、広く知られています。

しかし、本書を一読されておわかりの通り、この戦争は「独裁者アドルフ・ヒトラーの領土的野心や征服欲」という単純な説明だけではその開戦理由を捉えきれない、非常に複雑な「側面」をいくつも持つ出来事でした。

最終的には、戦前のオーストリア合邦やチェコ併合、開戦後のヨーロッパ各国への軍事的侵略というヒトラーの「常套手段」とほぼ一致する流れで、ポーランドとの戦争も決断されましたが、そこに至るまでの紆余曲折を観察すると、さまざまな力学の作用で生じる戦争の回避がいかに難しいものであるかがわかると思います。

そして、現代に生きるわれわれ日本人が留意すべきと思われるのは、大国間のパワーバランスが崩れて戦争に向かい始めた時、大国に挟まれた「周辺国」や「中小国」は、そこから逃げる道をほとんど持たない、という現実です。

ポーランドの政府と国民は、もし外交交渉が決裂してドイツとの間で何らかの軍事衝突が発生しても、イギリスやフランスが助けに来てくれるはずだと理解していました。当時のポーランドは、英仏両国との間で軍事同盟や相互援助条約を結んでいたからです。

しかし英仏両国は、ドイツとの全面戦争としての第二次世界大戦が始まると、戦争全体でドイツに勝利することを優先課題とし、ポーランドの救援は後回しにしました。本国を征服されたポーランドは、亡命政府をまずフランス、次いでイギリスに開設しましたが、イギリスとフランスは亡命ポーランド軍を自国軍の「友軍」として丁重に扱う一方、亡命政府に対しては冷淡な態度をとり続けました。

なぜこのような乖離《かいり》が生じたかと言えば、大国と周辺国では「国益を評価するスケールが大きく違う」からで、イギリスやフランスにとってのポーランドとは、ドイツとの戦争を有利に進めるために共同戦線を張れる「周辺国の一つ」でしかありませんでした。

そして、最終的にドイツが連合国に無条件降伏したことで、亡命ポーランド政府も形式的には「戦勝国」の側に名を連ねましたが、ワルシャワと旧ポーランド領はドイツを倒したソ連の勢力圏内に入っており、亡命ポーランド政府は統治権を及ぼせませんでした。

ポーランドやノルウェー、オランダ、ベルギー、ギリシャなどの周辺国は、大国と大国が全力でぶつかり合う「世界大戦」が勃発した時点で、実質的に「敗北」同然の立場となり、最終的な結果がどちらに転んでも、国民の人的被害や国内のインフラ破壊、戦費負担による財政悪化など、ろくなことがありません。

周辺国にとっての平和と繁栄は、「大国同士の大戦争が近隣で起こらない状況」でのみ実現できるもので、大戦争で勝った大国の側に属していれば「自分たちも戦勝国の一員になれる」という甘いものではありません。

大国は、大戦争で多少のダメージを被っても、自力で立ち直る体力、つまり「国力」を有していますが、戦後のヨーロッパの国々がそうであったように、自国が戦場となった周辺国は、アメリカの経済復興支援（マーシャル・プラン）などの大国の援助がなければ、戦争による各種のダメージから回復することができませんでした。

第二次世界大戦当時の大日本帝国が大国であったイメージの延長線上で、現在の日本国を取り巻く安全保障問題を「大国目線」で語る人もいますが、食糧もエネルギーも自給できない日本国は「大国ではなく周辺国」だという現実を思い出す必要があります。

本書は、二〇一〇年に学研M文庫から上梓した『ポーランド電撃戦』をベースに、大幅な加筆修正と再構成を行ったものです。第一章から第六章までは、同書の内容に手直しを加えて冗長な部分は割愛し、第七章から第九章は本書のために書き下ろしました。

旧版は、一九三九年のポーランド戦とそこに至るまでの「外交戦」に焦点を当てた内容でしたが、本書はより視野を広くとり、第二次世界大戦という巨大な戦争の「発火点」に至るまでのヨーロッパの政治と外交の駆け引きから、あの戦争が戦後のヨーロッパ情勢や現在のポーランドの対外政策に及ぼした影響までをカバーする構成としました。

こうすることで、終結から七九年が経過した第二次世界大戦が決して「自分たちの暮ら

し と関係ない過去の歴史」ではなく、「いま我々が生きる世界と地続きの現実」である、というリアルな視点を、読者に提供できたのではないかと思います。

最終的に巨大な戦争を引き起こすことになる、当時のヨーロッパで繰り広げられた政治と外交の攻防や、軍事面での戦略と作戦など、さまざまな角度からテーマに光を当てた本書を、同時代の諸問題を考える材料としても役立てていただければ幸いです。

最後になりましたが、朝日新聞出版書籍編集部の長田匡司氏と日吉久代氏をはじめ、本書の編集・製作・販売業務に携わって下さったすべての人に対して、心からの感謝の気持ちと共に、お礼を申し上げます。

そして、本書を執筆するに当たって参考にさせていただいた全ての書物の著者・訳者・編者の方々にも、敬意と共にお礼を申し上げます。

2023年12月8日

山崎雅弘

ワルシャワ市内のサスキ公園にある、ポーランド軍無名戦士の墓（2009年12月、著者撮影）。二人の衛兵が交代で「永遠の炎」を守っている。廟の柱には、ポーランド兵が戦った戦場の名がすべて刻まれている。

参考文献

◆芦田均『第二次世界大戦前史』時事通信社　1960年／1970年
◆伊東孝之『ポーランド現代史』山川出版社　1988年
◆ジョン・W・ウィラー＝ベネット（酒井三郎訳）『悲劇の序幕——ミュンヘン協定と宥和政策』日本出版サービス　1977年
◆梅田良忠編『東欧史』山川出版社　1958年／1960年
◆梅本浩志、松本照男『ワルシャワ蜂起』社会評論社　1991年
◆尾崎俊二『ワルシャワ蜂起』東洋書店　2011年
◆ステファン・キェニェーヴィチ編（加藤一夫、水島孝生共訳）『ポーランド史（1・2）』恒文社　1986年
◆ハインツ・グデーリアン（本郷健訳）『電撃戦』フジ出版社　1974年／1980年
◆栗原優『第二次世界大戦の勃発——ヒトラーとドイツ帝国主義』名古屋大学出版会　1994年
◆栗原優『ナチズムとユダヤ人絶滅政策——ホロコーストの起源と実態』ミネルヴァ書房　1997年
◆軍事史学会編『第二次世界大戦——発生と拡大』錦正社　1990年

◆アルチュール・コント（山口俊章訳）『ヤルタ会談　世界の分割』サイマル出版会　1986年
◆斉藤孝『第二次世界大戦前史研究』東京大学出版会　1965年
◆斎藤治子『独ソ不可侵条約――ソ連外交秘史』新樹社　1995年
◆佐々木雄太『三〇年代イギリス外交戦略――帝国防衛と宥和の論理』名古屋大学出版会　1987年
◆J・K・ザヴォドニー（中野五郎訳）『カティンの森の夜と霧』読売新聞社　1963年
◆ヴィクトル・ザスラフスキー（根岸隆夫訳）『カチンの森』みすず書房　2010年／2022年
◆芝健介『ホロコースト』中公新書　2008年
◆ウィリアム・シャイラー（井上勇訳）『フランス第三共和制の興亡（1・2）』東京創元社　1971年
◆『第2次大戦最大の激戦 No.8　初の電撃戦ポーランド（増補改訂版）』デルタ出版　1993年
◆J・M・チェハノフスキ（梅本浩志訳）『ワルシャワ蜂起　1944』筑摩書房　1989年
◆綱川政則『ヒトラーとミュンヘン協定』教育社　1979年／1987年

◆ノーマン・デイヴィス（染谷徹訳）『ワルシャワ蜂起（上・下）』白水社　2012年
◆A・J・P・テイラー（吉田輝夫訳）『第二次世界大戦の起源』中央公論社　1977年／1989年
◆A・J・P・テイラー（都築忠七訳）『イギリス現代史』みすず書房　1968年／1987年
◆ギュンター・デシュナー（加藤俊平訳）『ワルシャワ反乱』サンケイ新聞社出版局　1973年
◆J・G・ドゥ・ブース（高原富保訳）『明日、未明！』サイマル出版会　1981年
◆ヒュー・R・トレヴァー＝ローパー（滝川義人訳）『ヒトラーの作戦指令書』東洋書林　2000年
◆新見政一『第二次世界大戦戦争指導史』原書房　1984年
◆日本国際政治学会編『第二次大戦前夜――1939年夏の国際関係』有斐閣　1982年
◆日本国際政治学会　太平洋戦争原因研究部編『太平洋戦争への道　開戦外交史　第四巻』朝日新聞社　1963年／1987年
◆ワルター・K・ネーリング、アダム・サブチェンスキー他（小城正訳）『ポーランド侵攻　電撃作戦』ツル・インターナショナル　1966年
◆原田瓊生『歐洲戰亂の眞相』明治書房　1939年

◆阪東宏『ポーランド人と日露戦争』青木書店　1995年
◆平井友義『三〇年代ソビエト外交の研究』有斐閣　1993年
◆ラウル・ヒルバーグ（望田幸男、原田一美、井上茂子訳）『ヨーロッパ・ユダヤ人の絶滅（上・下）』柏書房　2012年
◆藤村信『ヤルタ——戦後史の起点』岩波書店　1985年
◆カーユス・ベッカー（松谷健二訳）『攻撃高度4000』フジ出版社　1974年
◆マイケル・ベーレンバウム（芝健介日本語版監修）『ホロコースト全史』創元社　1996年
◆ヴァルター・ホーファー（林健太郎、斉藤孝共訳）『第二次世界戦争前史』御茶の水書房　1958年
◆牧野雅彦『ヴェルサイユ条約』中央公論新社　2009年
◆松川克彦『ヨーロッパ1939』昭和堂　1997年
◆チャールズ・ミー（大前正臣訳）『ポツダム会談』徳間書店　1975年
◆スタニスワフ・ミコワイチク（広瀬佳一、渡辺克義訳）『奪われた祖国ポーランド　ミコワイチク回顧録』中央公論新社　2001年
◆三宅正樹『スターリン、ヒトラーと日ソ独伊連合構想』朝日新聞社　2007年
◆安井教浩『リガ条約　交錯するポーランド国境』群像社　2017年
◆ヴォイチェフ・ヤルゼルスキ（工藤幸雄監訳）『ポーランドを生きる　ヤルゼルスキ回

想録』河出書房新社　１９９４年
◆ウォルター・ラカー編（井上茂子、木畑和子、芝健介、長田浩彰、永岑三千輝、原田一美、望田幸男訳）『ホロコースト大事典』柏書房　２００３年
◆イェジ・ルコフスキ、フベルト・ザヴァツキ（河野肇訳）『ポーランドの歴史』創土社　２００７年
◆ピエール・ルヌーバン（鹿島守之助訳）『第二次世界大戦の原因』鹿島研究所出版会　１９７２年
◆歴史群像欧州戦史シリーズ『ポーランド電撃戦』学習研究社　１９９７年
◆歴史群像欧州戦史シリーズ『ドイツ装甲部隊全史（１〜２）』学習研究社　２０００年
◆歴史群像欧州戦史シリーズ『武装ＳＳ全史（１〜２）』学習研究社　２００１年
◆渡辺克義『物語　ポーランドの歴史』中公新書　２０１７年／２０２２年
◆Nicholas Bethell *The War Hitler Won : The Fall of Poland, September 1939* Holt, Rinehart and Winston　１９７３年
◆Fedor von Bock *The War Diary* Schiffer　１９９６年
◆Donald Cameron Watt *How War Came* Pantheon　１９８９年
◆John Ellis *World War II : The Encyclopedia of Facts and Figures* The Military Book Club　１９９３年／１９９５年

◆Robert Forczyk *Warsaw 1944* Osprey　２００９年
◆Andrzej Garlicki (Trans. by John Coutouvidis) *Józef Piłsudski 1867-1935* Scolar Press　１９９５年
◆David M. Glantz (ed.) *Red Army Operations, August 1938-March 1940* David M.Glantz　２００６年
◆Franz Halder (Ed. by Charles Burdick, Hans-Adolf Jacobsen) *The Halder War Diary 1939-1942* Presidio　１９８８年
◆Richard Hargreaves *Blitzkrieg Unleashed* Pen & Sword　２００８年
◆Adam Jońca, Rajmund Szubański, Jan Tarczyński *Wrzesień 1939 : Pojazdy Wojska Polskiego* Wydawnictwa Komunikacji i Lacznosci　１９９０年
◆Wolf Keilig *Die Generale des Heeres* Podzun-Pallas-Verlag　１９８３年
◆Robert M. Kennedy *The German Campaign in Poland (1939)* Department of the Army　１９５６年
◆Bor-Komorowski *The Secret Army* The Battery Press　１９８４年
◆Janusz Ledwoch *Warsaw 1: Tanks in the Uprising, August 1944-October 1944* Leandoer & Ekholm　２０１１年
◆Janusz Magnuski, Maksym Kolomijec *Rudy Blitzkrieg* Bonus-A　１９９６年
◆Evan McGilvray *Days of Adversity: the Warsaw Uprising 1944* Helion　２０１６年

◆Rolf Michaelis *SS-Heimwehr Danzig 1939* Shelf Books　２００１年
◆Samuel W. Mitcham *German Order of Battle (1～3)* Stackpole　２００７年
◆Roger Moorhouse *Poland 1939* Basic Books　２０２０年
◆Eric J. Patterson *Pilsudski : Marshal of Poland* Arrowsmith　１９３５年
◆*Polska Mapa Fizyczna 1 : 1250000 (1939)* Centrum Kartografii　２００８年
◆Alexander B. Rossino *Hitler Strikes Poland* University Press of Kansas　２００３年
◆William Russ *Case White : The German Army in the Polish Campaign* The Nafziger Collection　２００６年
◆Jacek Solarz *Polska 1939 (Vol.1)* Wydawnictwo Militaria　２００７年
◆Richard M. Watt *Bitter Glory : Poland and its fate 1918-1939* Simon and Schuster　１９７９年
◆Mirosław Wawrzyński *Czerwone Gwiazdy* Agencja Wydawnicza CB　２００８年
◆Steven J. Zaloga *Poland 1939* Osprey　２００２年
◆Steven J. Zaloga *The Polish Army 1939-45* Osprey　１９８２年
◆Steven J. Zaloga, Victor Madej *The Polish Campaign 1939* Hippocrene　１９８５年
◆Wojciech Zalewski *Atlas Kampanii Wrześniowej 1939 roku* Taktyka i Strategia　２００９年

第《だい》二《に》次《じ》世《せ》界《かい》大《たい》戦《せん》の発《はつ》火《か》点《てん》
独《どく》ソ対《たい》ポーランドの死《し》闘《とう》

朝日文庫

2024年2月28日　第1刷発行

著　者　山《やま》崎《ざき》雅《まさ》弘《ひろ》

発行者　宇都宮健太朗
発行所　朝日新聞出版
〒104-8011　東京都中央区築地5-3-2
電話　03-5541-8832(編集)
03-5540-7793(販売)

印刷製本　大日本印刷株式会社

Published in Japan by Asahi Shimbun Publications Inc.
定価はカバーに表示してあります

ISBN978-4-02-262092-7